Office 2019
Microsoft 365

いちばんやさしい エクセル 超入門

早田絵里

SB Creative

本書に関するお問い合わせ

この度は小社書籍をご購入いただき誠にありがとうございます。小社では本書の内容に関するご質問を受け付けております。本書を読み進めていただきます中でご不明な箇所がございましたらお問い合わせください。なお、ご質問の前に小社Webサイトで「正誤表」をご確認ください。最新の正誤情報を下記Webページに掲載しております。

本書サポートページ　https://isbn2.sbcr.jp/08965/

上記ページのサポート情報にある「正誤情報」のリンクをクリックしてください。
なお、正誤情報がない場合、リンクは用意されていません。

ご質問送付先

ご質問については下記のいずれかの方法をご利用ください。

Webページより

上記サポートページ内にある「お問い合わせ」をクリックしていただき、ページ内の「書籍の内容について」をクリックすると、メールフォームが開きます。要綱に従ってご質問をご記入の上、送信してください。

郵送

郵送の場合は下記までお願いいたします。

〒106-0032
東京都港区六本木2-4-5
SBクリエイティブ 読者サポート係

はじめに

「仕事でエクセルを使うことになったけれど使い方がわからない！」
「テレワークに切り替わったから操作について誰かに聞くことができない！」

「社会人になってから初めてエクセルを触った」という人は非常に多いです。しかし、現代社会ではもはや社内資料はエクセルなどのデータで保存することが当たり前になりました。エクセルの操作がわからないままでは仕事が進まずに業務が滞ってしまい、残業が続いてしまうことになるでしょう。

また、テレワークを導入している企業も増えており、自宅のパソコンで作業する機会が増えた人もいるでしょう。しかし、会社にいるときはエクセルの操作がわからなくても誰かに聞くことができたけれども、自宅ではなかなかそうはいきません。

「操作がわからない」「誰にも聞けなくて困る」そんな方にこの一冊があればエクセルの操作の基礎をおさえることができるように作成をいたしました。初めてパソコンを触るという方にも、パソコンのマウスやキーボードの操作から学べるように工夫をしました。

みなさんがエクセルを操作して、快適に仕事ができる力になれれば幸いです。

2021年3月
早田 絵里

ご購入・ご利用の前に必ずお読みください

- 本書では、2021年3月現在の情報に基づき、エクセルについての解説を行っています。
- 画面および操作手順の説明には、以下の環境を利用しています。エクセルのバージョンによっては異なる部分があります。あらかじめご了承ください。
  - ・エクセル：Office 2019
  - ・パソコン：Windows 10
- 本書の発行後、エクセルがアップデートされた際に、一部の機能や画面、操作手順が変更になる可能性があります。あらかじめご了承ください。

本書の使い方

本書は、これからエクセルをはじめる方の入門書です。
46のレッスンを順番に行っていくことで、エクセルの基本がしっかり身につくように構成されています。

紙面の見方

レッスン
本書は7章で構成されています。レッスンは1章から通し番号が振られています。

ここでの操作
レッスンで使用する操作を示しています。

手順
レッスンで行う操作手順を示しています。画面と右の説明を見ながら、実際に操作を行ってください。

練習用ファイル ▸ 04_画面の拡大縮小.xlsx

レッスン 04 画面を拡大・縮小しましょう

エクセルの表計算画面では、表の全体を確認するために画面を縮小したり、一部分を確認するために拡大したりすることができます。

1 画面を拡大する

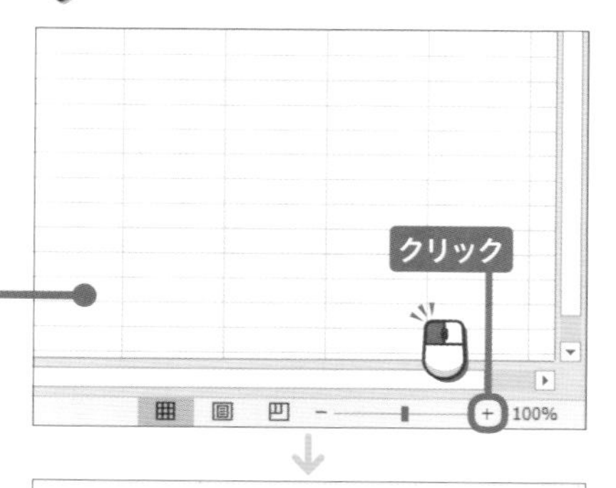

表計算画面の右下にある＋をクリックします。

●アドバイス●
右下の中央にある▮を右に動かす（ドラッグする）ことでも拡大できます。

住所1	住所2	電話番号	性別
桜山XXX		046-821-XXXX	男
金沢区白帆XXX		045-725-XXXX	男
青葉区たちばな台XXX		045-451-XXXX	女
鶴見区朝日町XXX	朝日グランドスクエア1103	045-506-XXXX	女
旭区今宿町XXX		045-771-XXXX	女
材木座XXX		0467-21-XXXX	男
戸塚区南舞岡XXX		045-245-XXXX	男
港南区上大岡東XXX	イーストパーク上大岡805	045-301-XXXX	女
戸塚区平戸町XXX		045-651-XXXX	男
温水XXX		046-556-XXXX	女
神奈川区片倉XXX		045-412-XXXX	男
磯子区汐見台XXX		045-975-XXXX	男
磯子区杉田XXX	フローレンスタワー2801	045-751-XXXX	女
金沢区能見台XXX		045-654-XXXX	女
磯子区田中XXX	ダイヤモンドマンション405	045-421-XXXX	女
多摩区寺尾台XXX		044-505-XXXX	男
関谷XXX		0467-58-XXXX	男
緑区竹山XXX	明日館331	045-320-XXXX	男
都筑区加賀原XXX		045-511-XXXX	女

画面が拡大されます。なお、クリックした回数が多いほど画面の拡大率が上がります。

●アドバイス●
最大で400%まで拡大できます。

34

読みやすい！

書籍全体にわたって、読みやすい、太く、大きな文字を使っています。

安心！

1つひとつの手順を全部掲載。初心者がつまずきがちな落とし穴も丁寧にフォローしています。

役立つ！

多くの人がやりたいことを徹底的に研究して、仕事に役立つ内容に仕上げています。

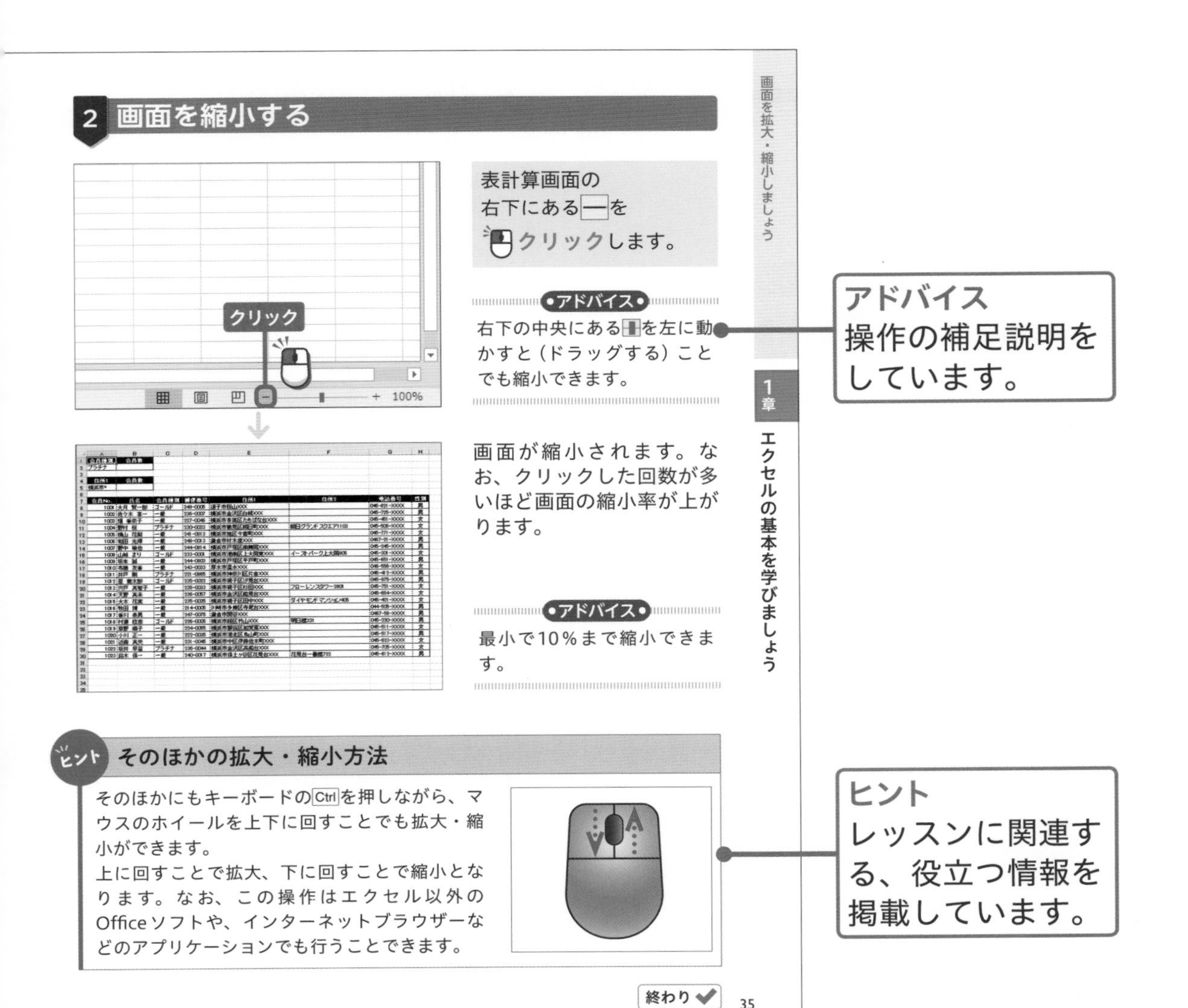

2 画面を縮小する

表計算画面の右下にある—を クリックします。

アドバイス

右下の中央にある▮を左に動かすと（ドラッグする）ことでも縮小できます。

画面が縮小されます。なお、クリックした回数が多いほど画面の縮小率が上がります。

アドバイス

最小で10％まで縮小できます。

ヒント そのほかの拡大・縮小方法

そのほかにもキーボードのCtrlを押しながら、マウスのホイールを上下に回すことでも拡大・縮小ができます。
上に回すことで拡大、下に回すことで縮小となります。なお、この操作はエクセル以外のOfficeソフトや、インターネットブラウザーなどのアプリケーションでも行うことできます。

終わり

35

画面を拡大・縮小しましょう

1章 エクセルの基本を学びましょう

練習用ファイルの使い方

学習を進める前に、本書の各レッスンで使用する練習用ファイルを、以下のWebページからダウンロードしてください。

練習用ファイルのダウンロード

https://www.sbcr.jp/support/4815607388/

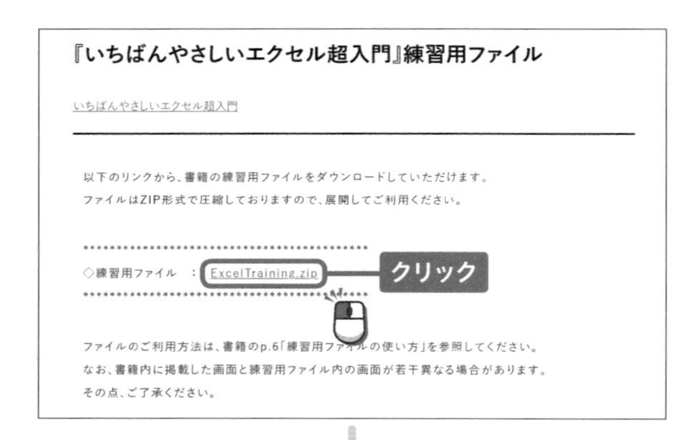

ここでは、Microsoft Edgeを使ったダウンロード方法を紹介します。

❶上記のURLを入力してWebページを開いて、「ExcelTraining.zip」をクリックしてダウンロードします。

※Microsoft Edgeのバージョンによっては「保存」をクリックしてダウンロードを行ってください。

❷「ファイルを開く」をクリックします。

※Microsoft Edgeのバージョンによっては「フォルダーを開く」をクリックして、「ダウンロード」フォルダーで「ExcelTraining.zip」をダブルクリックしてください。

❸ZIPファイルの内容が表示されたら、「ExcelTraining」フォルダーをデスクトップなどの好きな場所にドラッグしてコピーしてください。

以降はコピーしたファイルをエクセルで開いて使用します。

練習用ファイルの内容

練習用ファイルの内容は下図のようになっています。ファイルの先頭の数字がレッスン番号を表します。なお、レッスンによっては練習用ファイルがない場合もあります。

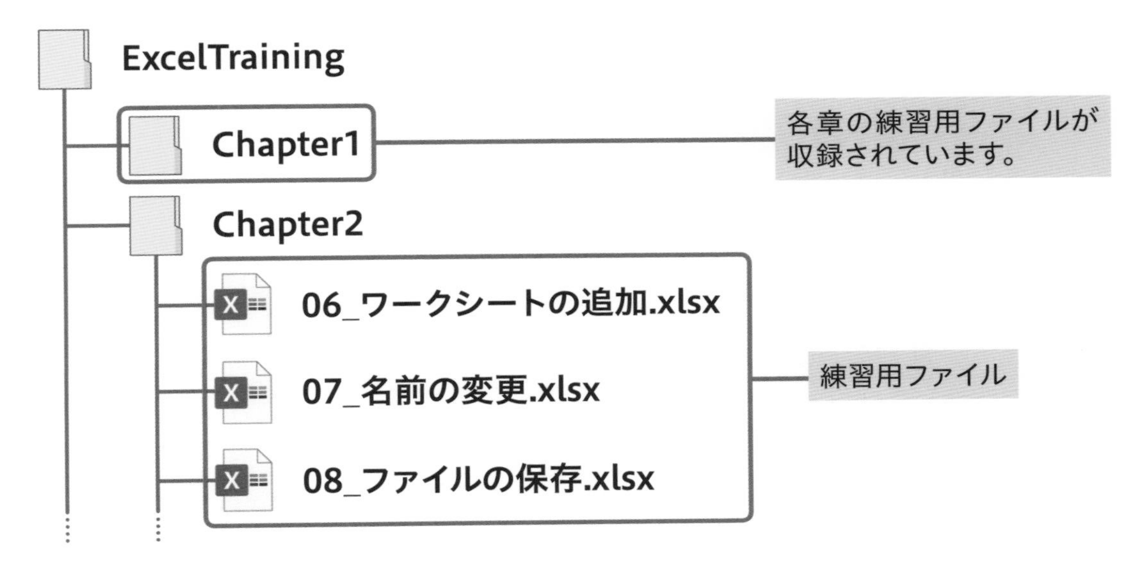

使用時の注意点

練習用ファイルを開こうとすると、画面の上部に警告が表示されます。これはインターネットからダウンロードしたファイルには危険なプログラムが含まれている可能性があるためです。本書の練習用ファイルは問題ありませんので、「編集を有効にする」をクリックして、各レッスンの操作を行ってください。

06_ワークシートの追加.xlsx [保護ビュー] - Excel

ファイル　ホーム　挿入　ページレイアウト　数式　データ　校閲　表示　開発　ヘルプ　何をしますか

保護ビュー　注意—インターネットから入手したファイルは、ウイルスに感染している可能性があります。編集する必要がなければ、保護ビューのままにしておくことをお勧めします。　編集を有効にする(E)

クリックして編集を有効にする

目次

2章 ファイルの作成と保存の方法を学びましょう

3章 データの入力と編集の方法を学びましょう

目次

5章 エクセルで計算を行いましょう

目次

6章 グラフの作り方を学びましょう

7章 表やグラフの印刷と出力を行いましょう

学習の準備 1

マウス操作の基本を覚えましょう

エクセルの操作では、マウスを使用する場面が多くあります。ここで、マウス操作の基本を身につけましょう。

1 クリック

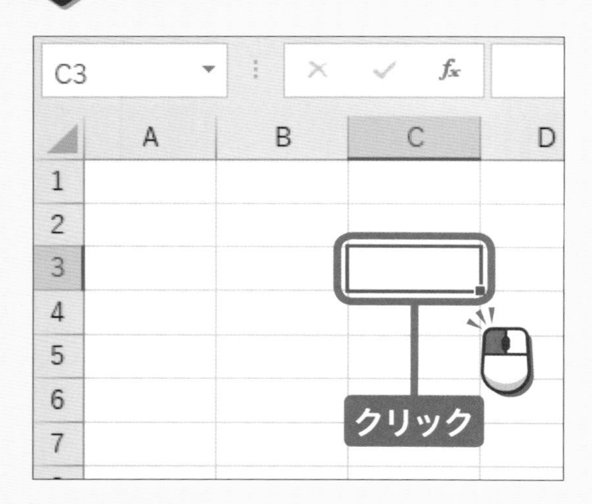

マウスの左側のボタンを「カチ」と押す操作です。エクセルでは主に、セルの選択や、メニューやボタンによる操作の際に使用します。マウス操作の中で、いちばん使う機会が多い操作です。

2 ダブルクリック

マウスの左側のボタンを「カチカチ」と素早く2回続けてクリックする操作です。デスクトップ画面のアイコンからエクセルを起動する際や、セルに入力されたデータを編集する際などに使用します。

3 ドラッグ（&ドロップ）

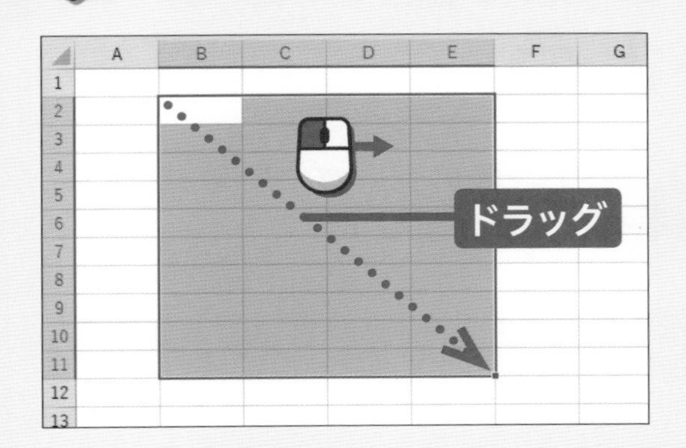

マウスの左側のボタンを押したまま、マウスを移動させる操作です。移動させた先で指を離す操作を「ドロップ」といいます。複数のセルを選択するときなどに使用します。

4 右クリック

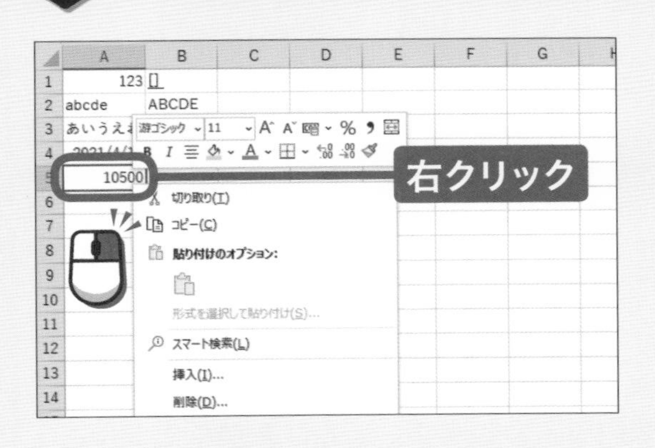

マウスの右側のボタンを「カチ」と押す操作です。セル上で右クリックをするとメニューが表示され、これを「右クリックメニュー」と呼ぶこともあります。

5 ホイール

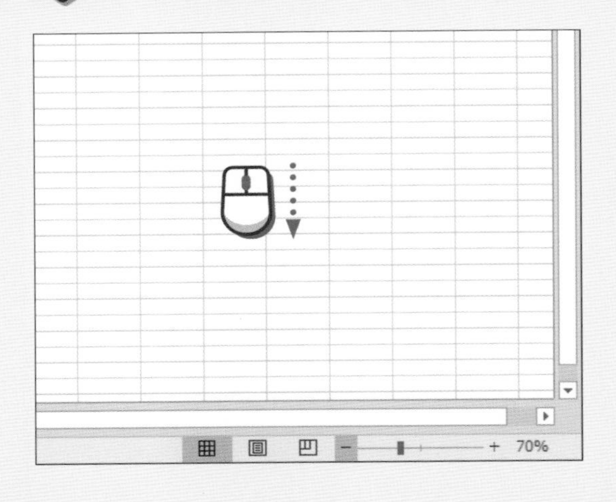

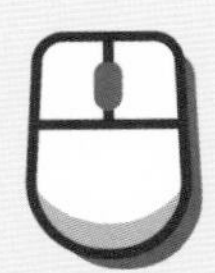

マウス中央にある回転する部分を「ホイール」といいます。これを上下に回転することで、画面を上下にスクロールすることができます。また、キーボードの Ctrl と組み合わせて画面の拡大・縮小をすることもできます。

学習の準備 2

キーボード操作の基本を覚えましょう

エクセルでは、セルに文字や数値を入力して、表のデータや計算式を作成します。ここで、キーボード操作の基本を身につけましょう。

1 キーボードの基本

ここではキーボードの基礎について解説します。なお、入力については3章でも詳しく解説をしています。

デスクトップパソコンのキーボード

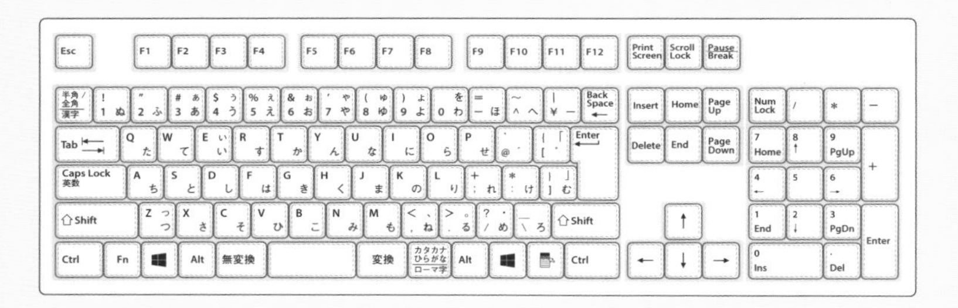

通常のキーボードの配列です。アルファベットとひらがなの記入されているキーで日本語を、数字の記入されているキーで数値を入力します。また、数値は右側にある電卓のようなキーでも入力することができます。

ノートパソコンのキーボード

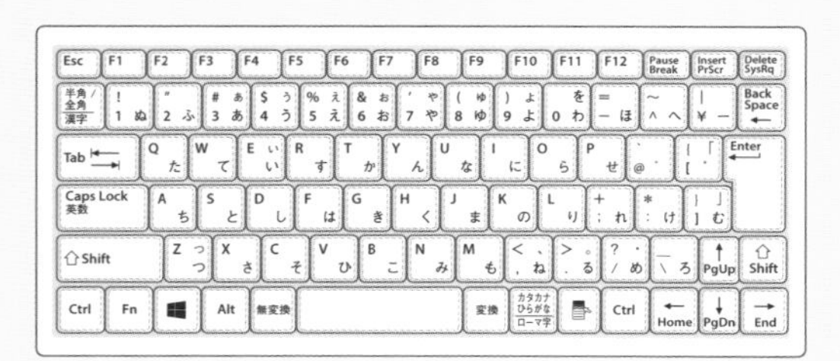

ノートパソコンのキーボードの配列です。デスクトップパソコンのキーボードとは違い、右側の電卓のようなキーがなくなっています。最上部のファンクションキーの幅が隙間なく配列されているのも特徴です。

2 数値の入力

数値の入力は、数字が記入されているキーを押して行います。

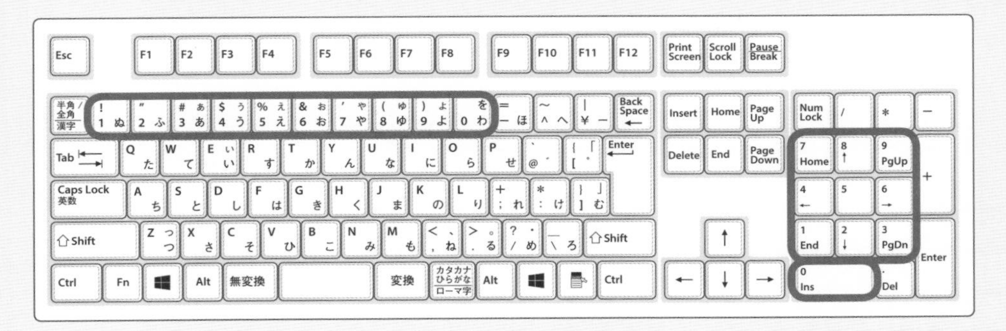

たとえば、1のキーを押すと、パソコン上で数字の「1」が入力されます。

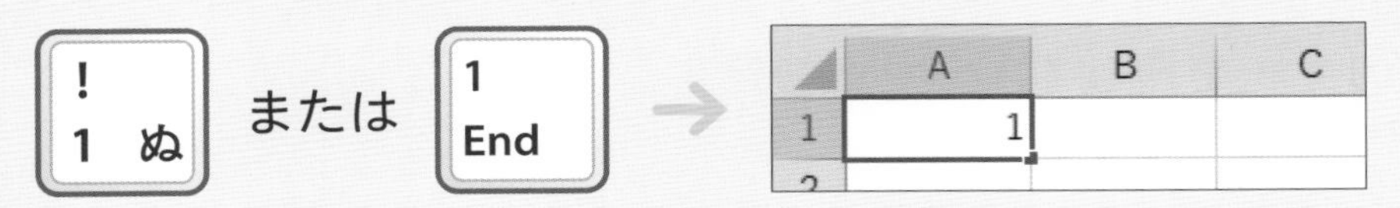

3 アルファベットの入力

アルファベットの入力は、アルファベットが記入されているキーを押して行います。

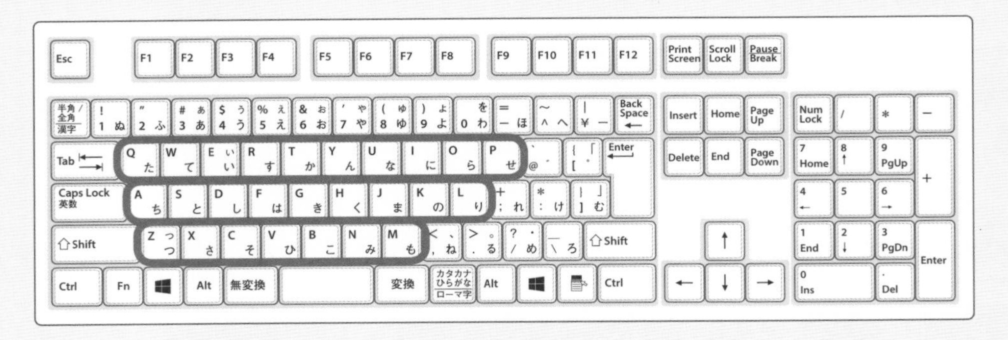

たとえば、Tのキーを押すと、パソコン上でアルファベットの「t」が入力されます（初期設定では小文字が入力されます）。

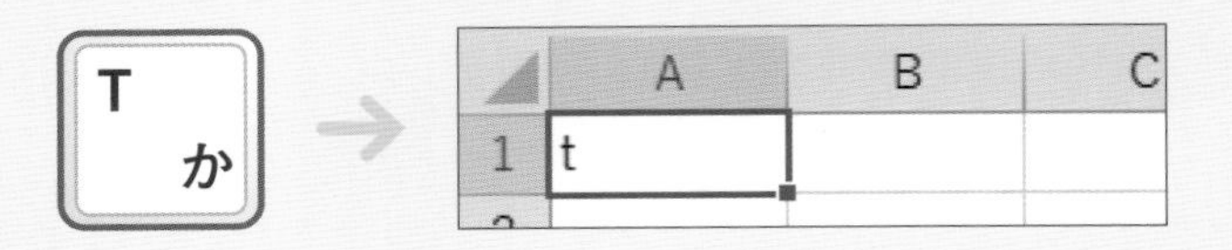

4 日本語の入力

日本語の入力は、アルファベットが記入されているキーを押して行います（ローマ字で入力の場合）。なお、「ひらがな」を使った入力についてはP.72を参照してください。

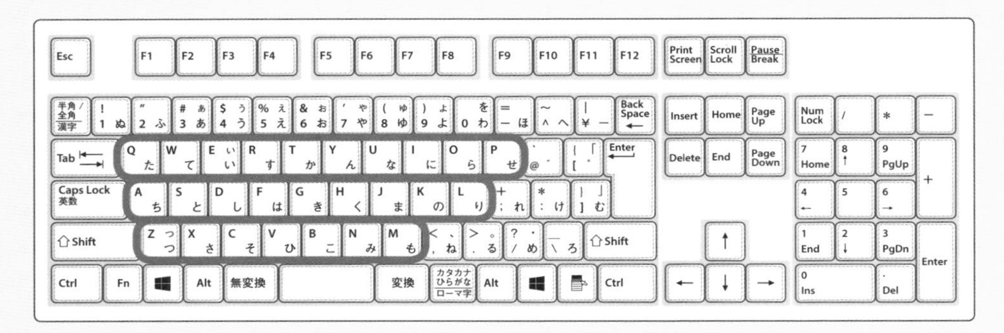

たとえば、Kのキーを押してAのキーを押すと、パソコン上でひらがなの「か」が入力されます。

K の → A ち →

	A	B
1	か	
2		

ローマ字の母音

A	I	U	E	O
あ	い	う	え	お

ローマ字の子音

K	S	T	N	H
か行	さ行	た行	な行	は行

M	Y	R	W
ま行	や行	ら行	わ行

また小さい「ゃ」「ゅ」「ょ」を入力したい場合は、まず子音のキーを入力してから「Y」を入力して、その後に母音を入力します。たとえばTのキーを押してYのキーを押し、Aのキーを押すと、「ちゃ」が入力されます。

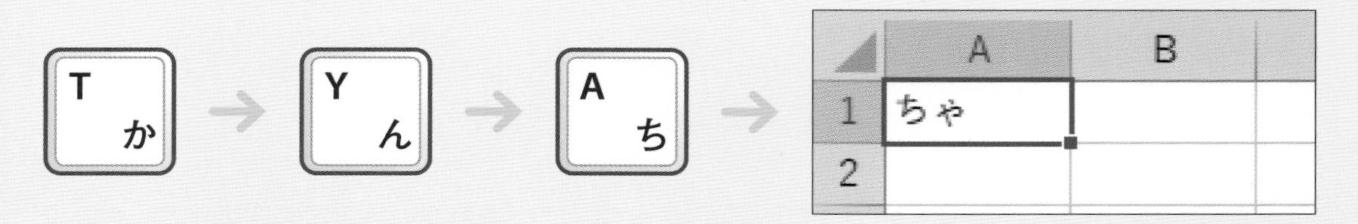

さらに小さい「っ」を入力したい場合は、子音のキーを2回入力してからその後に母音を入力します。たとえばSのキーを2回押してIのキーを押すと、「っし」が入力されます。

入力した日本語を漢字に変換したい場合は、変換またはSpaceキーを押しましょう。変換候補が表示されます（P.75参照）。入力を確定したい場合はEnterキーを押しましょう。

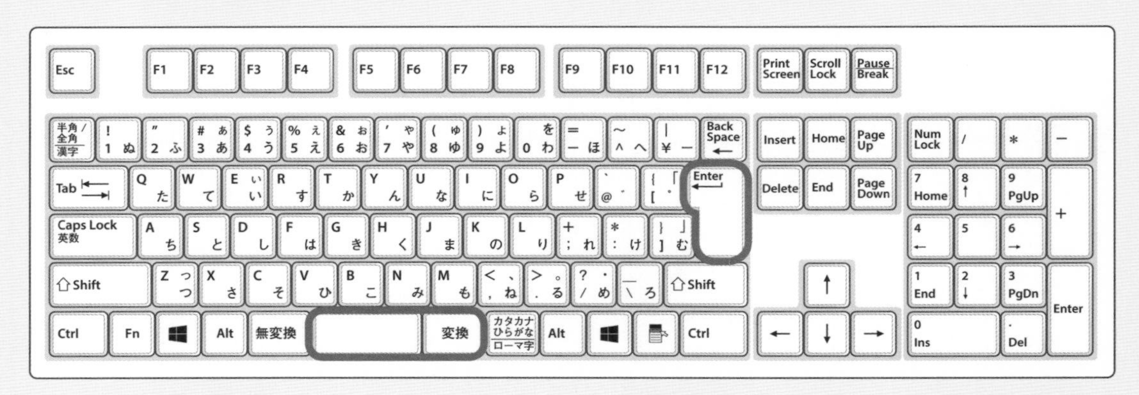

入力モードの切り替えやローマ字入力とかな入力の切り替え、全角と半角の切り替えについては、3章で詳しく解説をしています。

学習の準備 3

エクセルの種類と導入

エクセルを導入するには、パッケージ版のOfficeを購入するか、Microsoftのサブスクリプションに契約する必要があります。

1 パッケージ版（Office 2019）

家電量販店やインターネットの通販サイトで購入ができるパッケージ版からは、「エクセル2019」をインストールすることができます（本書ではこの2019版で解説しています）。パッケージ版は一度買えば永久に使い続けることができます。
購入後はパッケージに記載されている方法でパソコンにインストールしてから、ライセンス認証を行います。

2 サブスクリプション版（Microsoft 365）

Microsoftの公式ホームページから契約することのできるサブスクリプション版からは、「Microsoft 365」をインストールすることができます（この中にエクセルが含まれています）。サブスクリプションとは、月額もしくは年額を支払うことで、そのアプリやサービスを利用できる定額制のサービスです。契約を解除するとそのアプリやサービスを使うことができなくなります。
契約後は画面の指示に従ってパソコンにMicrosoft 365をインストールします。

1章

エクセルの基本を学びましょう

レッスンをはじめる前に

エクセルって何？

エクセルとは、Microsoftが開発している「表計算」が行えるアプリケーションのことです。セルと呼ばれる囲みの中に文字や数値などのデータを入力して、表の作成、計算、グラフの作成などを行うことができます。エクセルのセルは、方眼紙のような見た目をしています。セルを利用すれば、簡単に見栄えのよい表を作成することができます。また、セルに数値を入力すれば、さまざまな計算を手早く簡単に行うことができます。本書では、名簿や売上データなどを例に、エクセルの使い方について解説をしていきます。

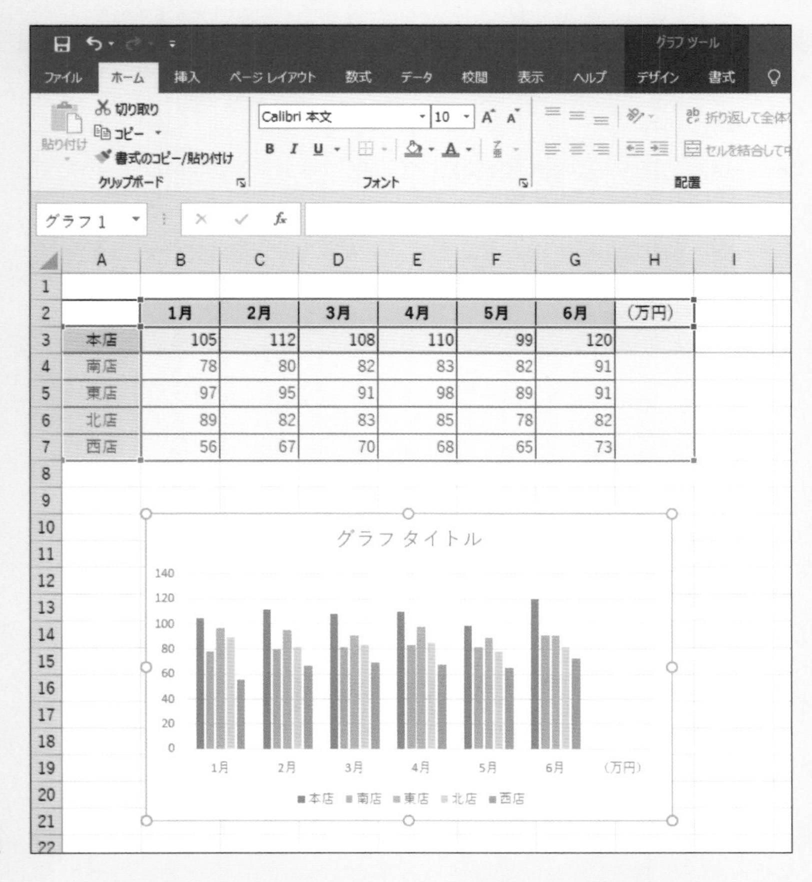

	1月	2月	3月	4月	5月	6月	(万円)
本店	105	112	108	110	99	120	
南店	78	80	82	83	82	91	
東店	97	95	91	98	89	91	
北店	89	82	83	85	78	82	
西店	56	67	70	68	65	73	

エクセルでは、表やグラフを作成することができます。また、数式や関数を使って簡単に計算を行うこともできます。

エクセル以外のアプリケーション

Microsoftはエクセル以外にもさまざまなアプリケーションを開発しています。文書作成に適している「ワード」や、プレゼンテーションに使うスライドを作成できる「パワーポイント」など、ビジネスで使える便利なアプリケーションがたくさんあります。このようなMicrosoftが提供しているアプリケーションを総称して、「Officeソフト」「Officeアプリ」と呼ぶことが多いです。

ワード

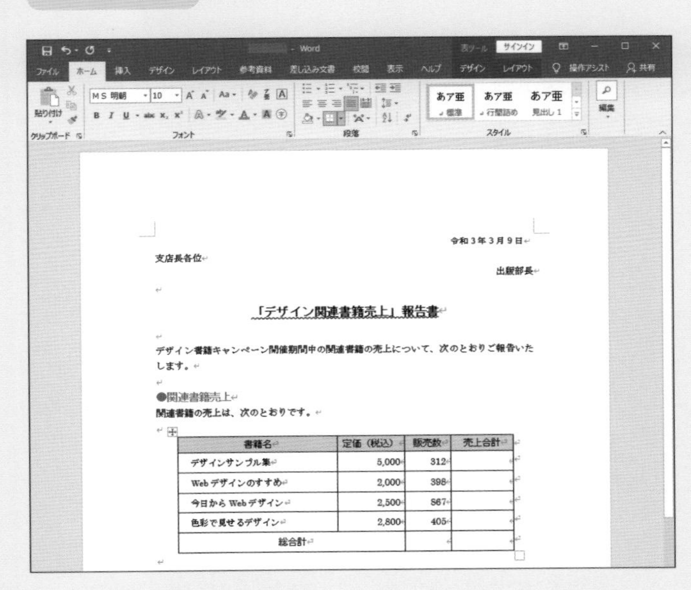

令和3年3月9日

支店長各位

出版部長

「デザイン関連書籍売上」報告書

デザイン書籍キャンペーン開催期間中の関連書籍の売上について、次のとおりご報告いたします。

●関連書籍売上

関連書籍の売上は、次のとおりです。

書籍名	定価（税込）	販売数	売上合計
デザインサンプル集	5,000	312	
Webデザインのすすめ	2,000	398	
今日からWebデザイン	2,500	867	
色彩で見せるデザイン	2,800	405	
総合計			

ワードは文書作成に適しているアプリケーションです。社内文書や報告書などの作成に多く使われています。

パワーポイント

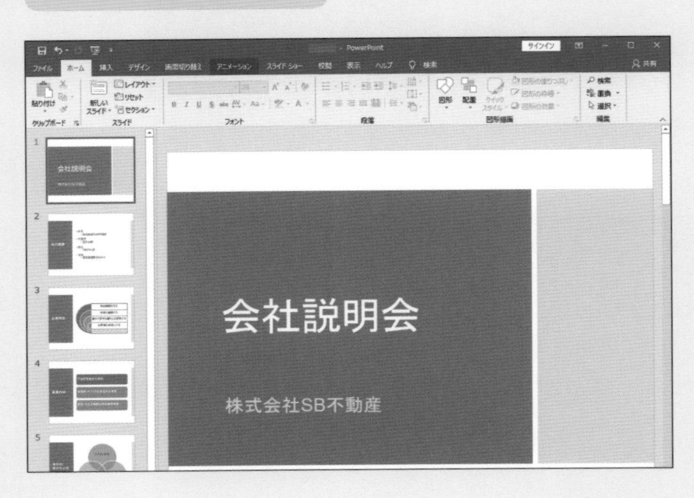

パワーポイントはスライド作成に適しているアプリケーションです。プレゼンテーション資料などの作成に多く使われています。

レッスン 01

エクセルでできることを確認しましょう

まずはエクセルで何ができるかを簡単に確認してみましょう。大きく分けると、「表の作成」「計算」「グラフの作成」を行うことができます。

1 表を作成する（4章）

社員名簿

社員No.	名前	住所		電話番号	部署	支社
		都道府県	市区町村			
1	広沢茜	東京都	江東区	090-0000-1111	営業部	東京支社
2	久保田浩紀	埼玉県	さいたま市	080-1111-2222	経理部	埼玉支社
3	本田正人	埼玉県	川口市	090-5555-3333	営業部	東京支社
4	秋野寛子	東京都	江東区	070-2222-3333	営業部	東京支社
5	山崎優斗	東京都	江戸川区	090-8888-9999	営業部	千葉支社
6	上田紗枝	千葉県	習志野市	080-2222-7777	経理部	千葉支社

エクセルで名簿などを作成することができます。周囲を罫線で囲ったり、枠の幅を変更したりできるので、自分の思い通りな表を作成できます。

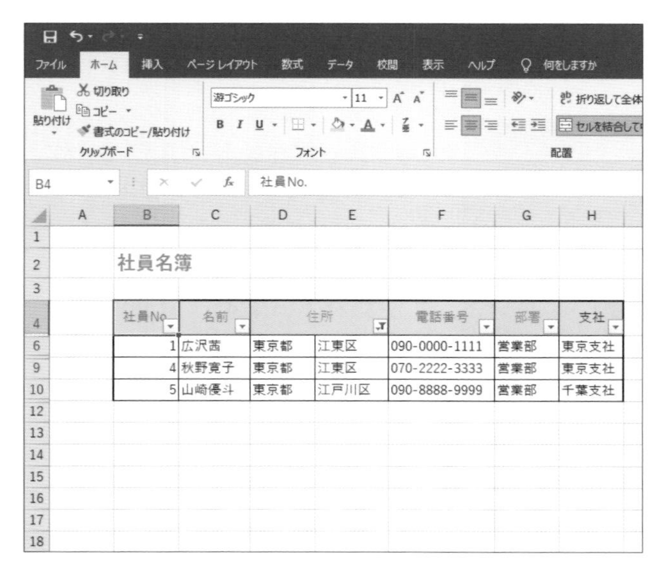

社員名簿

社員No.	名前	住所		電話番号	部署	支社
1	広沢茜	東京都	江東区	090-0000-1111	営業部	東京支社
4	秋野寛子	東京都	江東区	070-2222-3333	営業部	東京支社
5	山崎優斗	東京都	江戸川区	090-8888-9999	営業部	千葉支社

作成した表から必要な情報をフィルターを使って抜き出したり、データを数値順に並び替えたりすることもできます。

2 計算を行う（5章）

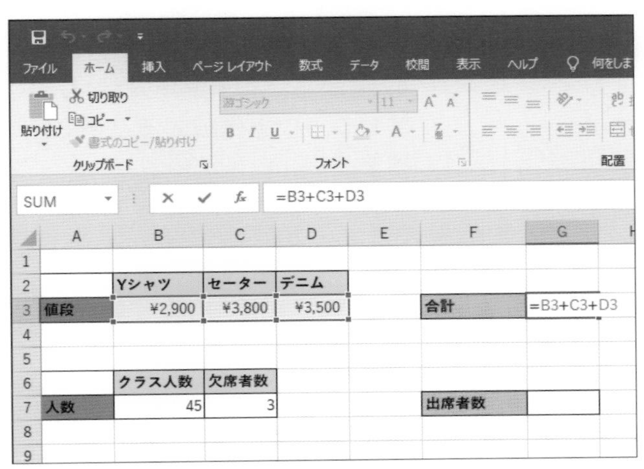

エクセルで足し算や掛け算などの四則計算をすることができます。売上データなどを算出するときに便利です。

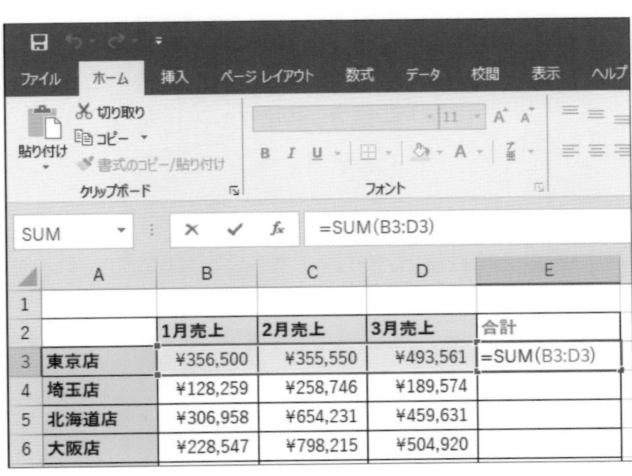

エクセルには、さまざまな計算を行うための「関数」が用意されています。関数を利用すると、選択した複数のセルの合計金額や、平均点などを簡単に割り出すことができます。

E6 f_x

	A	B	C	D	E	F	G
1	担当者	型番	単価	数量	金額	消費税	合計金額
2	岡田	A-001	5,000	15	75,000	3,750	78,750
3	上村	A-001W	5,000	22	110,000	5,500	115,500
4	相沢	C-105Q	8,000	14	112,000	5,600	117,600
5	井上	B-022B	6,000	24	144,000	7,200	151,200
6	合計				441,000	22,050	463,050
7							

次のページへ ➡

3 グラフを作成する（6章）

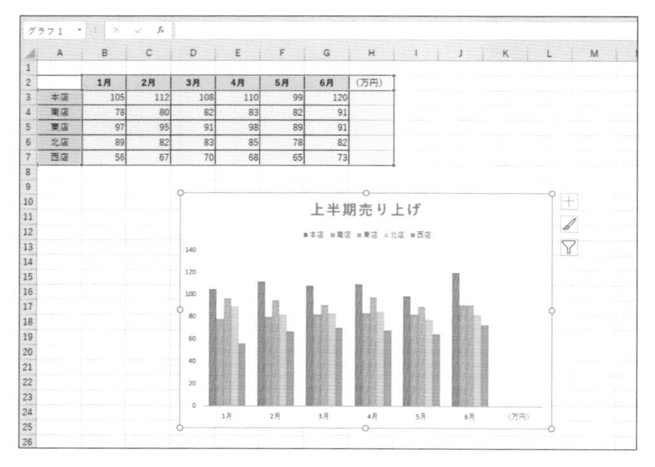

エクセルでは、表に入力した数値から、視覚的にわかりやすいグラフを作成するこができます。

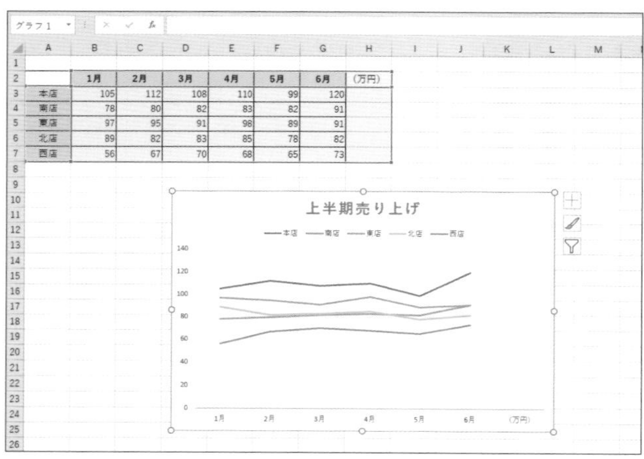

棒グラフ以外にも、円グラフや折れ線グラフなど、さまざまな種類のグラフを作成することができます。

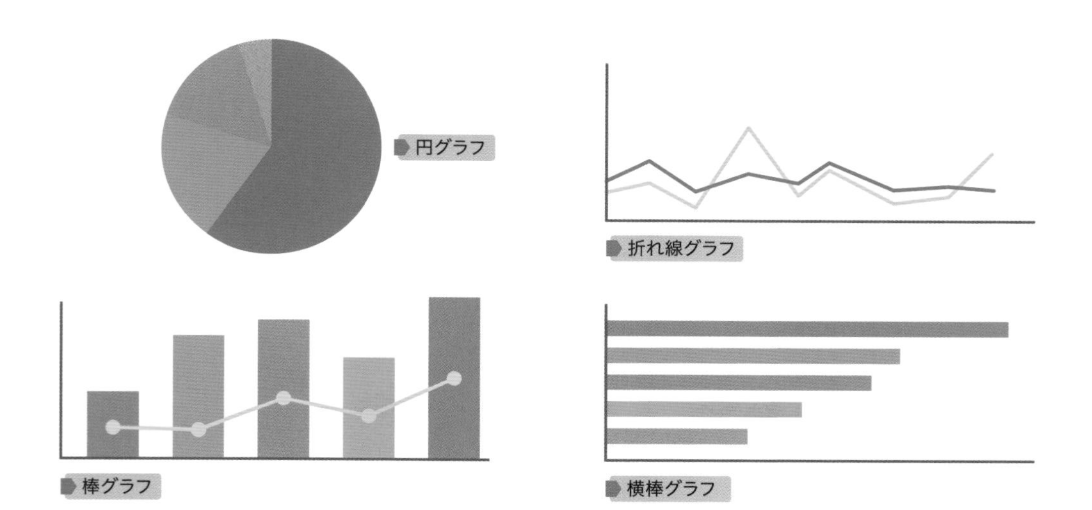

4 作成した表やグラフなどを印刷する（7章）

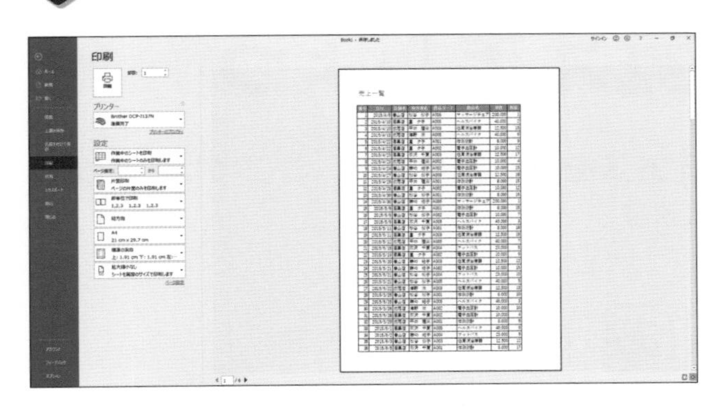

表やグラフを作成したら、エクセルから印刷を行いましょう。ヘッダーやフッターを付けたり、印刷範囲を限定したりなど、印刷に使える機能も多数あります。

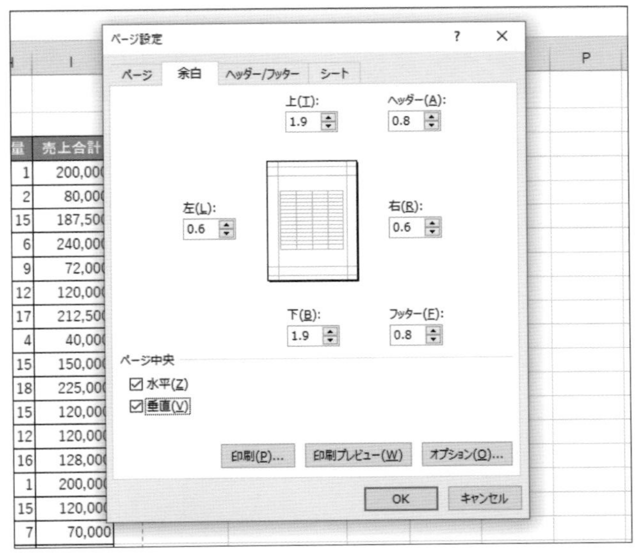

紙に印刷する以外にも、PDF形式で出力することもできます。メールでデータを送るときなど、PDFデータにする頻度は多いでしょう。

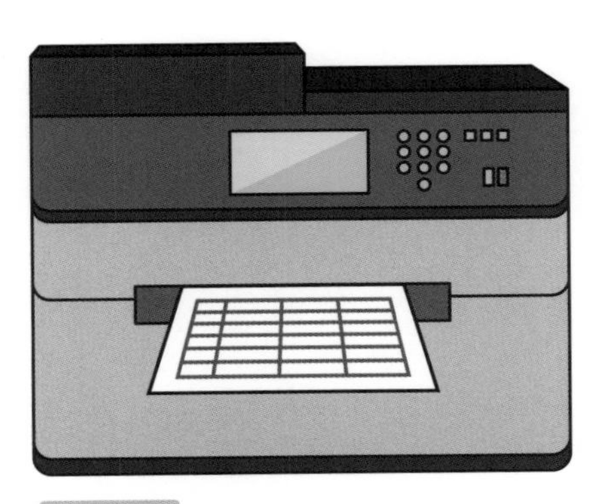

紙に印刷

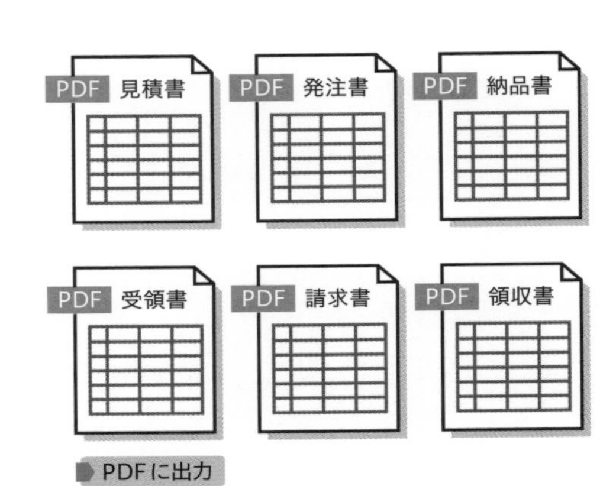

PDFに出力

終わり

レッスン 02

エクセルの起動と終了の方法を覚えましょう

まずはエクセルを起動・終了する方法を覚えましょう。ここでは、スタート画面から起動する方法を解説します。

クリック →P.14

入力 →P.16

1 スタート画面から起動する

パソコンを起動してデスクトップ画面を表示します。

デスクトップ画面の左下にある⊞を クリックします。

アプリケーションの一覧から Excel を クリックします。

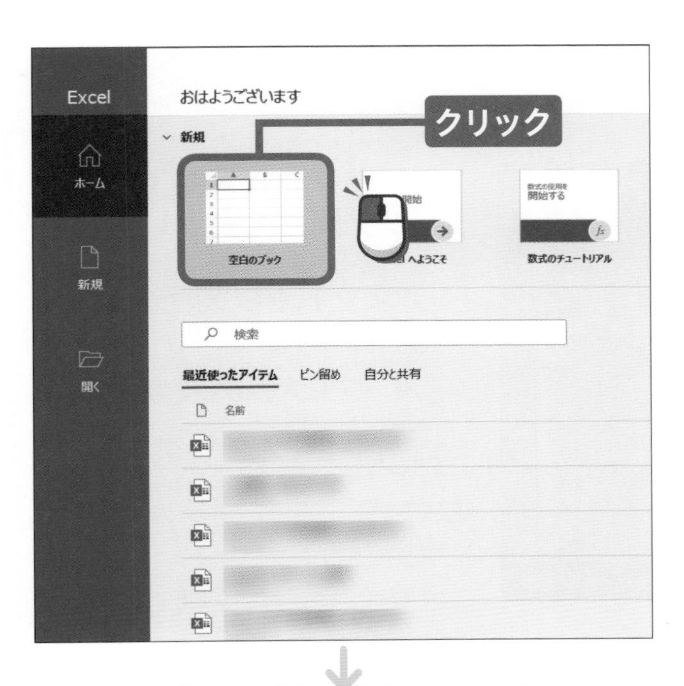

エクセルが起動して、ホーム画面が表示されます。

空白のブック を
クリックします。

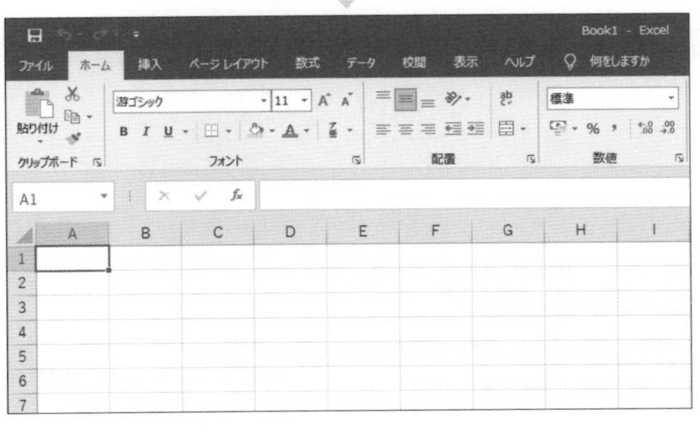

表計算画面が表示されます。

ヒント 「新規」から表計算画面を表示する

エクセルのホーム画面の「新規」❶→「空白のブック」❷をクリックすることでも、表計算画面が表示されます。

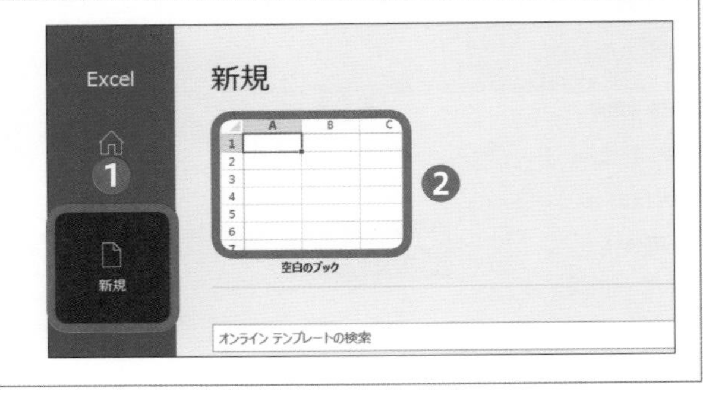

次のページへ

2 パソコン内を検索して起動する

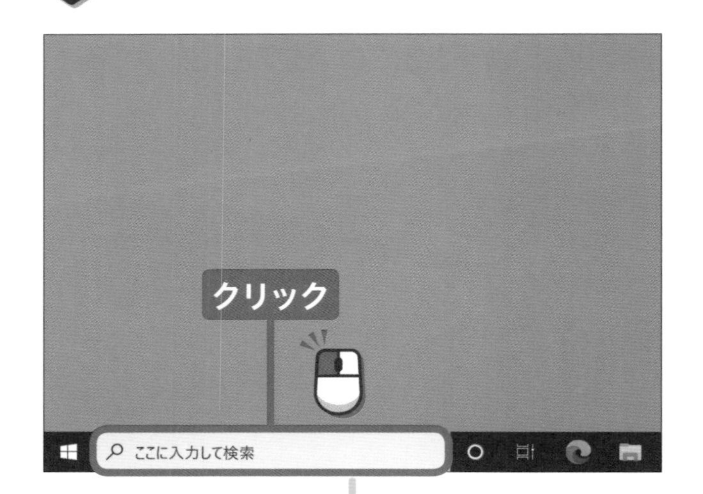

パソコンを起動してデスクトップ画面を表示します。

デスクトップ画面の左下にある ここに入力して検索 を クリックします。

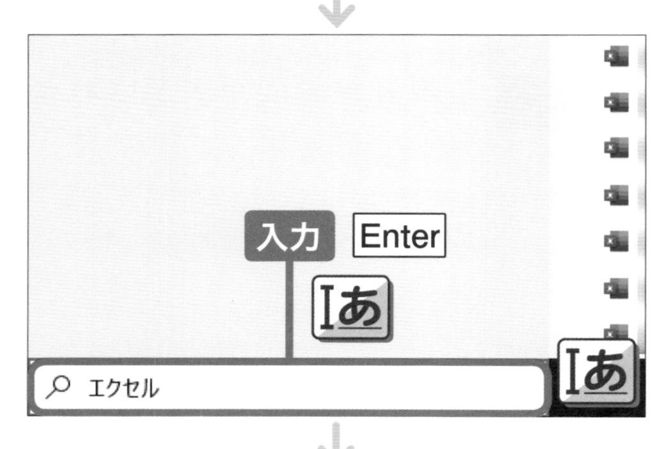

入力ができる状態になるので、「エクセル」と 入力して、キーボードのEnterを押します。

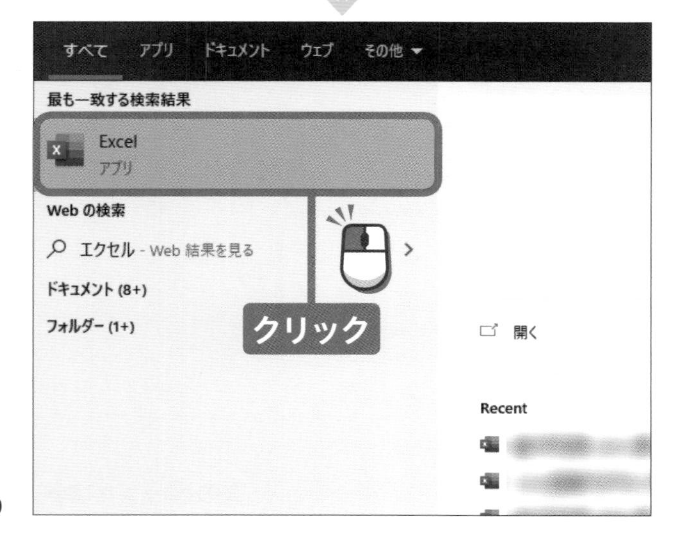

検索された一覧から Excel アプリ を クリックします。

エクセルが起動してホーム画面が開くので、**空白のブック**を選択します。

アドバイス

文字の入力は3章を参照してください。

3 エクセルを終了する

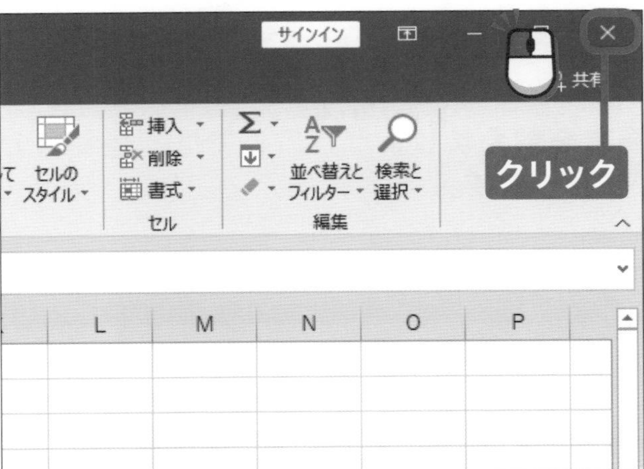

エクセルの画面右上にある×をクリックします。

●アドバイス●

×にマウスポインターを重ね合わせると、色が×に変わりますが、問題ありません。

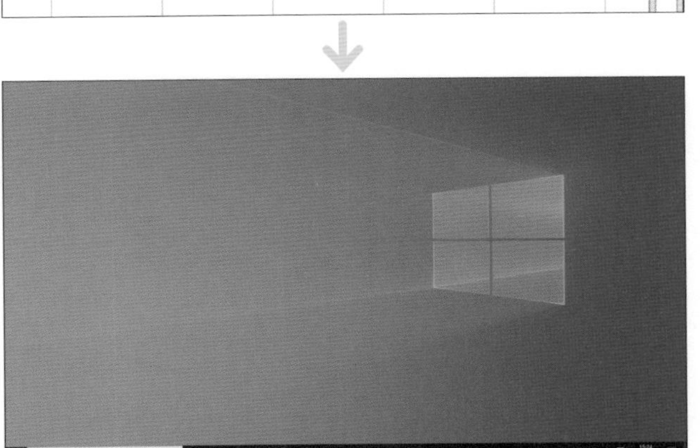

エクセルが終了します。

ヒント 「変更内容を保存します」と表示された場合

エクセルを終了する際に、「'○○'の変更内容を保存します」と表示される場合があります。
これは、表計算画面に何か入力や変更、編集などを行った際に、保存せずに終了しようとすると表示されます。
表示された場合は、「保存」または「保存しない」のどちらかを選択しましょう。

Microsoft Excel
'売上計算.xlsx' の変更内容を保存しますか?
保存(S) 保存しない(N) キャンセル

終わり

レッスン 03

エクセルの画面の見方と役割を知りましょう

エクセルを起動したら、画面の見方を覚えましょう。ここでは、起動時の画面と実際の表計算画面について解説します。

1 起動画面を確認する

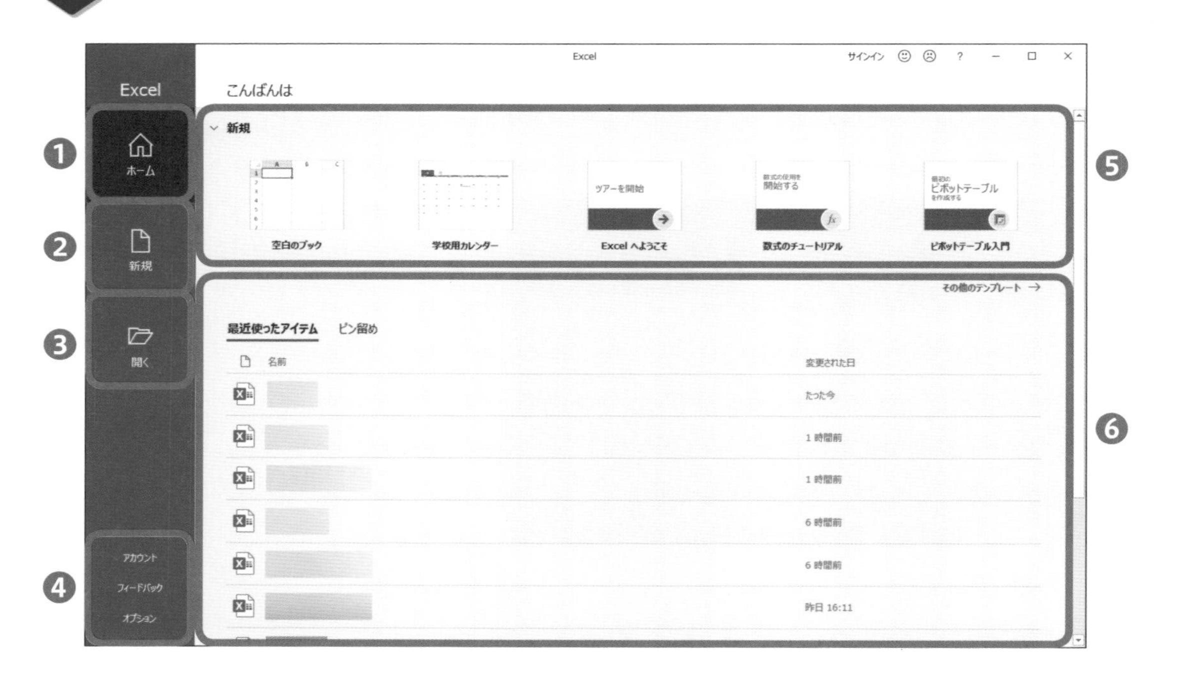

❶ホーム画面（起動画面）が表示されます。

❷新規にエクセルの表計算画面を開くことができます。

❸過去に作成して保存したエクセルファイルを選択して開くことができます。

❹エクセルのオプションやアカウント情報を開くことができます。

❺「新規」のショートカットです。ここに表示されているテンプレートによって表計算画面を開くこともできます。

❻最近開いたエクセルファイルが一覧で表示されます。

2 表計算画面を確認する

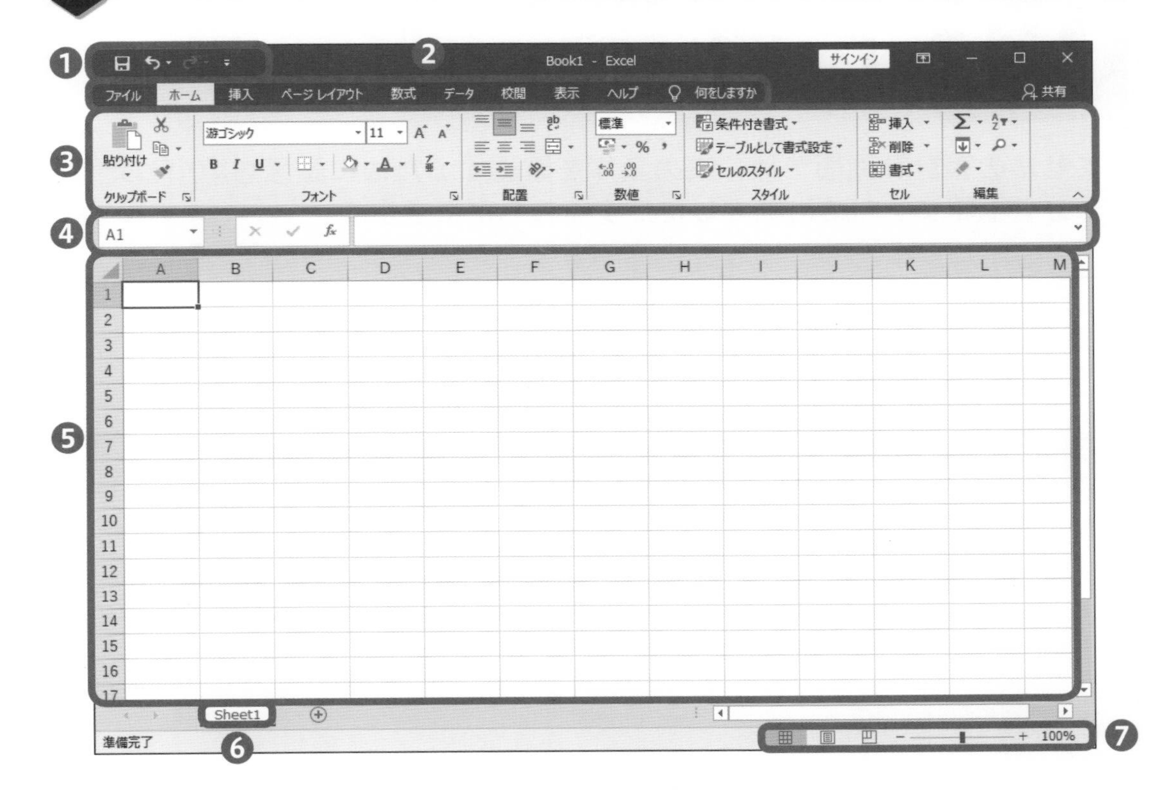

❶「クイックアクセルツールバー」です。初期設定では、「上書き保存」と「元に戻す」、「やり直し」のアイコンが表示されています。

❷「タブ」が表示されています。それぞれのタブをクリックすることで、対応する「リボン」がその下に表示されます。

❸「リボン」が表示されています。リボンに表示された項目を選択すると、対応する機能が実行されます。
リボンは機能の種類ごとに「グループ」に分けられています。

❹左の欄の数字とアルファベットは、現在選択されているセルを表しています。右の欄には、選択したセルに入力されているデータが表示されます。

❺計算や表の作成などを行う「ワークシート」です。各セルにデータを入力して、計算などを行うことができます。

❻現在表示されているワークシートです。同じ表計算画面上でいくつもワークシートを追加して切り替えながら利用することもできます。

❼画面の表示方法を切り替えたり、拡大・縮小したりすることができます。

終わり

レッスン 04 画面を拡大・縮小しましょう

エクセルの表計算画面では、表の全体を確認するために画面を縮小したり、一部分を確認するために拡大したりすることができます。

1 画面を拡大する

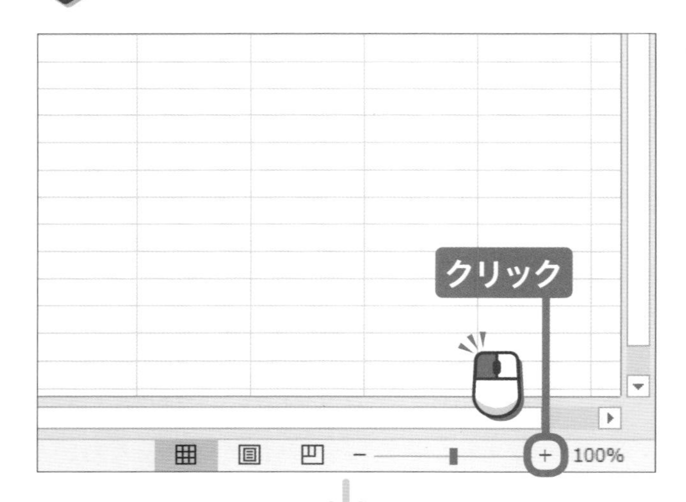

表計算画面の右下にある＋をクリックします。

アドバイス

右下の中央にある▮を右に動かす（ドラッグする）ことでも拡大できます。

住所1	住所2	電話番号	性別
桜山XXX		046-821-XXXX	男
金沢区白帆XXX		045-725-XXXX	男
青葉区たちばな台XXX		045-451-XXXX	女
鶴見区朝日町XXX	朝日グランドスクエア1103	045-506-XXXX	女
旭区今宿町XXX		045-771-XXXX	女
材木座XXX		0467-21-XXXX	男
戸塚区南舞岡XXX		045-245-XXXX	男
港南区上大岡東XXX	イーストパーク上大岡805	045-301-XXXX	女
戸塚区平戸町XXX		045-651-XXXX	男
温水XXX		046-556-XXXX	女
神奈川区片倉XXX		045-412-XXXX	男
磯子区汐見台XXX		045-975-XXXX	男
磯子区杉田XXX	フローレンスタワー2801	045-751-XXXX	女
金沢区能見台XXX		045-654-XXXX	女
磯子区田中XXX	ダイヤモンドマンション405	045-421-XXXX	女
多摩区寺尾台XXX		044-505-XXXX	男
関谷XXX		0467-58-XXXX	男
緑区竹山XXX	明日館331	045-320-XXXX	男
都筑区加賀原XXX		045-511-XXXX	女

画面が拡大されます。なお、クリックした回数が多いほど画面の拡大率が上がります。

アドバイス

最大で400％まで拡大できます。

2 画面を縮小する

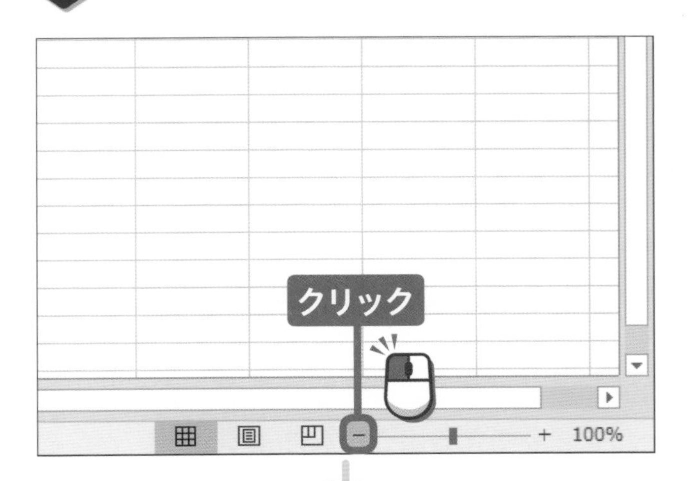

表計算画面の
右下にある[−]を
クリックします。

●アドバイス●
右下の中央にある[▮]を左に動かすと（ドラッグする）ことでも縮小できます。

会員種別	会員数
プラチナ	

住所1	会員数
横浜市*	

会員No.	氏名	会員種別	郵便番号	住所1	住所2	電話番号	性別
1001	大月 賢一郎	ゴールド	249-0005	逗子市桜山XXX		046-821-XXXX	男
1002	佐々木 喜一	一般	236-0007	横浜市金沢区白帆XXX		045-725-XXXX	男
1003	畑 香奈子	一般	227-0046	横浜市青葉区たちばな台XXX		045-451-XXXX	女
1004	野村 桜	プラチナ	230-0033	横浜市鶴見区朝日町XXX	朝日グランドスクエア1103	045-506-XXXX	女
1005	横山 花梨	一般	241-0813	横浜市旭区今宿町XXX		045-771-XXXX	女
1006	和田 光輝	一般	248-0013	鎌倉市材木座XXX		0467-21-XXXX	男
1007	野中 敏也	一般	244-0814	横浜市戸塚区南舞岡XXX		045-245-XXXX	男
1008	山城 まり	ゴールド	233-0001	横浜市港南区上大岡東XXX	イーストパーク上大岡805	045-301-XXXX	女
1009	坂本 誠	一般	244-0803	横浜市戸塚区平戸町XXX		045-651-XXXX	男
1010	布施 友香	一般	243-0033	厚木市温水XXX		046-556-XXXX	女
1011	井戸 剛	プラチナ	221-0865	横浜市神奈川区片倉XXX		045-412-XXXX	男
1012	星 龍太郎	ゴールド	235-0022	横浜市磯子区汐見台XXX		045-975-XXXX	男
1013	宍戸 真智子	一般	235-0033	横浜市磯子区杉田XXX	フローレンスタワー2801	045-751-XXXX	女
1014	天野 真未	一般	236-0057	横浜市金沢区能見台XXX		045-654-XXXX	女
1015	大木 花実	一般	235-0035	横浜市磯子区田中XXX	ダイヤモンドマンション405	045-421-XXXX	女
1016	牧田 博	一般	214-0005	川崎市多摩区寺尾台XXX		044-505-XXXX	男
1017	香川 泰男	一般	247-0075	鎌倉市関谷XXX		0467-58-XXXX	男
1018	村瀬 稔彦	ゴールド	226-0005	横浜市緑区竹山XXX	明日館331	045-320-XXXX	男
1019	草野 萌子	一般	224-0055	横浜市都筑区加賀原XXX		045-511-XXXX	女
1020	小川 正一	一般	222-0035	横浜市港北区鳥山町XXX		045-517-XXXX	男
1021	近藤 真央	一般	231-0045	横浜市中区伊勢佐木町XXX		045-623-XXXX	女
1022	坂井 早苗	プラチナ	236-0044	横浜市金沢区高船台XXX		045-705-XXXX	女
1023	鈴木 保一	一般	240-0017	横浜市保土ヶ谷区花見台XXX	花見台一番館722	045-612-XXXX	男

画面が縮小されます。なお、クリックした回数が多いほど画面の縮小率が上がります。

●アドバイス●
最小で10％まで縮小できます。

ヒント そのほかの拡大・縮小方法

そのほかにもキーボードの[Ctrl]を押しながら、マウスのホイールを上下に回すことでも拡大・縮小ができます。
上に回すことで拡大、下に回すことで縮小となります。なお、この操作はエクセル以外のOfficeソフトや、インターネットブラウザーなどのアプリケーションでも行うことできます。

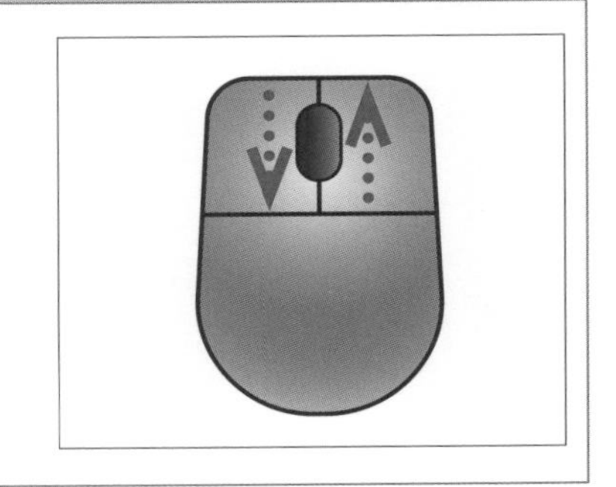

終わり✔

ステップアップ

Q. スタート画面から選択する以外にエクセルを起動する方法はあるの？

A. デスクトップ画面のエクセルのアイコンをダブルクリックします。

エクセルを起動する際に、いちいちスタート画面を表示して選択するのは大変だ、という場合、デスクトップ画面にエクセルのショートカットを作成すると、アイコンをダブルクリックするだけで簡単に起動することができます。また、タスクバーにエクセルをピン留めすると、タスクバーには常にエクセルのアイコンが表示されるようになります。こちらをクリックすることでもエクセルを起動できるようになります。

デスクトップ画面にエクセルのショートカットを作成している場合は、ショートカットアイコン❶をダブルクリックします。

タスクバーにエクセルをピン留めしている場合は、アイコン❷をクリックします。

2章

ファイルの作成と保存の方法を学びましょう

レッスンをはじめる前に

ファイルを新規で作成しましょう

エクセルで表の作成や計算を行うために、まず最初にファイルを新規で作成しましょう。新規で作成したファイルは何も入力がされていない、まっさらな状態で表示されます。この状態からデータを入力し、表やグラフなどを作成していきましょう。

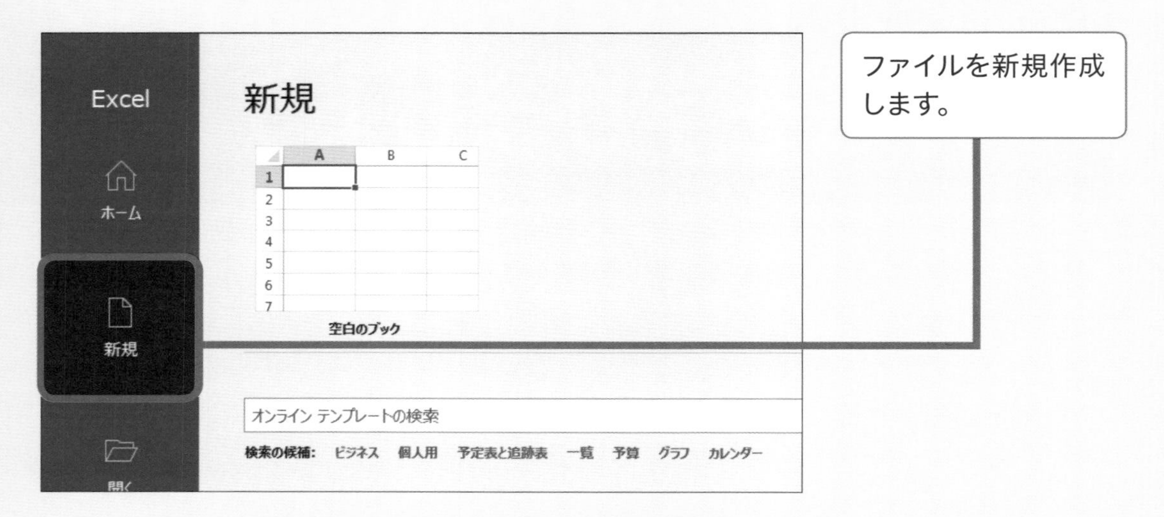

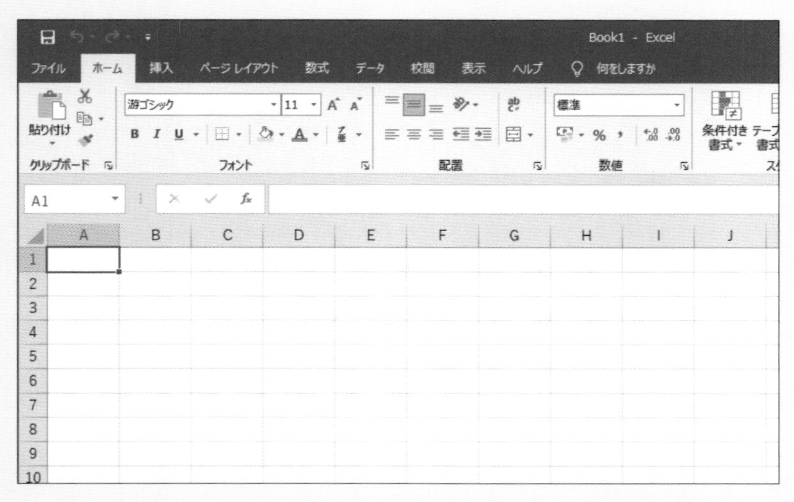

ファイルが作成されて、表計算画面が開きます。

作成したファイルは保存しましょう

データを入力したファイルは保存をしておかないと、せっかく入力したデータが消えてしまいます。データを入力したファイルを保存しておけば、入力が途中になってしまっても続きから再開することができたり、保存したデータをほかの人に渡して確認してもらったりすることができます。ファイルを保存する際は、入力したデータの内容がわかるように名前を付けましょう。ほかの人に渡すデータには、相手にもわかるような名前を付けるとよいでしょう。

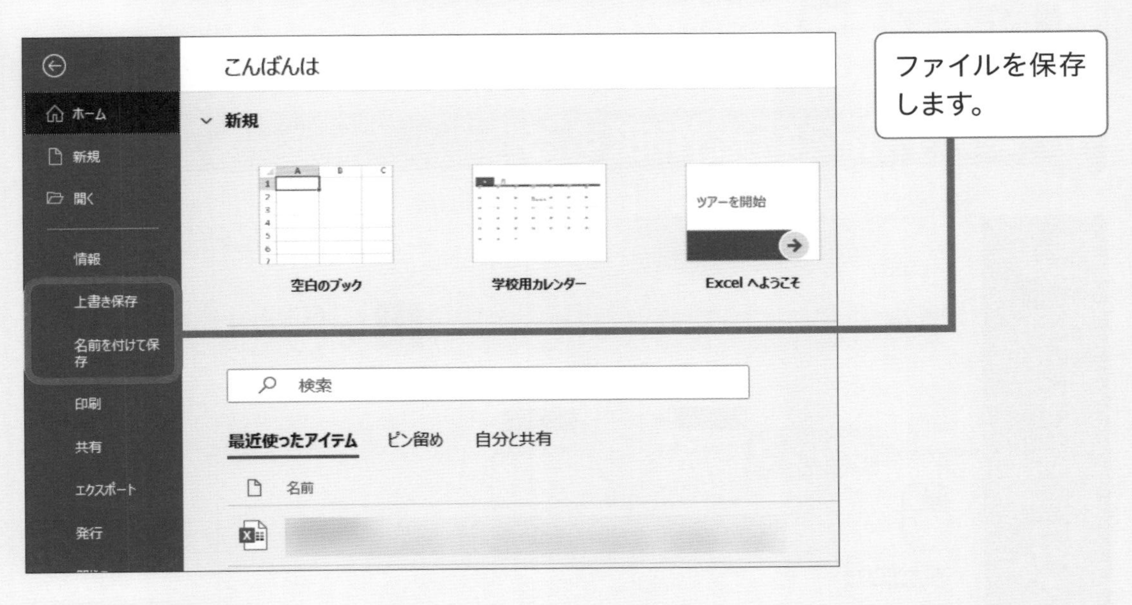

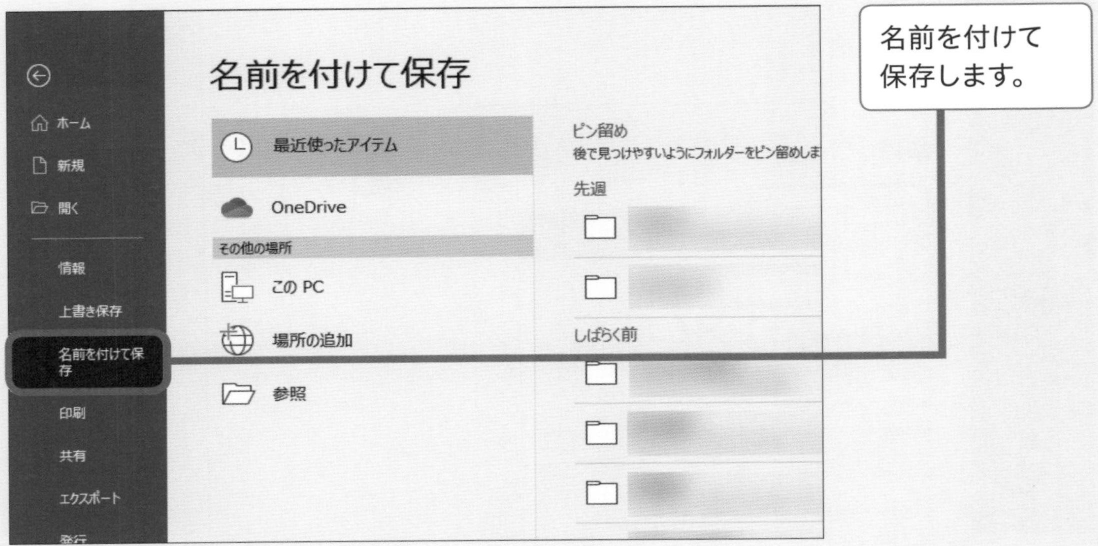

ファイルを新規作成しましょう

エクセルで入力など作業を開始する前に、まずは新規でファイルを作成しましょう。今回は何も入力されていない状態のファイルを作成します。

クリック

→P.14

1 ファイルを新規作成する

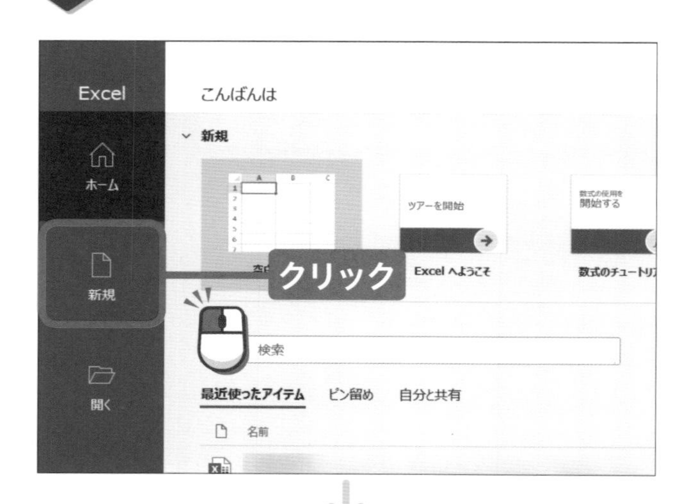

エクセルを起動します。

新規を クリックします。

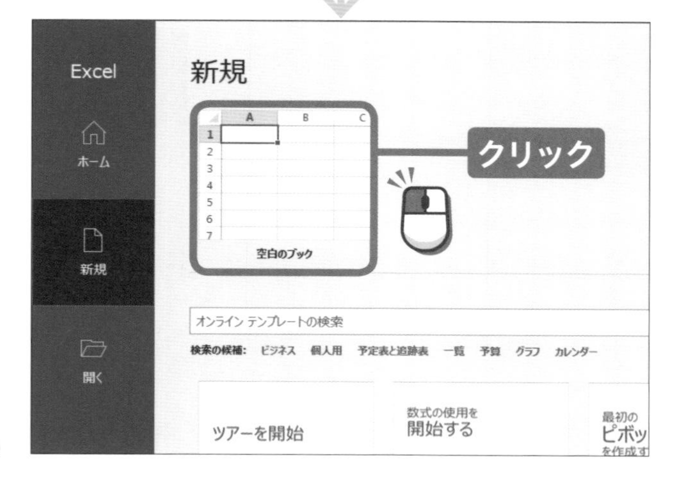

空白のブックを クリックします。

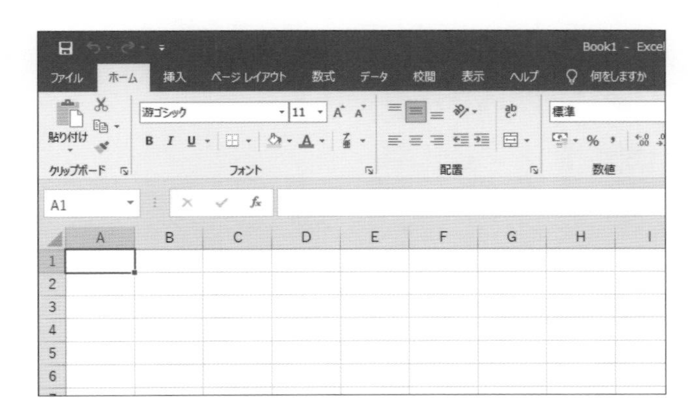

新規でファイルが作成され、エクセルの表計算画面が表示されます。

ヒント テンプレートからファイルを新規作成する

エクセルには「空白のブック」以外にも、いくつかテンプレートが用意されています。テンプレートをクリックすると、ある程度データが用意された状態のファイルが作成されます。作成する表の種類などが決まっている場合は、テンプレートを利用するのもよいでしょう。下記の例では、エクセルでカレンダーを作成する際のテンプレートを選択しています。

P.40の下の画面では、「空白のブック」より下にテンプレート❶がたくさん用意されています。下にスクロールするとテンプレートを探すことができます。

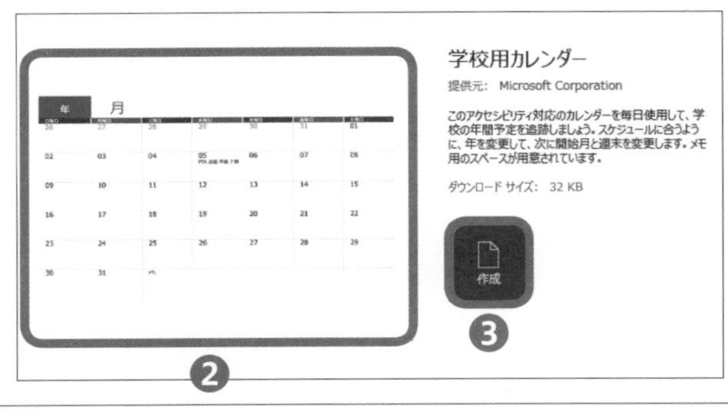

テンプレートを選択すると、プレビュー❷で確認することができます。確認して問題ないようなら、「作成」❸をクリックしましょう。

終わり ✔

レッスン 06 ワークシートを追加しましょう

ワークシートはいくつも追加することができます。複数のワークシートを用意すれば、1つのファイルで複数の表を作成することができます。

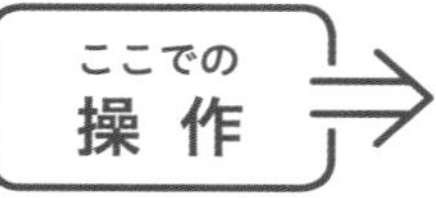

1 ファイルにワークシートを追加する

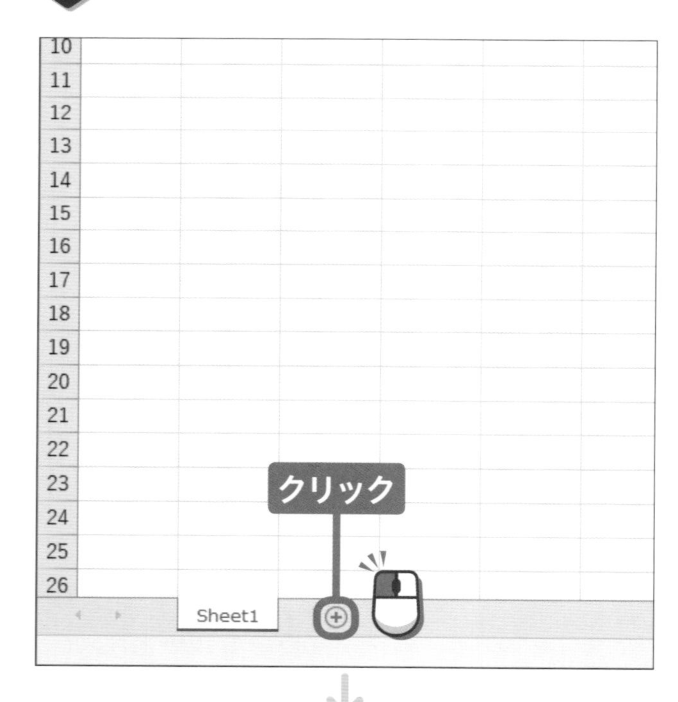

ファイルを作成し、画面左下の⊕をクリックします。

アドバイス

タブをクリックすると、作業を行うワークシートを切り替えることができます。
最初の状態では、「Sheet1」が選択された状態になっています。

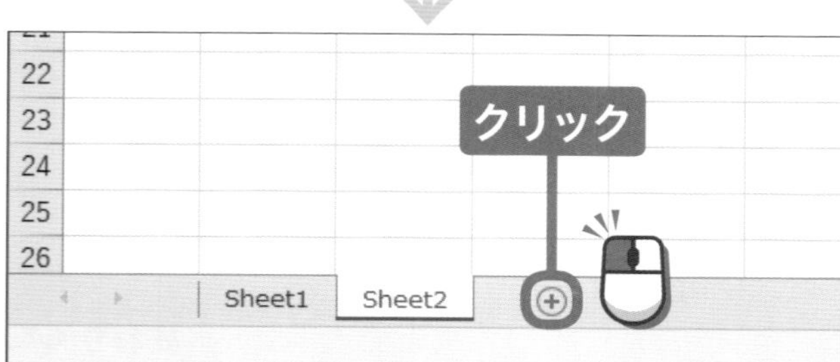

ワークシートが新しく追加されます。

⊕をクリックします。

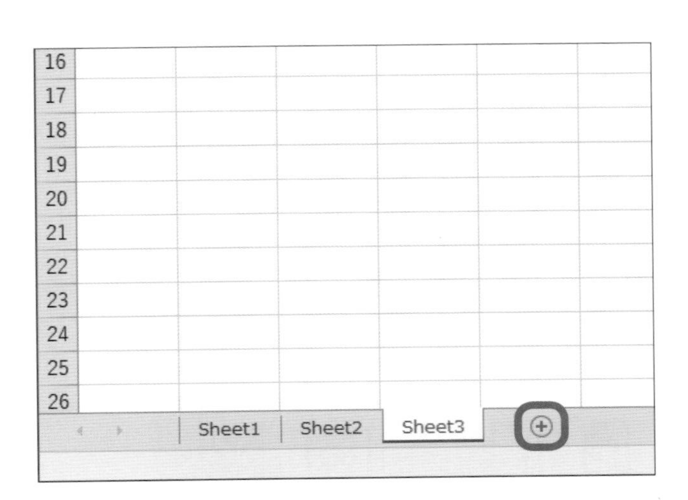

さらにワークシートが追加されます。
タブを左右にドラッグすることで、ワークシートの順番を入れ替えることができます。

アドバイス

⊕をクリックした分だけ、ワークシートを追加できます。

ヒント ワークシートを削除する

不要になったワークシートは削除することができます。不要なワークシートの名前❶の上で右クリックをして、表示されるメニューから「削除」❷をクリックすると、ワークシートが削除されます。

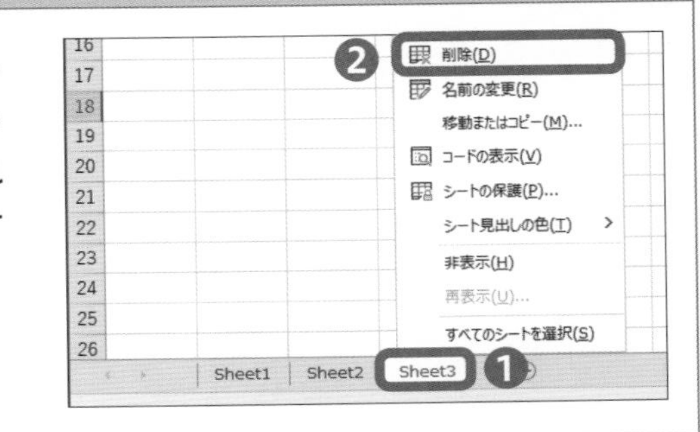

ヒント ワークシートをコピーする

たとえば、月ごとの売上表をワークシートごとに作成したい場合、表の枠組みだけ作成しておいて、そのワークシートをコピーすると、毎回作り直す必要がなく操作が楽です。コピーしたいワークシートの名前❶の上で右クリックをして、「移動またはコピー」をクリックし、「コピーを作成する」❷のチェックを付けて「OK」をクリックします。

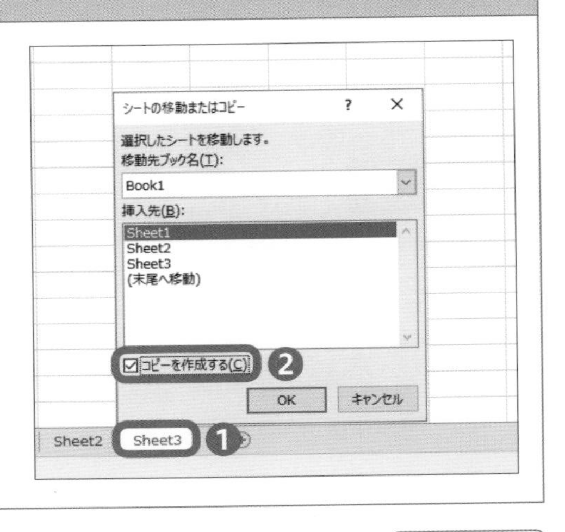

終わり

レッスン 07 ワークシートの名前を変更しましょう

ワークシートには名前を付けることができます。ワークシートの内容がすぐにわかるように名前を付けていきましょう。

1 ワークシートの名前を変更する

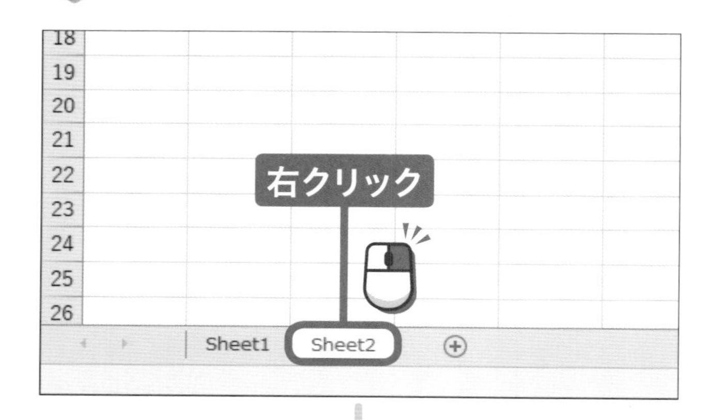

名前を変更したいワークシートの名前の上で右クリックします。

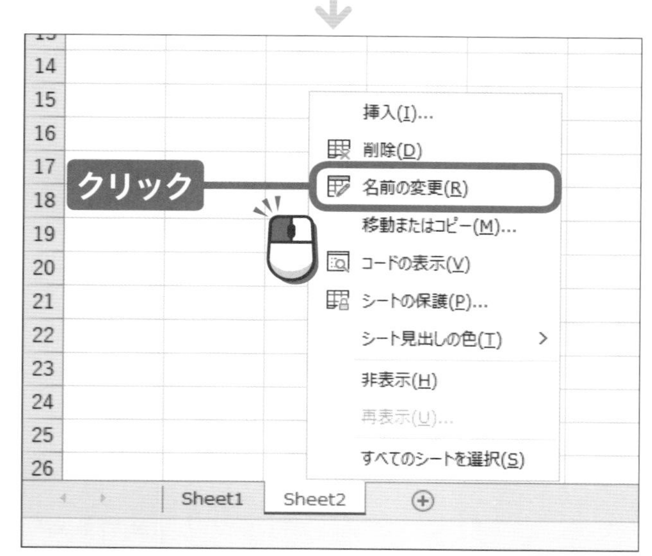

名前の変更(R) をクリックします。

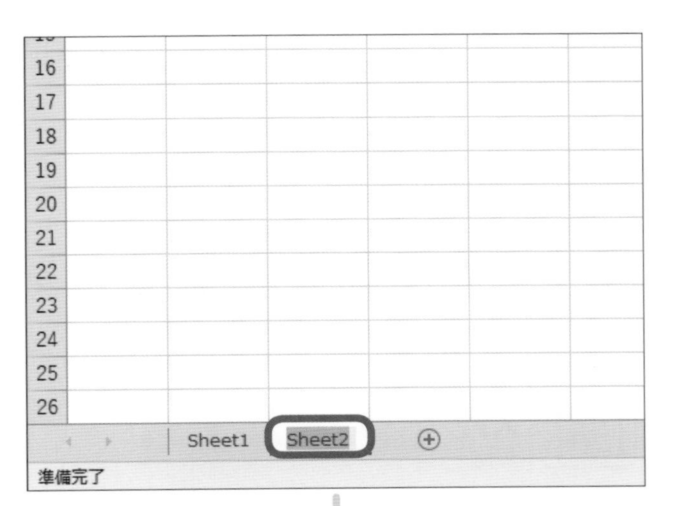

ワークシートの名前が変更可能な状態になります。

●アドバイス●

ワークシートの名前の部分をダブルクリックすることでも変更可能の状態にすることができます。

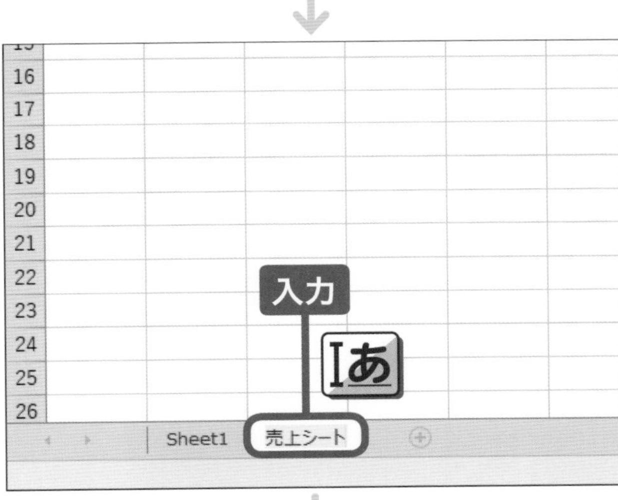

変更したい名前を Iあ **入力**します。

●アドバイス●

文字の入力方法は、3章を参照してください。

入力したらキーボードの Enter を押します。

シートの名前が変更されます。

終わり

レッスン 08 ファイルを保存しましょう

エクセルにデータを入力したら、忘れずに保存を行いましょう。保存しないと、入力したデータが消去されてしまいます。

クリック →P.14

入力 →P.16

1 ファイルに名前を付けて保存する

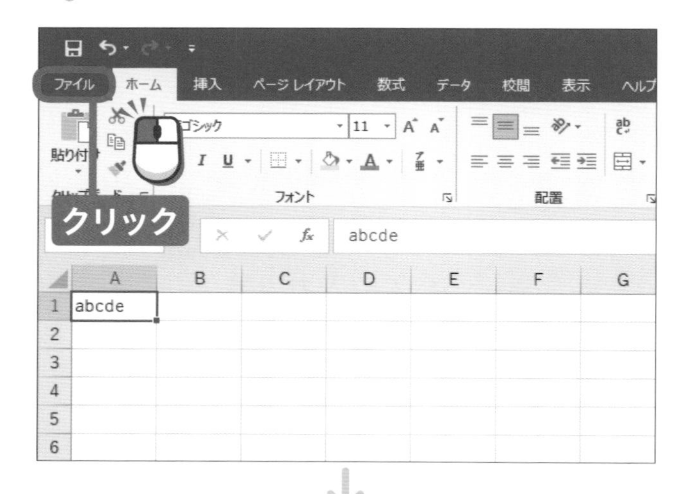

画面左上にある ファイル をクリックします。

ホーム画面が表示されます。

名前を付けて保存 をクリックします。

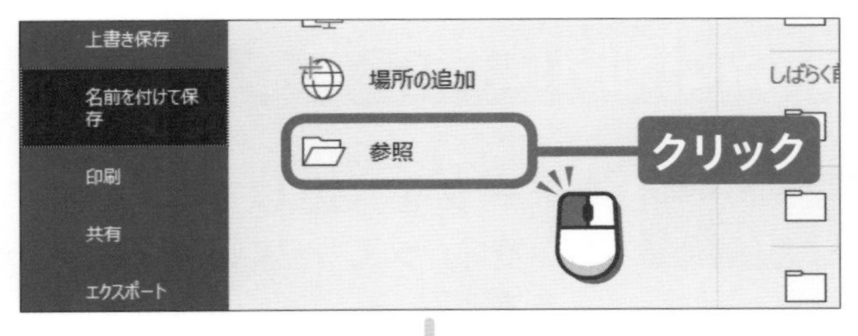

保存先を指定します。

を
クリックします。

ここでは「ドキュメント」フォルダーに保存します。

をクリックします。

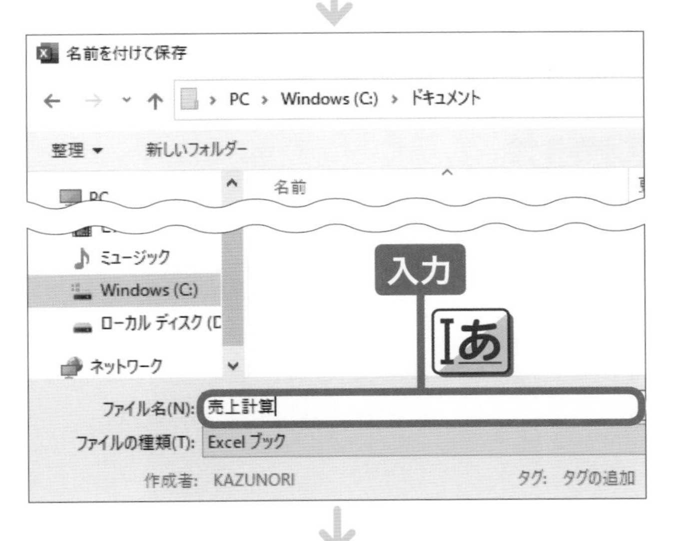

ファイル名を
入力します。

アドバイス

文字の入力方法は、3章を参照してください。

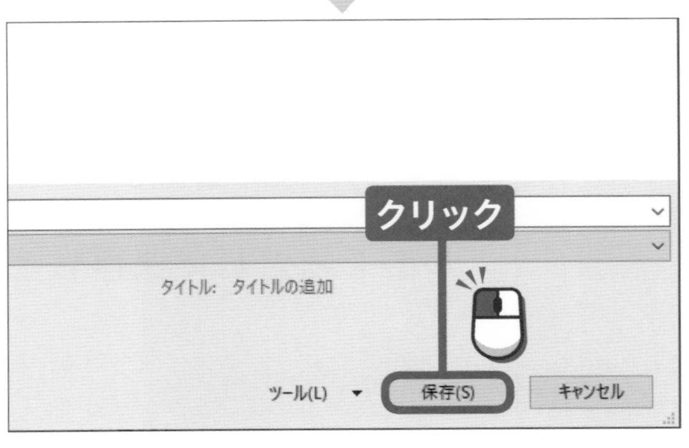

を
クリックします。

これで、指定した「ドキュメント」フォルダーにファイルが保存されました。

次のページへ

2 エクセルを終了する際に同時に保存する

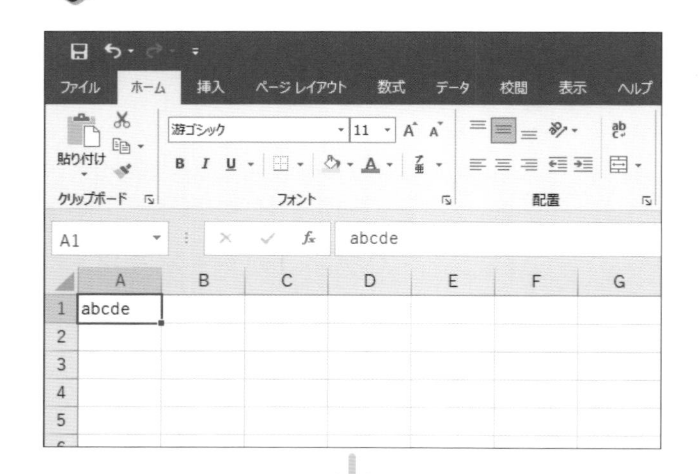

データを入力してから、保存を行っていない状態にします。

●アドバイス●

データの入力方法は、3章を参照してください。

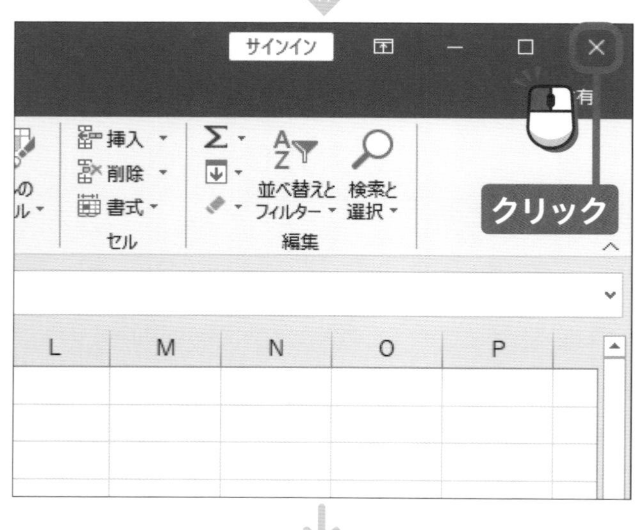

画面右上にある☒をクリックします。

●アドバイス●

☒にマウスポインターを重ね合わせると、色が☒に変わりますが、問題ありません。

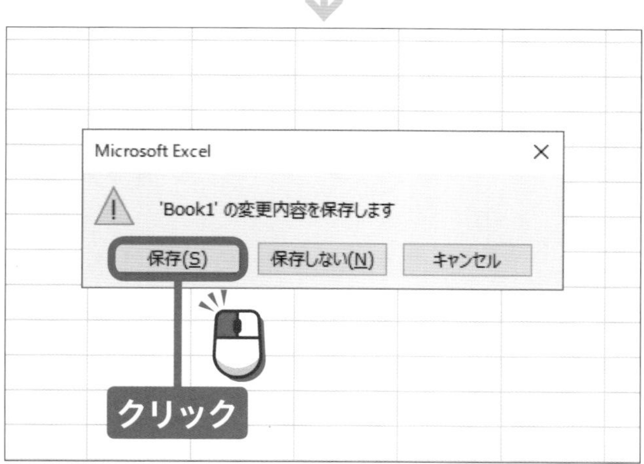

保存(S)をクリックします。

P.47の手順の画面が表示されるので、保存先やファイル名を指定して保存します。

ヒント バックアップとして名前を変えて保存する

エクセルのデータを異なる名前で複数保存しておくと、何らかの理由でデータが破損してしまった場合にも、もう一方のデータで問題なく作業を行うことができます。仕事でデータを管理している場合は、バックアップファイルとして別名のファイルを用意しておくとよいでしょう。バックアップファイルを用意する場合は、通常のファイルとは分けて名前を付けます。その際、「○○_バックアップ」などと名前を付けるとよいのですが、その後ろにさらに日付を入れておくと、いつのバックアップデータなのかが一目瞭然となります。「○○_バックアップ_20210515」と付けると、2021年5月15日にバックアップしたデータだということがすぐにわかります。

わかりにくい例

ファイル名ではたしかにバックアップファイルということがわかりますが、いつのバックアップファイルなのかわかりません。

わかりやすい例

バックアップファイルを作る際には、バックアップだとわかるように名前を付けて、さらに後ろに日付を付けるなどすると非常にわかりやすいです。

次のページへ ➡

3 ファイルを上書き保存する

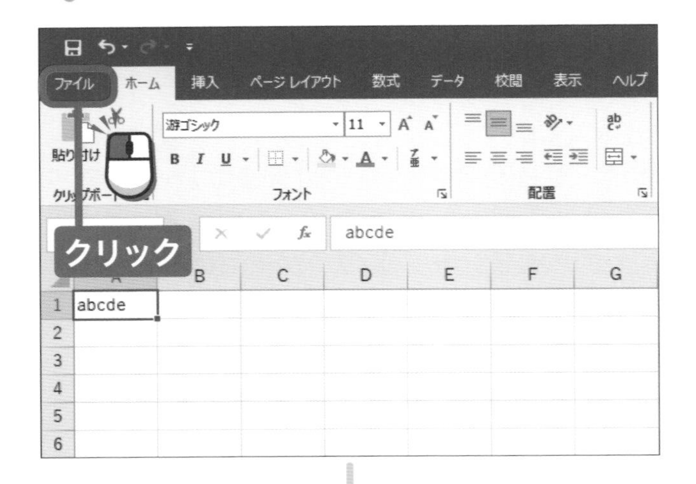

画面左上にある ファイル を クリックします。

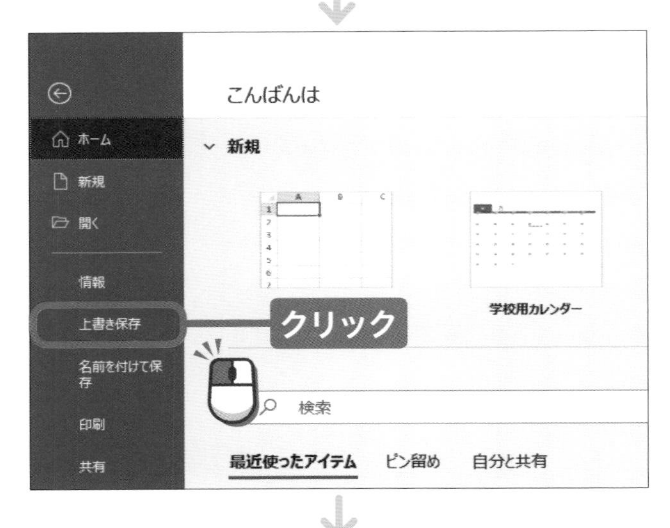

上書き保存 を クリックします。

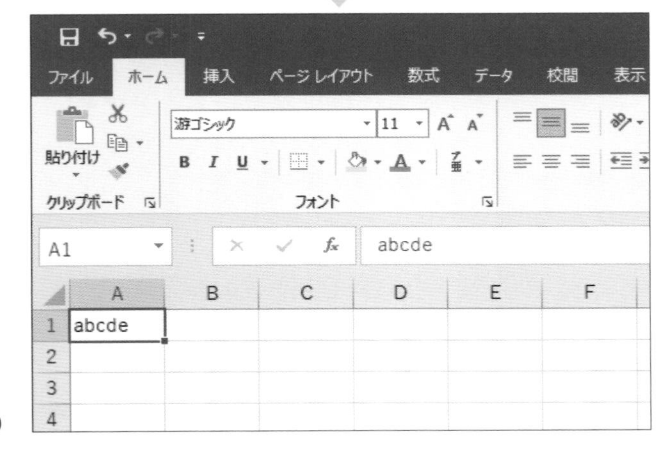

ファイルが上書き保存されます。

●アドバイス●

新規作成した後に、まだ一度も保存を行っていないファイルでは、「上書き保存」をクリックすると「名前を付けて保存」が実行されます。

4 エクセルを終了する際に上書き保存する

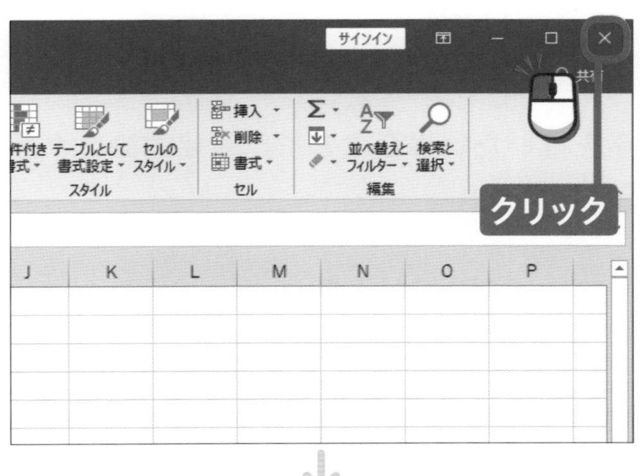

画面右上にある✕を クリックします。

●アドバイス●

保存を行った後にデータが変更されていない場合は、そのままエクセルが終了します。

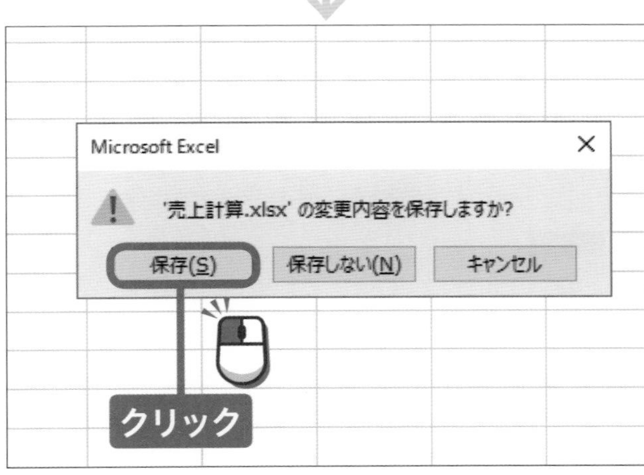

を クリックします。

●アドバイス●

まだ「名前を付けて保存」を行っていない場合は、P.48を参考に名前を付けて保存します。

ヒント 画面上部のアイコンから上書き保存する

表計算画面のクイックアクセスツールバーには、🖫（上書き保存のアイコン）が表示されています。これをクリックすることでも、上書き保存を行うことができます。

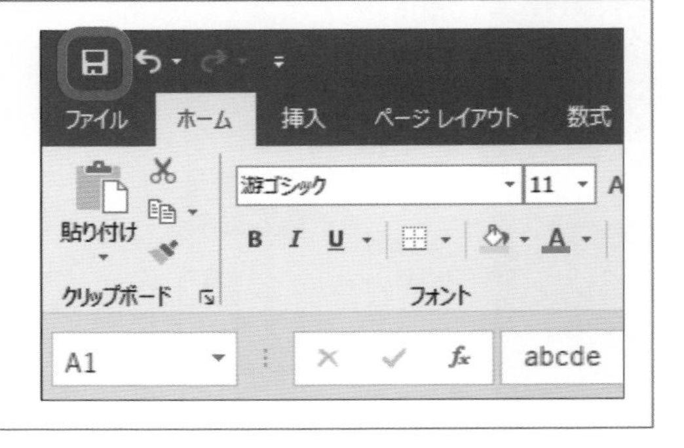

終わり✔

練習用ファイル ▶ 09_ファイルを開く.xlsx

レッスン 09 保存したファイルを開きましょう

保存したファイルの続きから作業を行いたい場合などには、目的のエクセルファイルを選択して開きましょう。

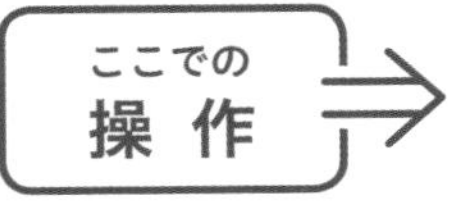

クリック →P.14

ダブルクリック →P.14

1 エクセルを起動してからファイルを選択する

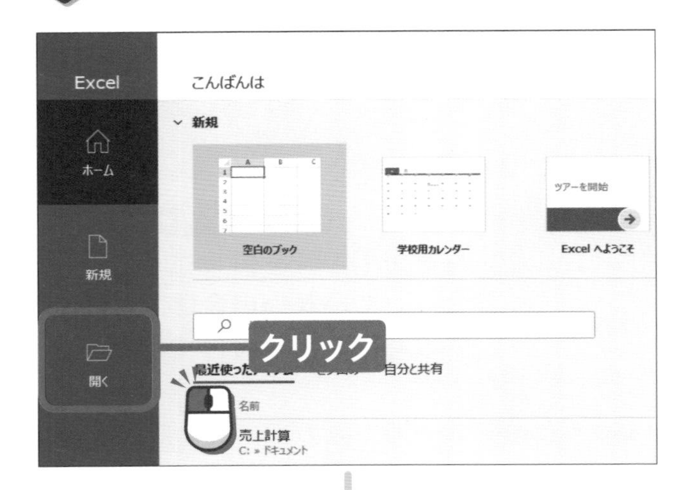

エクセルを起動して、ホーム画面を表示します。

開くをクリックします。

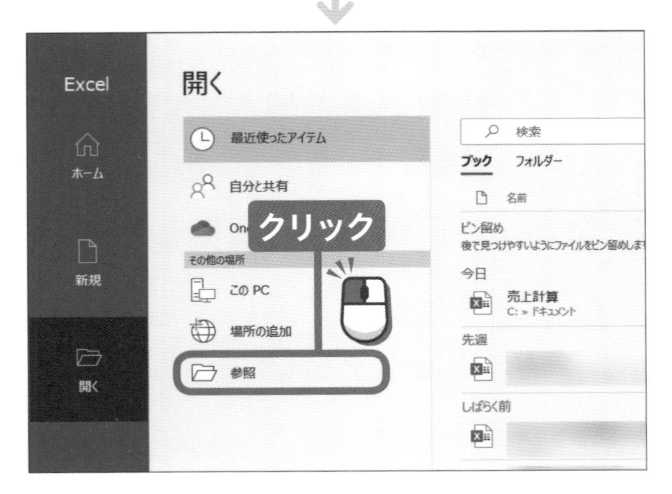

ファイルが保存されたフォルダーを表示します。

参照をクリックして、フォルダー（ここでは「ドキュメント」）を選択します。

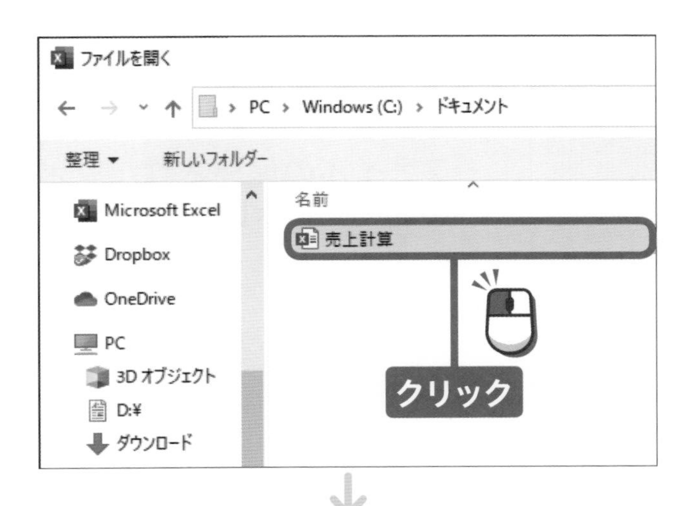

ファイルを選択します。

開きたいファイルを クリックして選択します。

を クリックします。

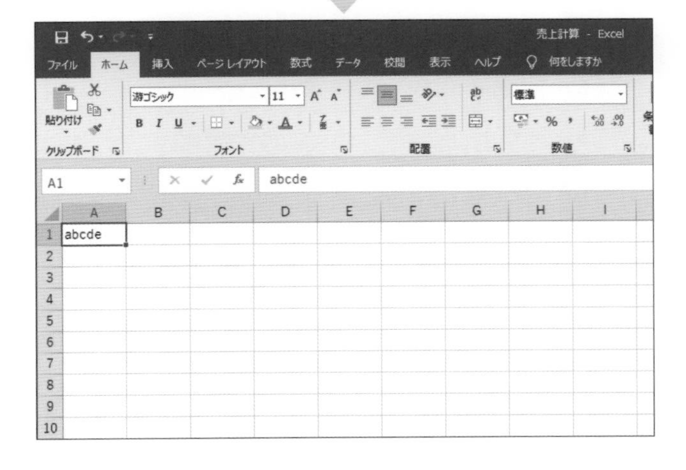

選択したファイルが開いて、表計算画面が表示されます。

次のページへ

2 保存したファイルをダブルクリックして開く

ファイルの保存されたフォルダーを表示します。

開きたいファイルを**ダブルクリック**します。

保存先のフォルダーは、Windowsのエクスプローラーなどを使って表示しましょう。

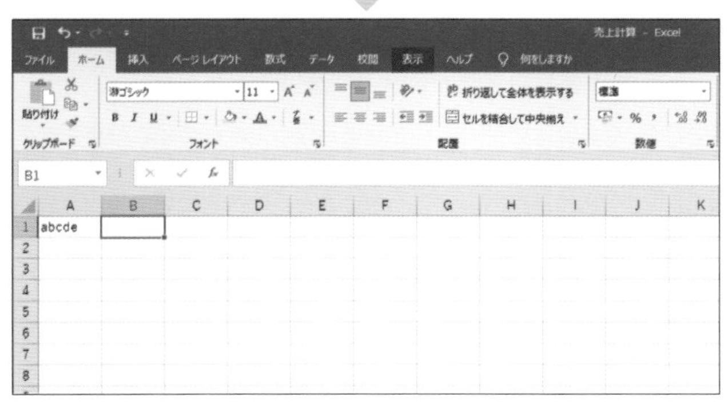

ファイルが開いて、表計算画面が表示されます。

ヒント ファイルを「クリック」した場合

ファイルからは、「ダブルクリック」でなければエクセルを開くことができません。「クリック」をした場合は、ファイルを選択した状態になるだけです。

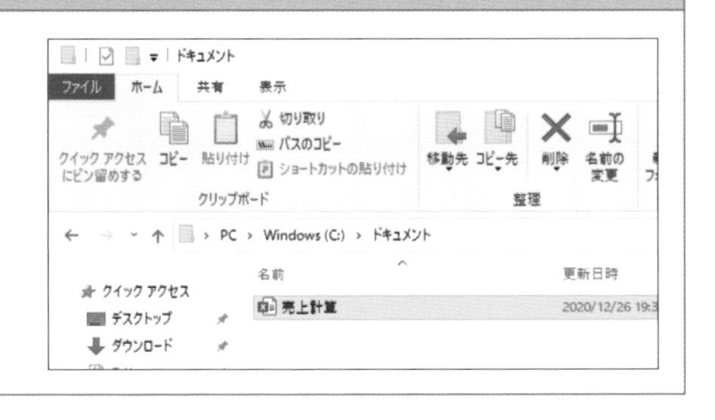

フォルダー内のファイルの表示方法を変更する

フォルダー内のファイルは表示方法を変更することができます。フォルダーの上にある「表示」タブをクリックして、「レイアウト」から表示方法を選択します。アイコンの大きさを変更したり、保存した日付などの詳細な情報を表示したりすることができるので、自分で見てわかりやすい表示にするとよいでしょう。また、「プレビューウィンドウ」をクリックすると、画面の右側にプレビュー画面が表示されます。これは、クリックして選択したファイルの内容が見えるもので、いちいちファイルを開かなくてもプレビューでどういうデータなのかが確認できるという便利な機能です。

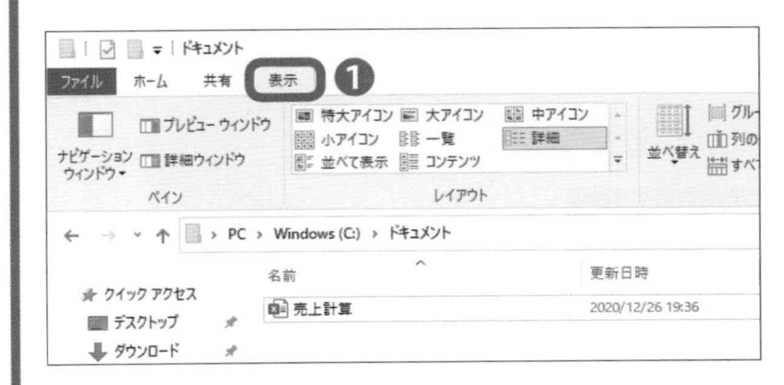

フォルダーを表示して、「表示」タブ❶をクリックします。

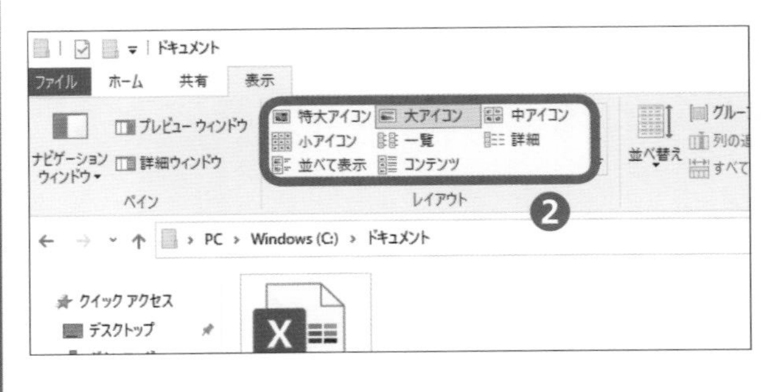

「レイアウト」❷から、好きな表示方法を選択してクリックします。左の画像では、「大アイコン」を選択しています。

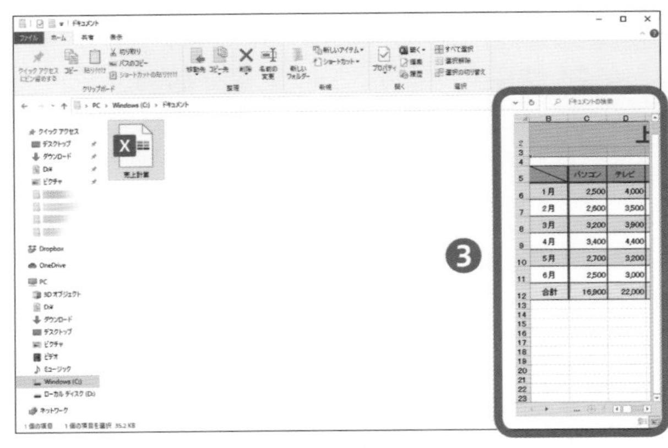

「プレビューウィンドウ」をクリックすると、フォルダーの右側にプレビュー❸が表示されます。

終わり ✔

ステップアップ

Q. すでにファイルを開いた状態で新規作成するとどうなるの？

A. 別のブックでファイルが新規作成されます。

すでにエクセルファイルを開いた状態で、P.40を参考に新規でファイルを作成すると、別の画面でエクセルが起動して、ファイルが新規作成されます。エクセルはファイルごとの画面をブックと呼んでおり、別のブックが表示されることになります。同じファイル内で表計算を分ける画面を作成したい場合は、P.42を参考にワークシートを追加しましょう。

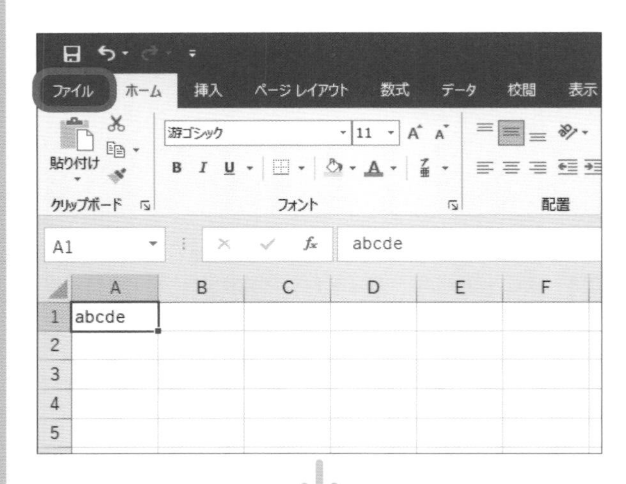

ファイルを開いた状態で画面左上の「ファイル」をクリックして、P.40を参考にファイルを新規作成します。

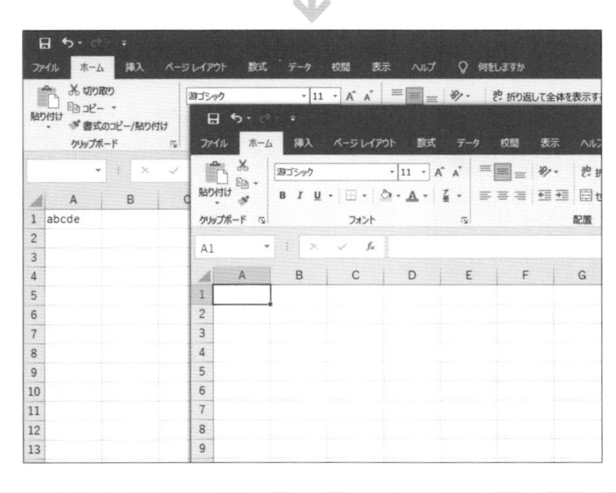

別の画面で新しいブックが表示されます。なお、先ほどまでに開いていたエクセルファイルも開いたままなので、2つのブックを同時に開いている状態になっています。

ステップアップ

Q. 変更前のファイルに上書きしないで、別のファイルとして保存したい！

A. 名前を付けて別ファイルとして保存しましょう。

たとえば、変更前と変更後のデータを比較したい場合、変更後のデータを別名ファイルとして保存しておくとよいでしょう。通常では、続きのデータに上書きして保存しておくことが一般的ですが、前のデータを取っておくことによって、万が一ミスがあって前のデータの方が正しかった場合、上書きしたデータからやり直す必要がないでしょう。名前を付けて保存する場合は、P.46を参考に操作しましょう。

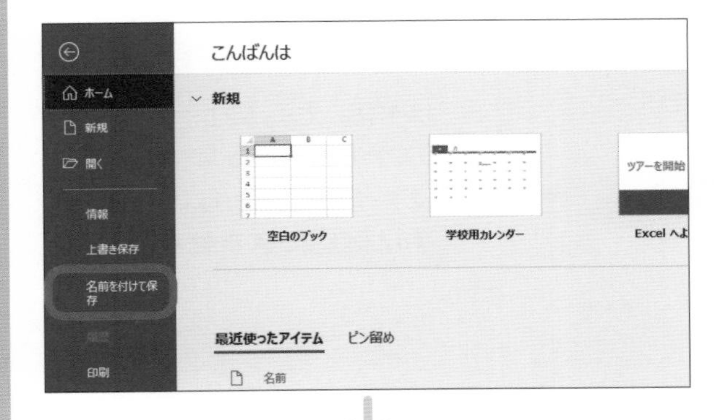

「上書き保存」ではなく、「名前を付けて保存」を選択して、別の名前を入力して保存します。

入力前のデータを残したまま、新しいファイルとして保存されました。

ステップアップ

Q. わかりやすいファイル名を付けるにはどうしたらよい？

A. データを共有している相手にもわかる名前にしましょう。

仕事でエクセルを使っている場合、そのファイルは自分だけが見るとは限りません。上司や同僚、取引先の相手にも共有する場合があります。その場合、相手にも中身がわかるようなファイル名を付けるとよいでしょう。たとえば売上データの場合、ただ「売上データ」とだけ付けても、相手から見たら「どこの、いつの売上データだろう？」ということになりかねません。「上半期東京店売上データ_2021年度」といったような名前を付けると共有相手にもわかりやすいでしょう。

「いつ、どこの」データなのかがわからないので、ファイルを開かなければ相手は確認できません。

「何年度の何のデータなのか」など、相手が見てもわかるファイル名にしておくと、整理する際にも便利です。

3章

データの入力と編集の方法を学びましょう

3章 データの入力と編集の方法を学びましょう

レッスンをはじめる前に

セルにデータを入力します

エクセルで表の作成や計算を行うためには、セルにデータを入力する必要があります。セルには文字や数値のほかにも、日付や価格、記号などを入力することができ、それらのデータを利用して、売上表を作成するといったこともできます。また、入力したデータを後から、編集を行って、文字や数値を書き換えることができ、不要になった場合は消去することもできます。

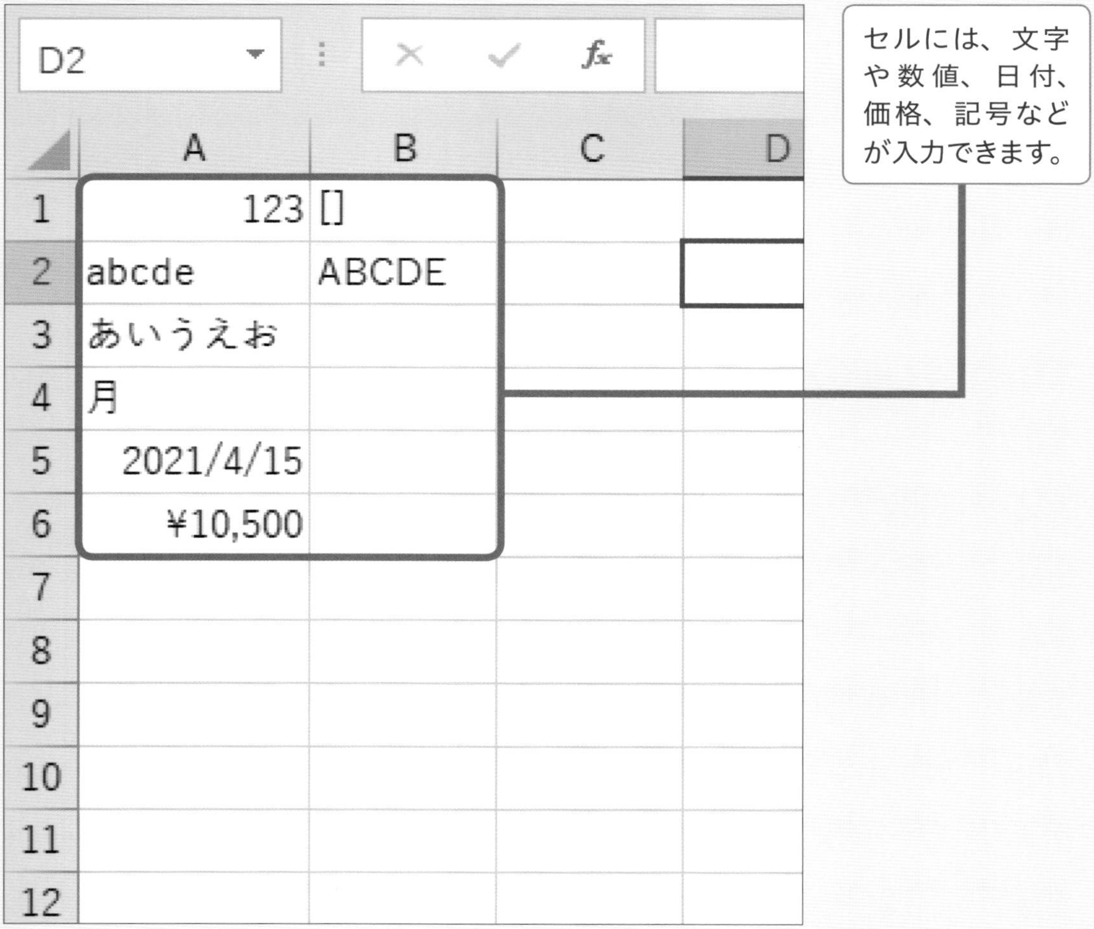

D2

	A	B	C	D
1	123	[]		
2	abcde	ABCDE		
3	あいうえお			
4	月			
5	2021/4/15			
6	¥10,500			
7				
8				
9				
10				
11				
12				

セルには、文字や数値、日付、価格、記号などが入力できます。

セルの書式を設定します

セルにデータを入力しただけでは、ただの見づらい表になってしまいます。売上1位など強調したい数値を赤い文字に変更したり、支店名を太字にしたりなど、書式を設定することができます。書式の設定はセルごと、あるいは文字ごとに行えます。セルに書式を設定しておけば、入力されたデータを変更した場合でも、変更後のデータは設定した書式で表示されます。

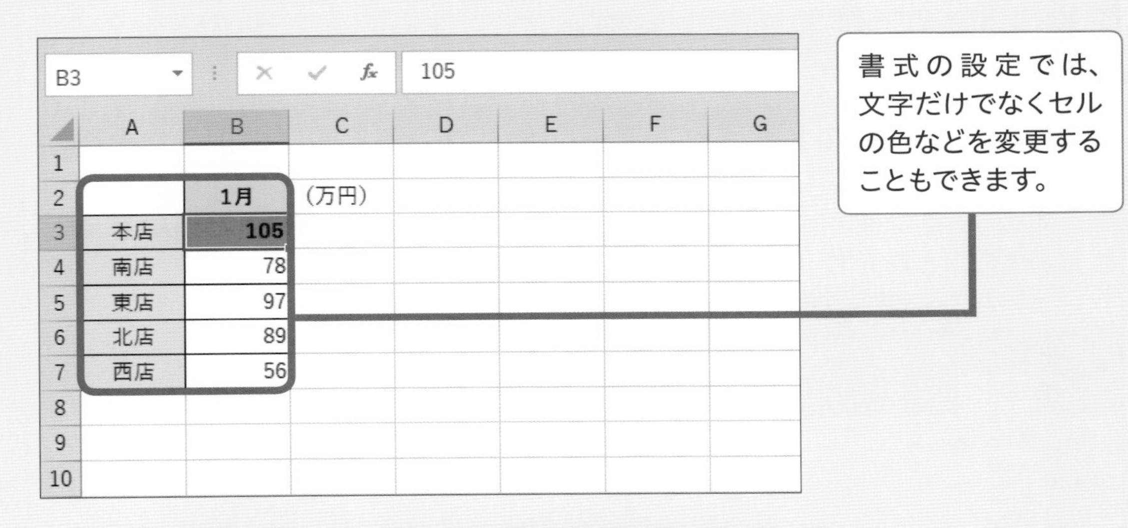

書式の変更は「ホーム」タブ❶の「フォント」グループ❷から行います。

レッスン10

セルの基本を理解しましょう

エクセルでは、セルと呼ばれる入力領域に文字や数値などのデータを入力します。ここではその基本を確認しましょう。

1 セルって何？

エクセルには、セルと呼ばれるデータを入力できる囲いのようなものが多数あります。ここに文字や数値を入力して、表の作成や計算などを行うことができます。セルには縦と横のマス目があり、これを利用することで直感的に表を作成することができます。

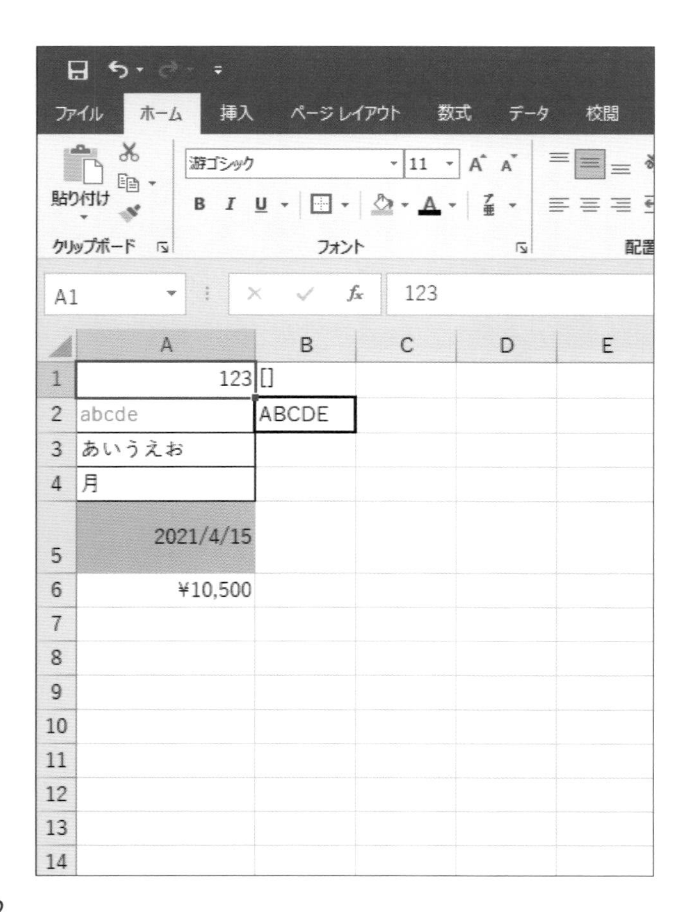

セルにはデータを入力することができます。周囲を罫線で囲ったり、縦や横の幅を自由に変更することもできます。

2 セルの行と列

セルには横軸の「行」と縦軸の「列」があり、行は数字、列はアルファベットで表されます。エクセルでは「（アルファベット）（数字）」でセルの位置を示します。たとえば「F6」という表記は、「F」列の「6」行目のセルを示します。これは、計算や関数を使う際に非常に重要となるので必ず覚えておきましょう。なお、計算や関数については5章を参照してください。

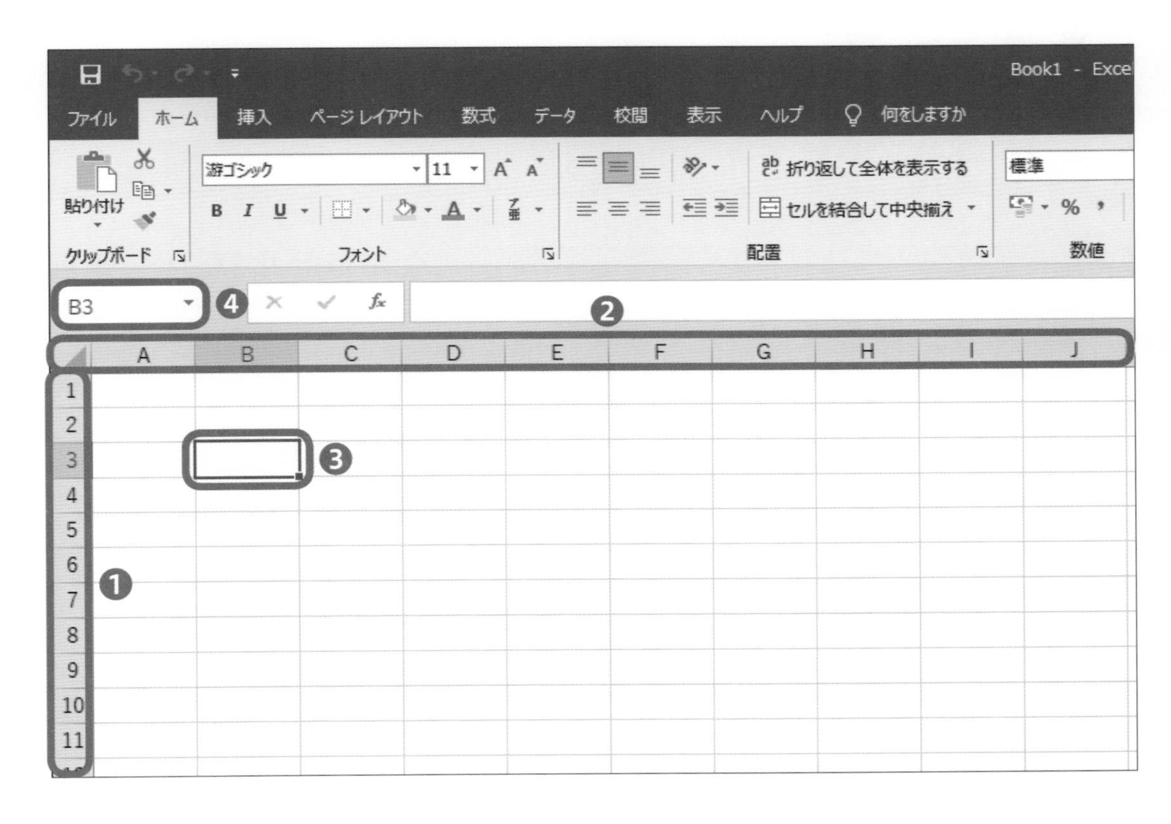

❶数字で何行目かを示します。

❷アルファベットで何列目かを示します。

❸緑の線で囲まれたセルが、現在選択されているセルです。

❹現在選択されているセルが「（アルファベット）（数字）」で表示されます。

終わり

練習用ファイル ▶ 11_セルの選択.xlsx

レッスン 11 データを入力するセルを選択しましょう

セルにデータを入力するには、セルを選択しておく必要があります。ここではセルの選択方法について学びましょう。

クリック

→P.14

1 セルを選択する

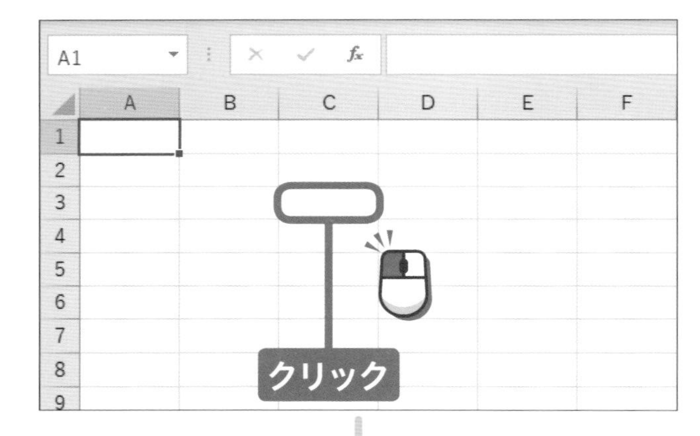

ここではセル「C3」を選択します。

「C」列の「3」行目のセルを クリック します。

セル「C3」が選択されます。

アドバイス

「A」列の上にある「名前ボックス」に選択したセルが表示されます。

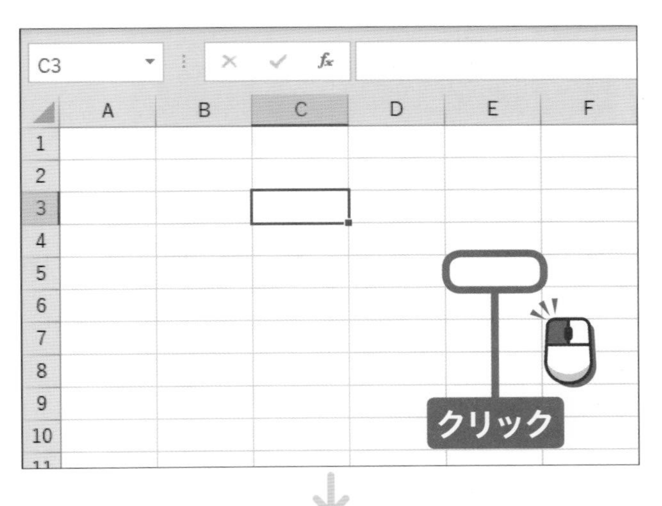

続けて、別のセルを選択します。

「E」列の「5」行目のセルをクリックします。

セル「C3」の選択が解除されて、セル「E5」が選択されます。

ヒント カーソルキーで選択したセルを変更する

セルを選択した状態でキーボードのカーソルキーを押すと、押した方向にセルの選択が移動します。

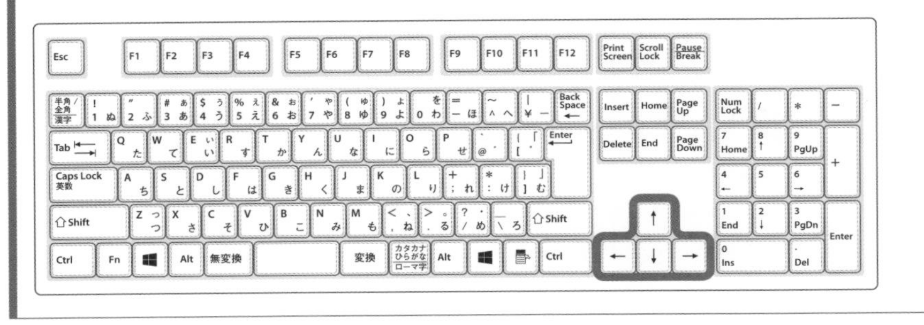

終わり

レッスン12 複数のセルを同時に選択しましょう

セルの選択は、複数同時に行うことができます。その場合は、ドラッグ操作を活用しましょう。

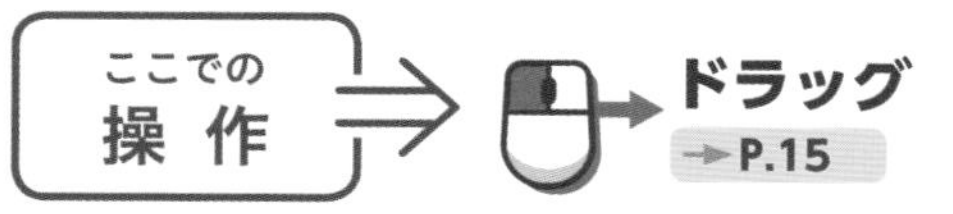

1 複数のセルを選択する

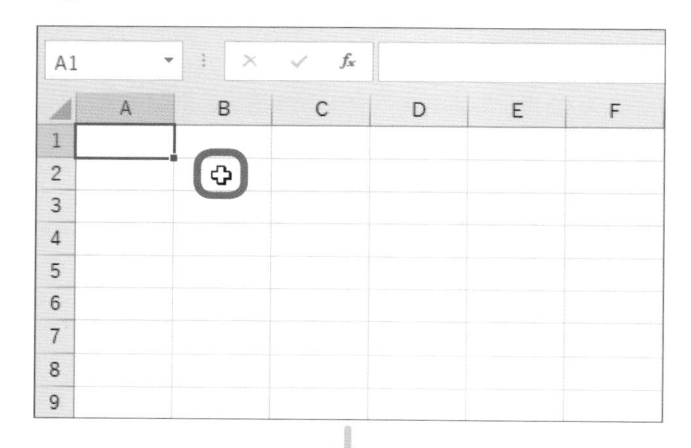

ここではセル「B2～E11」を選択します。

セル「B2」にマウスのカーソルを重ね合わせます。

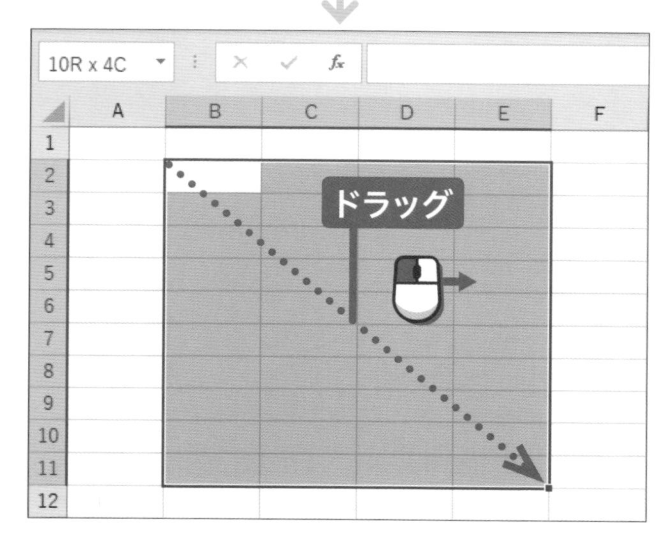

セル「B2」から
セル「E11」まで
ドラッグします。

ドラッグ操作を終了すると、セル「B2～E11」が選択されていることがわかります。

アドバイス

セルを選択した状態で、Shift＋カーソルキーを押すことでも、複数のセルを選択することができます。

ヒント 複数のセルの選択の活用方法

ここまでの説明だけでは、「複数のセルを選択方法を覚えても、何に活用できるの？」と思うかもしれません。しかし、この操作を便利に活用できるのは、セルのコピー＆ペーストをするときです。複数のセルを選択した状態でセルをコピーすると、選択したすべてのセルがコピーされ、貼り付けを行うとコピーしたセルの分だけ貼り付けることができます。なお、セルのコピーについてはP.94、貼り付けについてはP.96を参照してください。

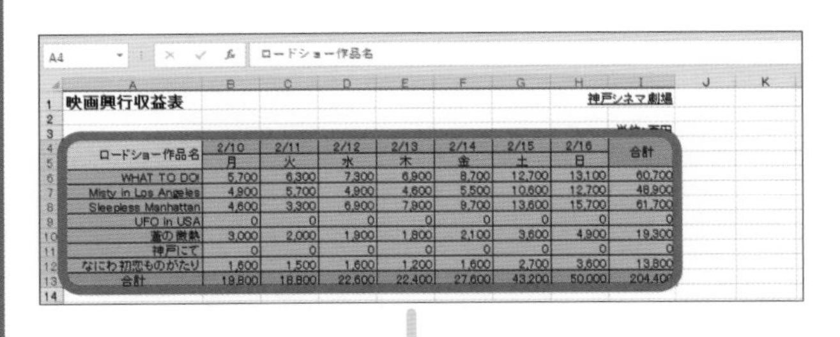

映画興行収益表　神戸シネマ劇場

ロードショー作品名	2/10 月	2/11 火	2/12 水	2/13 木	2/14 金	2/15 土	2/16 日	合計
WHAT TO DO!	5,700	6,300	7,300	6,900	8,700	12,700	13,100	60,700
Misty in Los Angeles	4,900	5,700	4,900	4,600	5,500	10,600	12,700	48,900
Sleepless Manhattan	4,600	3,300	6,900	7,900	9,700	13,600	15,700	61,700
UFO in USA	0	0	0	0	0	0	0	0
蒼の微熱	3,000	2,000	1,900	1,800	2,100	3,600	4,900	19,300
神戸にて	0	0	0	0	0	0	0	0
なにわ初恋ものがたり	1,600	1,500	1,600	1,200	1,600	2,700	3,600	13,800
合計	19,800	18,800	22,600	22,400	27,600	43,200	50,000	204,400

コピーしたいセルを複数選択して、コピーを行います。

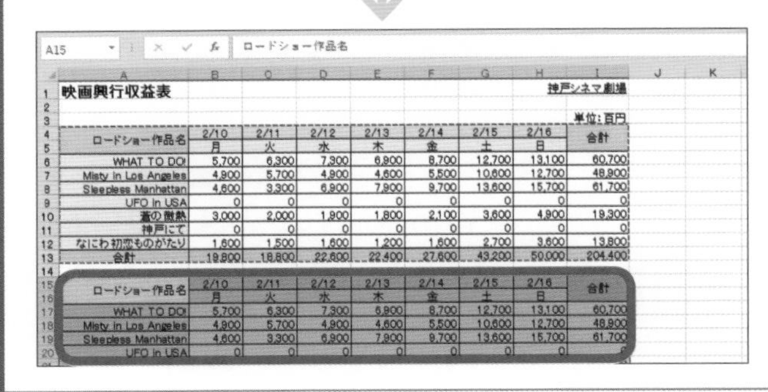

映画興行収益表　神戸シネマ劇場

単位：百円

ロードショー作品名	2/10 月	2/11 火	2/12 水	2/13 木	2/14 金	2/15 土	2/16 日	合計
WHAT TO DO!	5,700	6,300	7,300	6,900	8,700	12,700	13,100	60,700
Misty in Los Angeles	4,900	5,700	4,900	4,600	5,500	10,600	12,700	48,900
Sleepless Manhattan	4,600	3,300	6,900	7,900	9,700	13,600	15,700	61,700
UFO in USA	0	0	0	0	0	0	0	0
蒼の微熱	3,000	2,000	1,900	1,800	2,100	3,600	4,900	19,300
神戸にて	0	0	0	0	0	0	0	0
なにわ初恋ものがたり	1,600	1,500	1,600	1,200	1,600	2,700	3,600	13,800
合計	19,800	18,800	22,600	22,400	27,600	43,200	50,000	204,400

ロードショー作品名	2/10 月	2/11 火	2/12 水	2/13 木	2/14 金	2/15 土	2/16 日	合計
WHAT TO DO!	5,700	6,300	7,300	6,900	8,700	12,700	13,100	60,700
Misty in Los Angeles	4,900	5,700	4,900	4,600	5,500	10,600	12,700	48,900
Sleepless Manhattan	4,600	3,300	6,900	7,900	9,700	13,600	15,700	61,700
UFO in USA	0	0	0	0	0	0	0	[illegible]

貼り付けを行うと、コピーしたセルをすべて貼り付けることができます。

終わり

レッスン 13 データを入力しましょう

セルの選択ができたら実際にデータを入力してみましょう。セルには数値だけでなく、日本語や記号も入力できます。

1 数値を入力する

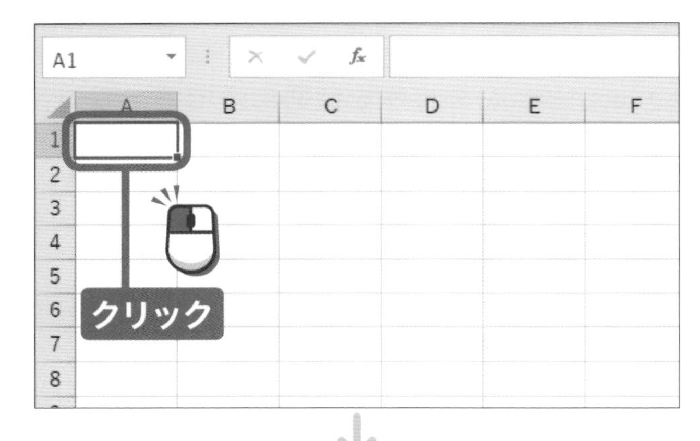

ここではセル「A1」に入力します。

入力したいセルを クリックして選択します。

キーボードの 半角／全角 を押して、入力モードを A にしておきます。

アドバイス

Windowsのタスクバーで、現在の入力モードが確認できます。
A は日本語入力がオフになっている状態です。

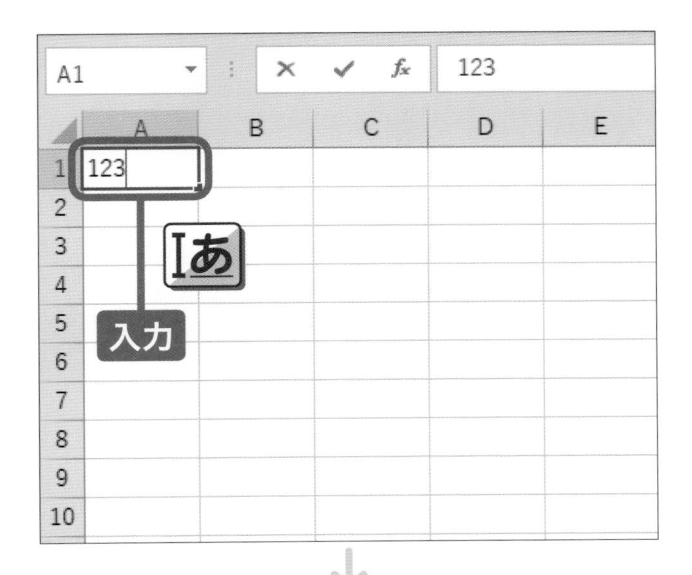

キーボードから
1 2 3を押して、
数値を入力します。

アドバイス

入力中はセル内に縦棒のカーソルが表示されます。

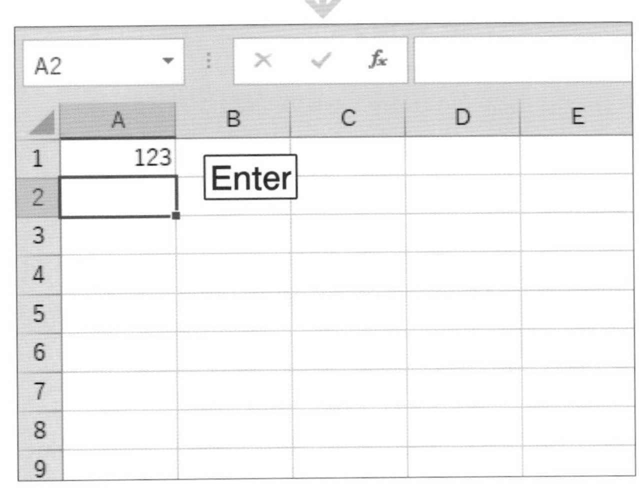

キーボードの
Enterを押して、
入力を確定します。

アドバイス

Enterで確定すると、1つ下のセルに選択が移動します。

ヒント 記号を入力する

セルには記号も入力することができます。「@」や「[]」といった記号も入力できるので、メールアドレスを入力したり、[]で強調させたりできます。なお、「+」や「-」といった計算記号はエラーが出る場合があります。計算記号の入力については、P.148を参照してください。

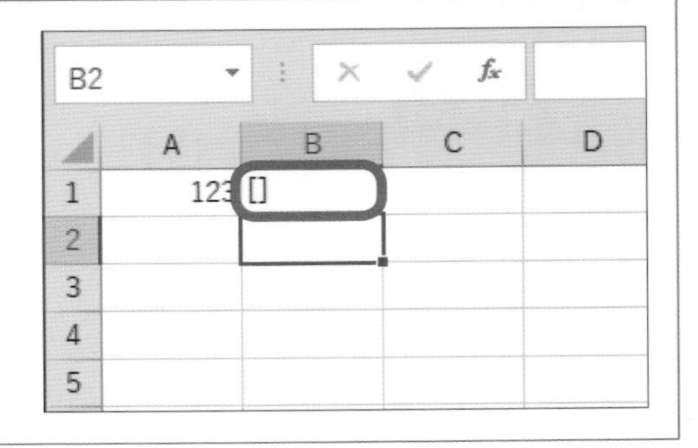

次のページへ

2 アルファベットを入力する

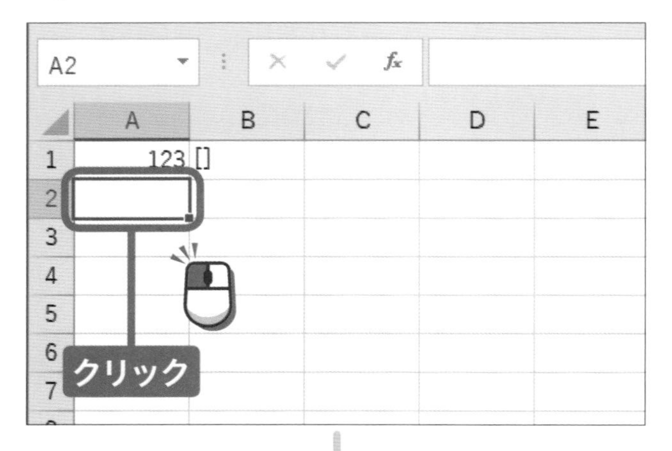

ここではセル「A2」に入力します。

入力したいセルをクリックして選択します。

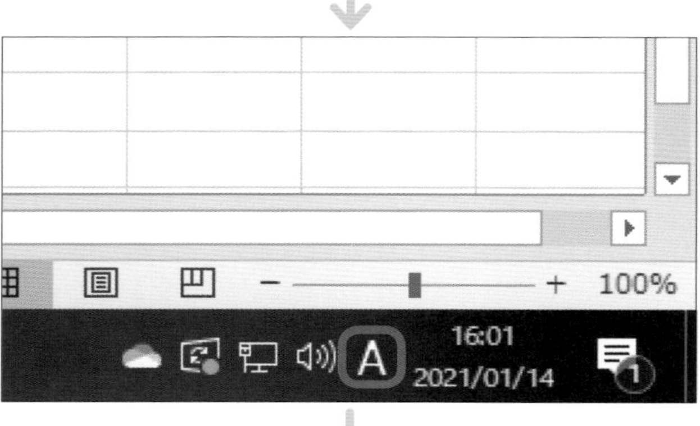

キーボードの半角／全角を押して、入力モードをAにしておきます。

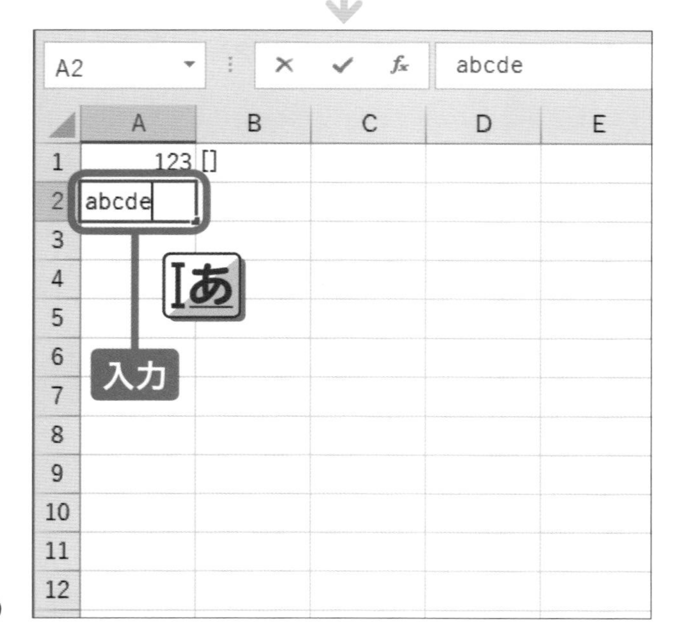

キーボードからABCDEを押して、アルファベットを入力します。

●アドバイス●

上記では半角小文字で入力されます。大文字（「A」など）を入力する場合は、Shiftを押しながら英字キーを押しましょう。

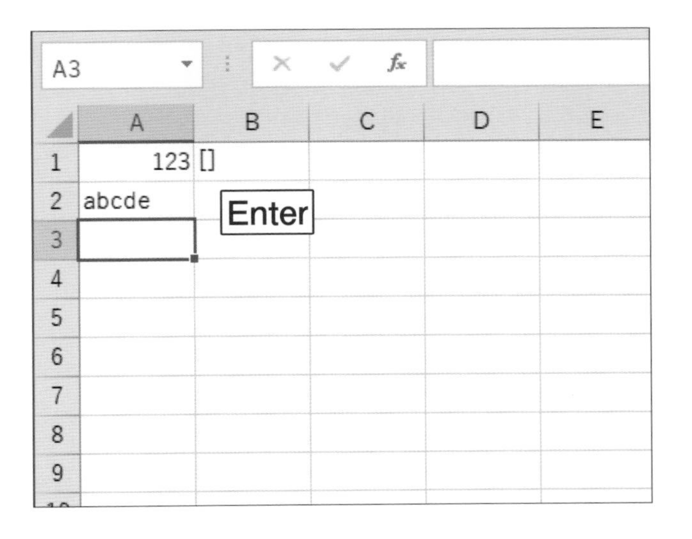

キーボードの Enter を押して、
入力を確定します。

ヒント 全角と半角の切り替え

通常ではアルファベットは半角文字で入力しますが、全角文字で入力したい場合もあります。その場合は、全角入力に切り替えましょう。全角入力に切り替えるには、日本語入力をオンにした状態でキーボードの Shift ＋ 無変換 を押します。そうすると、全角で英語を入力できるようになります。なお、再度キーボードの Shift ＋ 無変換 を押すと、半角入力に戻ります。

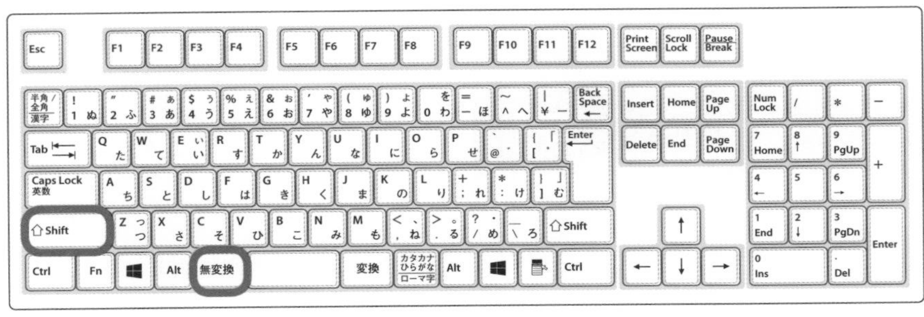

	A	B	C	D	E	F
1	123	[]				
2	abcde	ａｂｃｄｅ				
3						
4						

次のページへ

3 日本語を入力する

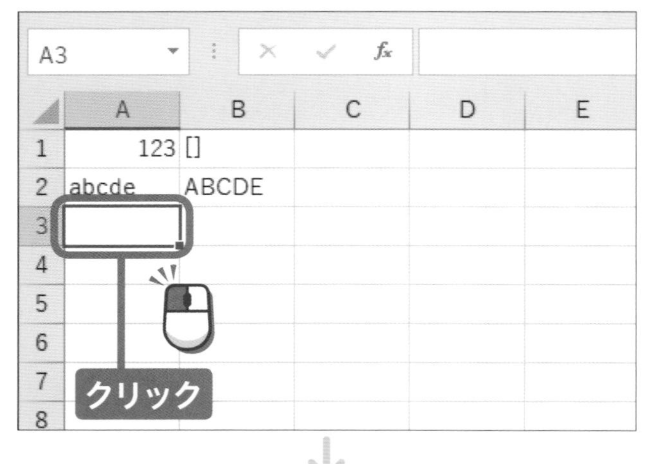

ここではセル「A3」に入力します。

入力したいセルをクリックして選択します。

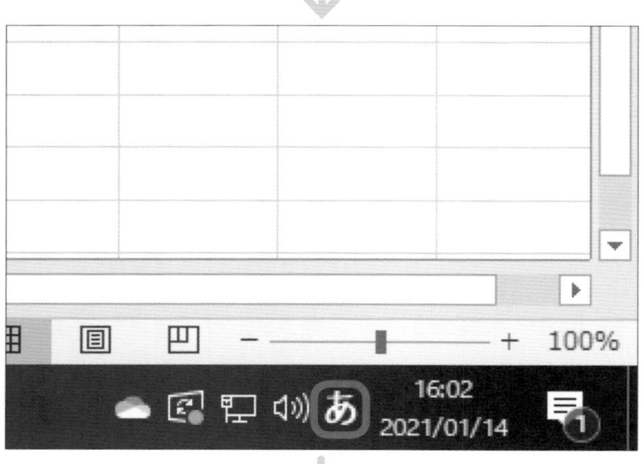

キーボードの半角／全角を押して、入力モードをあにしておきます。

●アドバイス●

あは日本語入力がオンになっている状態です。

キーボードからあいうえおを押して、日本語を入力します。

●アドバイス●

かな入力では「あ」「い」「う」「え」「お」、ローマ字入力では「A」「I」「U」「E」「O」と入力します。

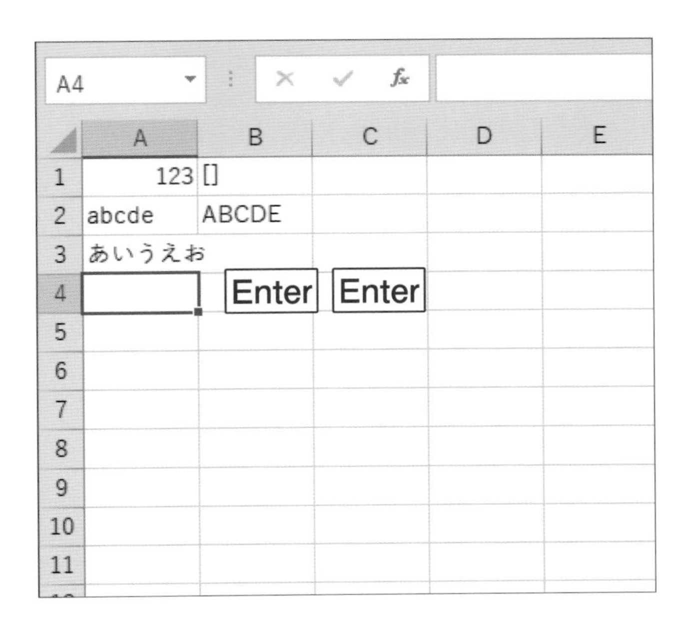

キーボードの Enter を2回押して、入力を確定します。

アドバイス

Enter の1回目で変換の確定、2回目で入力の確定をします。

アドバイス

入力した日本語は漢字に変換することもできます。

ヒント ローマ字入力とかな入力

キーボードを見てみると、各キーのアルファベットの右下にひらがなが書いてあります。このひらがなは「かな入力」を有効にした際に、その文字で入力されます。かな入力設定にするには、画面右下の入力モード❶を右クリックして、「かな入力（オン）」❷をクリックして、「有効」❸をクリックします。なお、ローマ字入力に戻す際は、「無効」をクリックします。

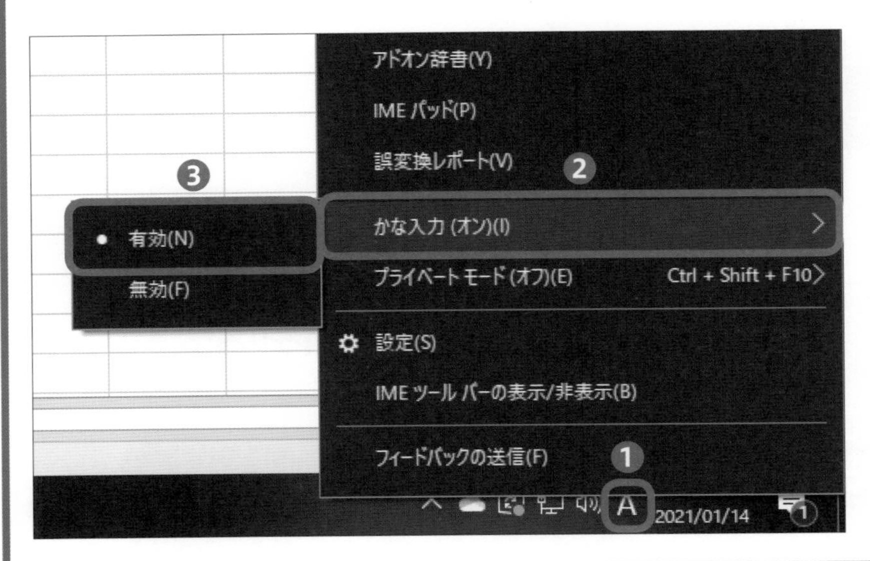

次のページへ

4 漢字を入力する

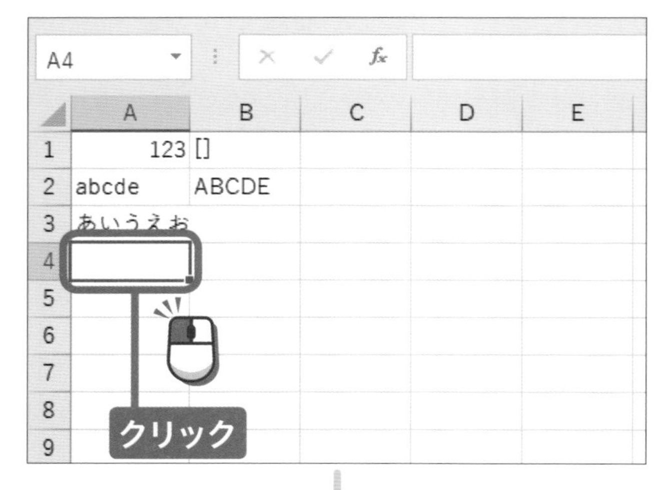

ここではセル「A4」に入力します。

入力したいセルをクリックして選択します。

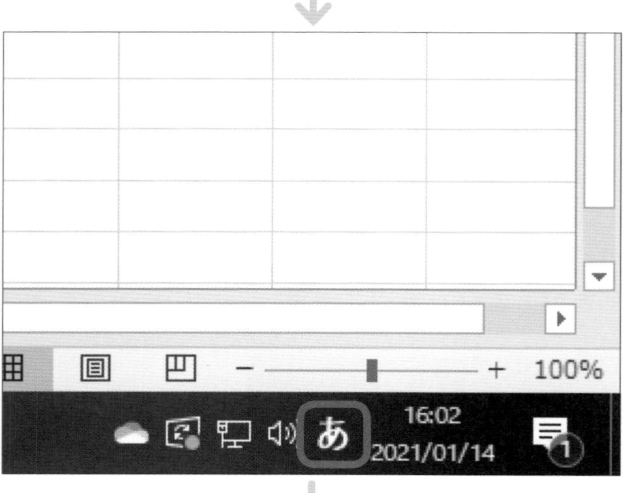

キーボードの半角／全角を押して、入力モードをあにしておきます。

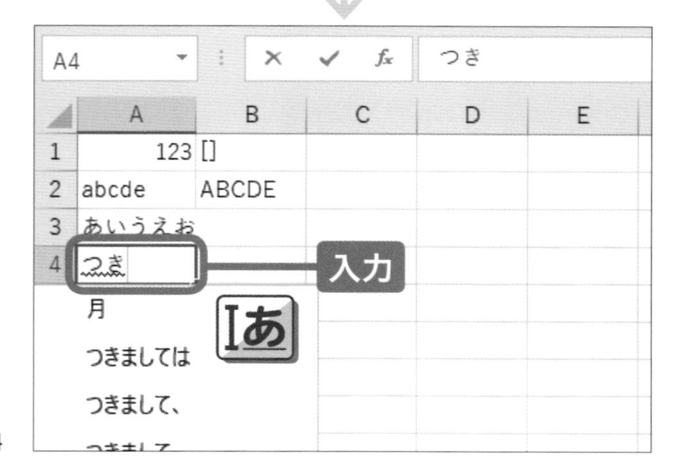

キーボードからつきを押して、日本語を入力します。

アドバイス

かな入力では「つ」「き」、ローマ字入力では「T」「U」「K」「I」と入力します。

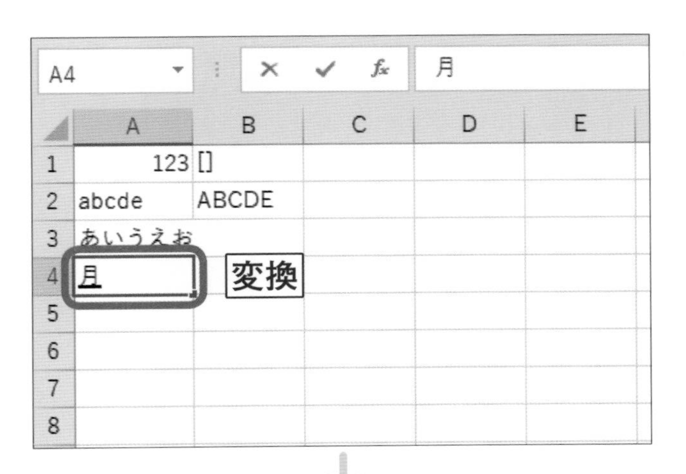

キーボードの変換
またはSpaceを押して、
漢字に変換します。

アドバイス

変換を2回押すと、変換候補一覧が表示されるので、そこから変換したい漢字を選択することもできます。

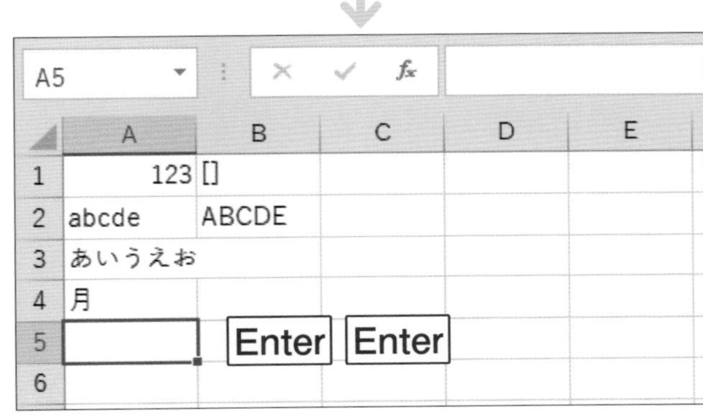

キーボードのEnterを
2回押して、
入力を確定します。

ヒント ファンクションキーで変換する

変換する際に、変換またはSpaceではなくファンクションキーを押すと、カタカナやアルファベットに変換することができます。F7で全角カタカナ、F8で半角カタカナ、F9で全角小文字アルファベット、F10で半角小文字に変換されます。なお、F9とF10は何回か押すと、大文字のアルファベットに変換することもできます。

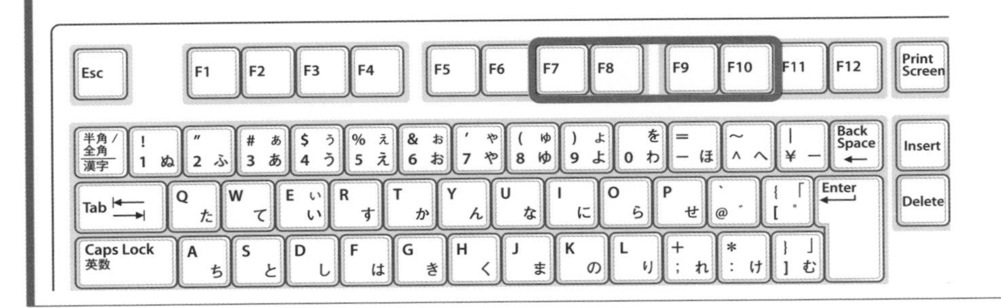

次のページへ

5 日付を入力する

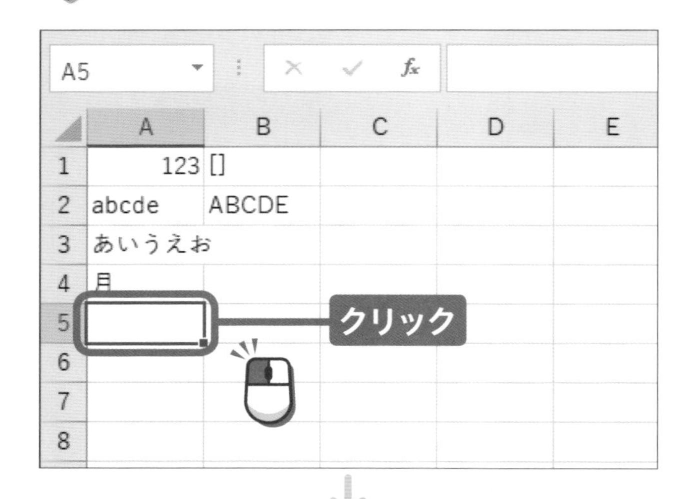

ここではセル「A5」に入力します。

入力したいセルをクリックして選択します。

キーボードから「4月15日」を Iあ 入力します。

●アドバイス●

「4/15」と入力することでも、「4月15日」と変換されます。

キーボードの Enter を2回押して、入力を確定します。

6 日付の表示形式を変更する

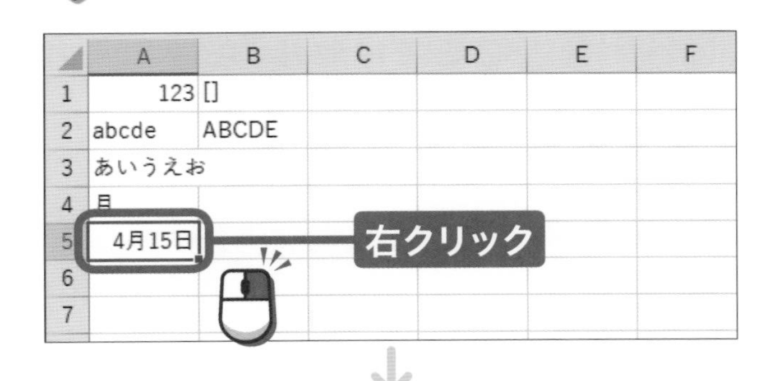

入力した日付はそのままで、日付の表示形式を変更します。

日付を入力したセルを右クリックします。

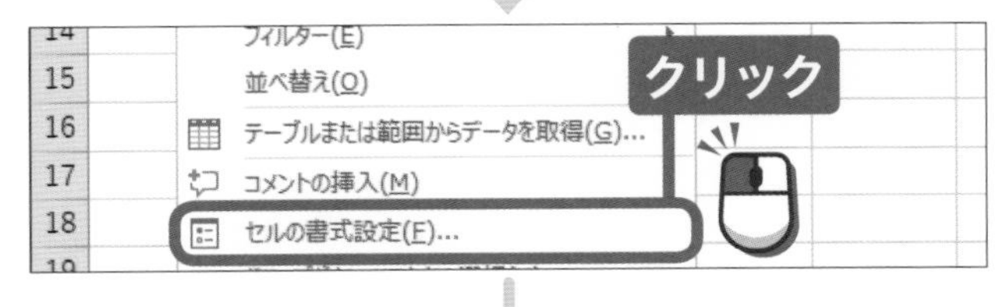

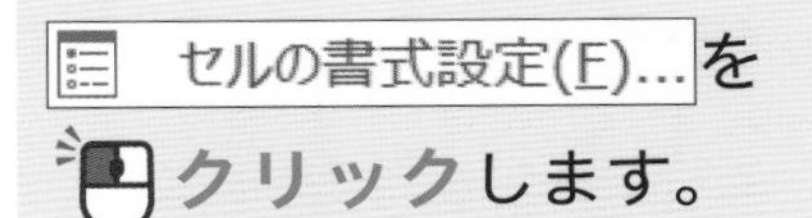

をクリックします。

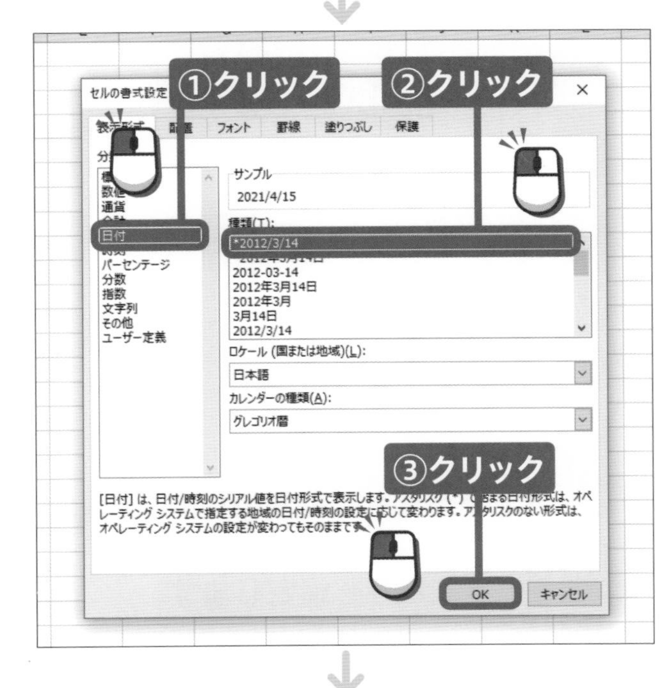

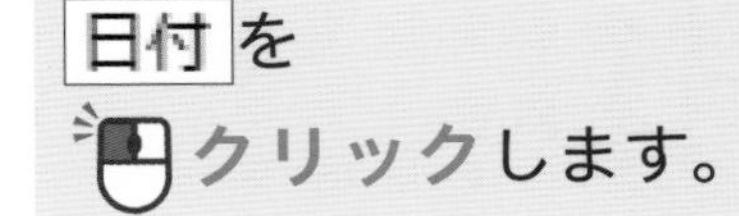

をクリックします。

ここでは「2021/4/15」という表示に変更します。

をクリックします。

をクリックします。

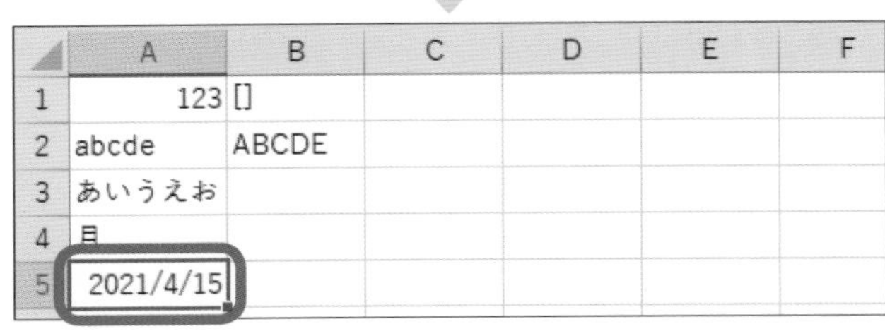

日付の表示形式が変更されます。

次のページへ

7 価格を入力する

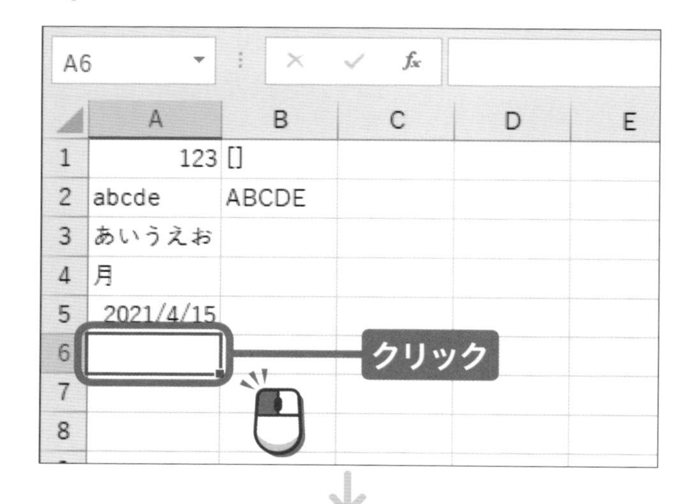

ここではセル「A6」に入力します。

入力したいセルをクリックして選択します。

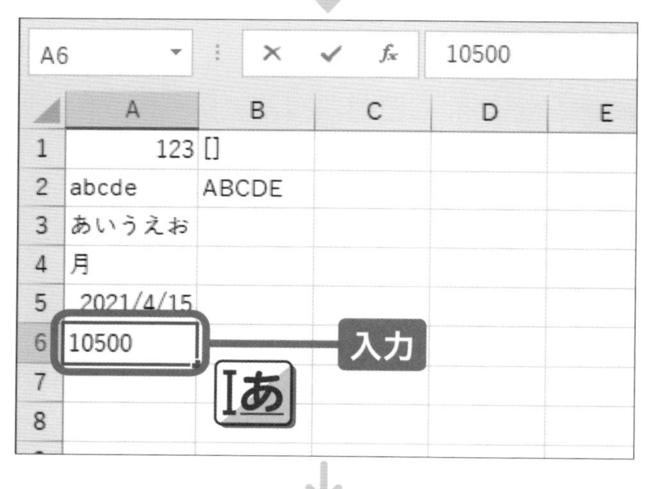

キーボードから「10500」を入力します。

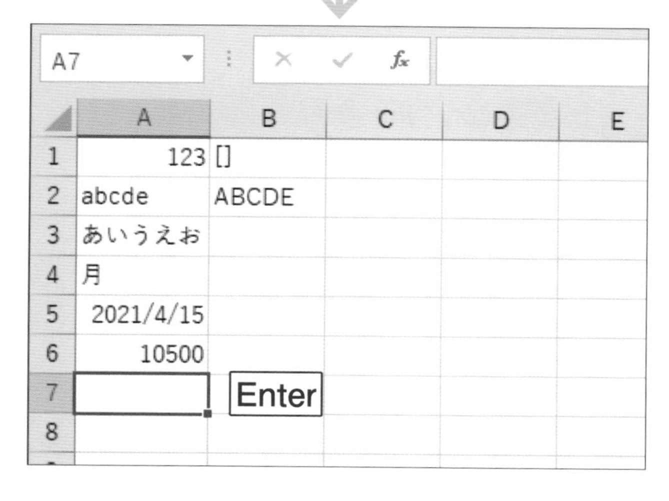

キーボードの Enter を押して、入力を確定します。

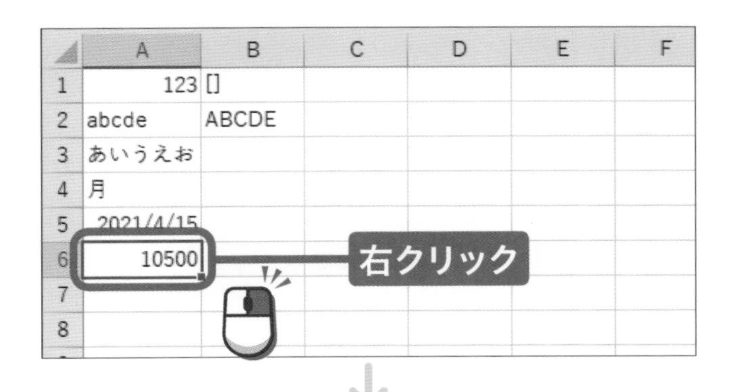

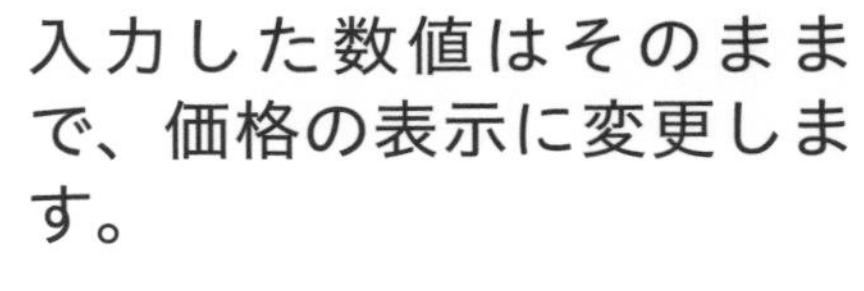

入力した数値はそのままで、価格の表示に変更します。

数値を入力したセルを右クリックします。

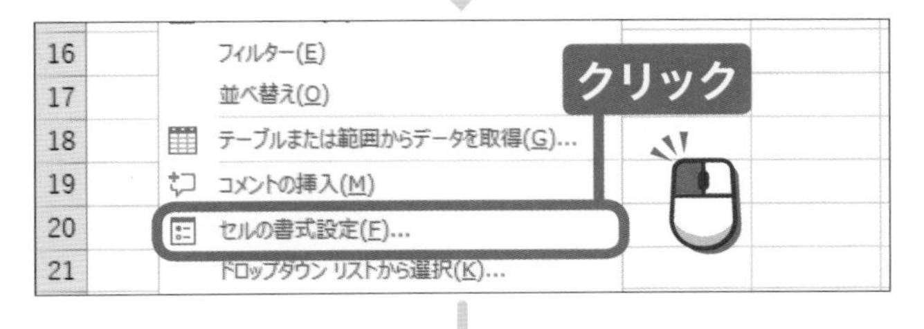

セルの書式設定(F)... をクリックします。

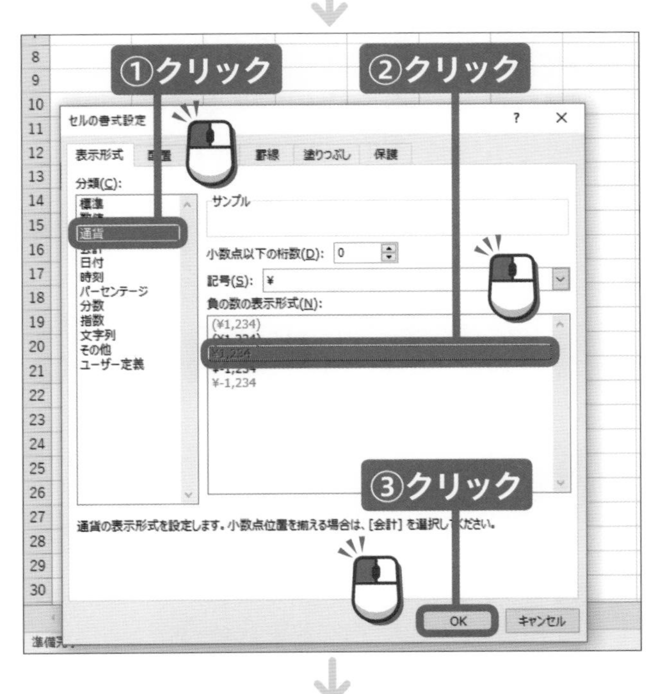

通貨 をクリックします。

ここでは「¥10,500」という表示に変更します。

¥1,234 をクリックします。

OK をクリックします。

	A	B	C	D	E	F
1	123	[]				
2	abcde	ABCDE				
3	あいうえお					
4	月					
5	2021/4/15					
6	¥10,500					

価格の表示に変更されます。

次のページへ

8 入力を元に戻す

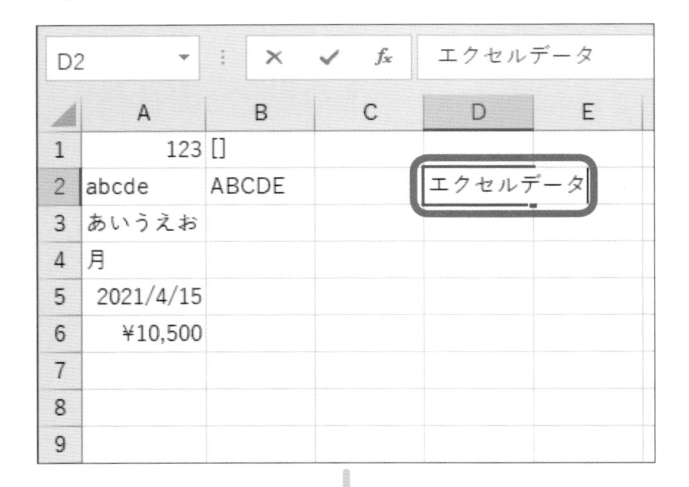

入力したデータに間違いがあったので、入力前の状態に戻します。

●アドバイス●

「元に戻す」とは、直前の操作を取り消す操作のことです。

クイックアクセスツールバーの↶を🖱クリックします。

●アドバイス●

キーボードの Ctrl + Z を押すことでも、元に戻すことができます。

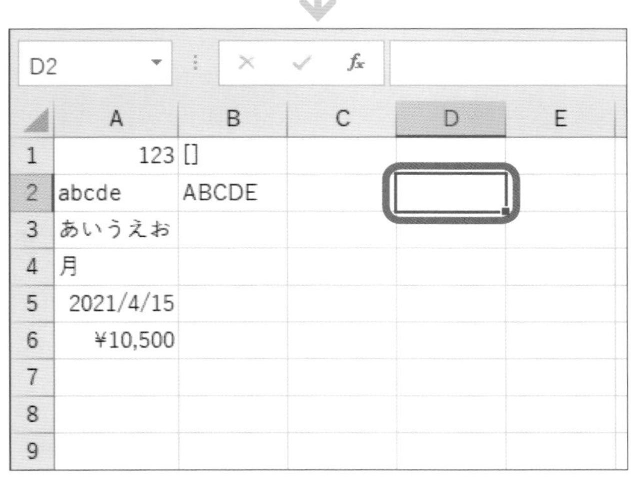

入力前の状態に戻ります。

●アドバイス●

「元に戻す」操作を繰り返し行うと、操作をどんどんさかのぼって取り消していくことができます。

9 入力をやり直す

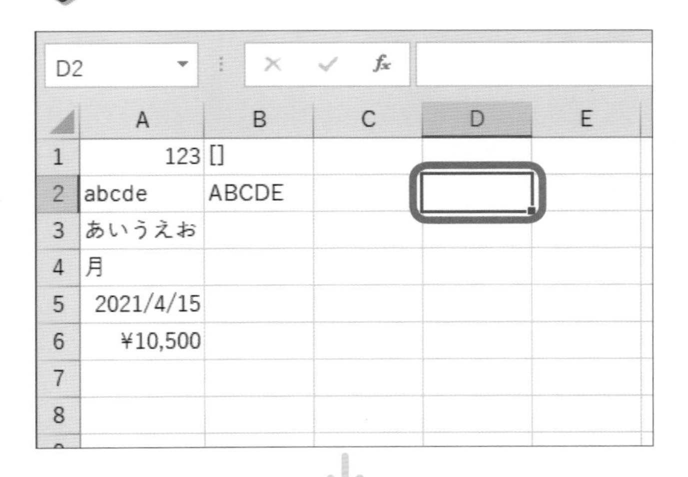

元に戻したデータを、戻す前の状態にやり直します。

●アドバイス●

「やり直す」とは、直前の「元に戻す」操作を取り消す操作のことです。

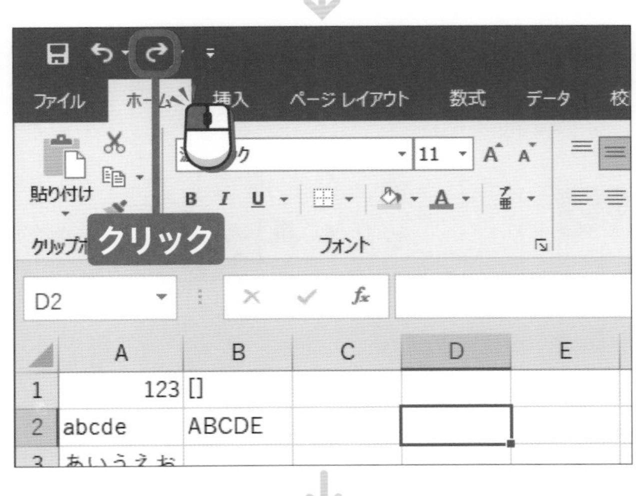

クイックアクセスツールバーのを**クリック**します。

●アドバイス●

キーボードのCtrl＋Yを押すことでも、やり直すことができます。

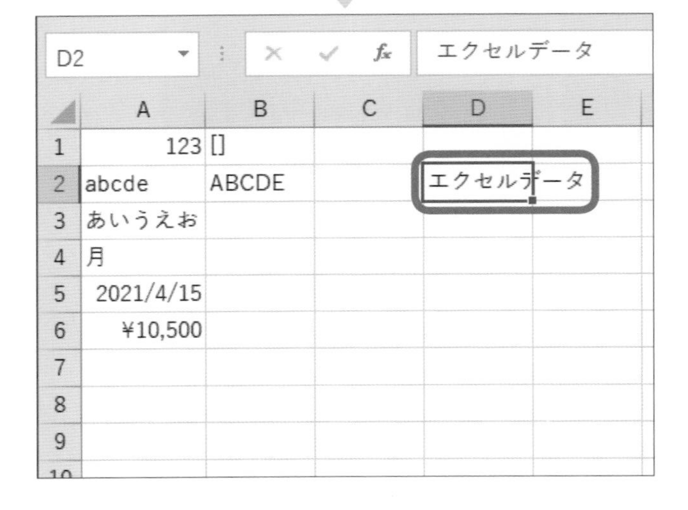

元に戻す前の状態に戻ります。

●アドバイス●

「元に戻す」操作を繰り返し行うと、直前の「元に戻す」操作からどんどんさかのぼってやり直していくことができます。

終わり

レッスン 14 データを消去しましょう

不要になったセルのデータを消去しましょう。セルを選択してからキーボードのキーを押すだけで簡単に消去できます。

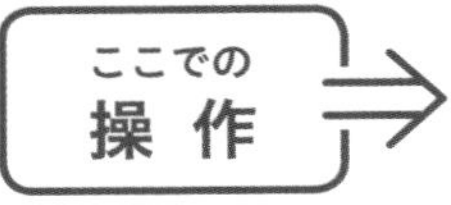

クリック
→P.14

1 データを消去する

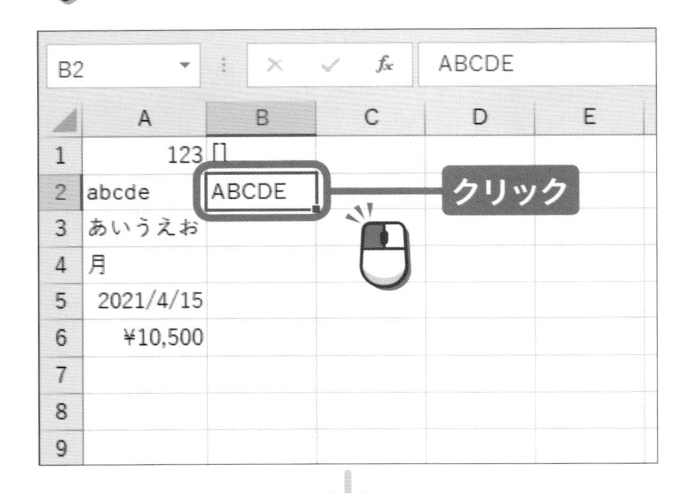

ここではセル「B2」のデータを消去します。

データを消去したいセルを クリックして選択します。

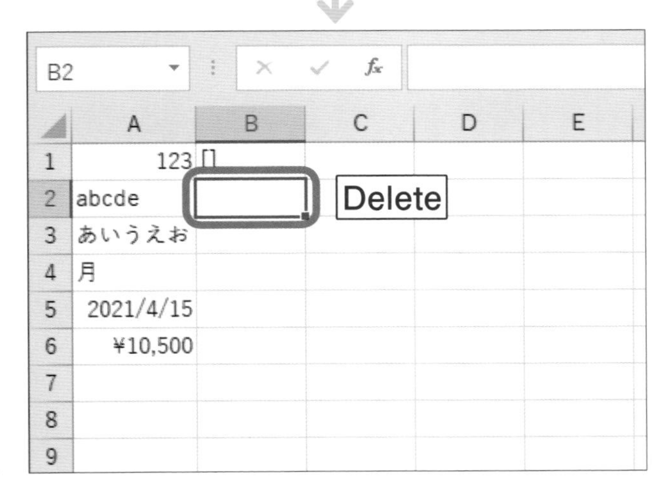

キーボードのDeleteまたはBackSpaceを押すと、データを消去できます。

ヒント 複数のセルのデータをまとめて消去する

P.66の方法で複数のセルを選択した状態でDeleteを押すと、選択した範囲内のセルのデータをまとめて消去できます。この方法では、BackSpaceではまとめて消去できないので注意しましょう。

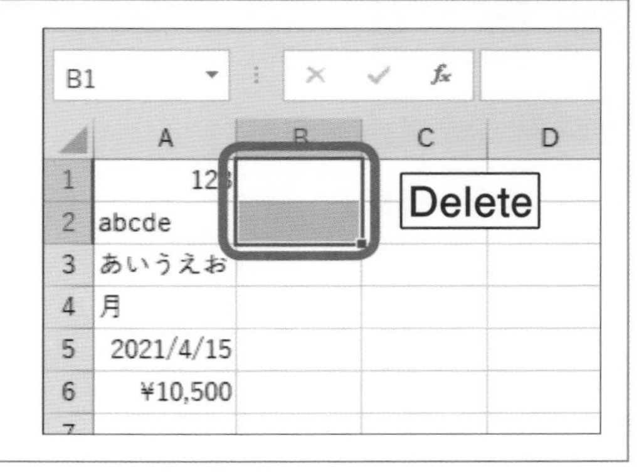

ヒント セルに書式が設定されている場合

書式設定されているセルのデータを消去する場合、DeleteまたはBackSpaceを押すとデータは消去されますが、セルの書式設定は消去されずにそのまま残ります。書式設定もすべて消去したい場合は、セルを選択した後に、「ホーム」タブの「クリア」をクリックすると表示されるメニューから、「すべてクリア」をクリックします。なお、書式設定については、P.88を参照してください。

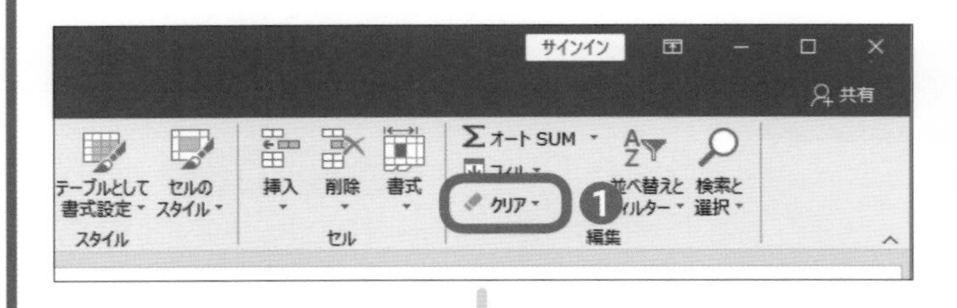

「ホーム」タブの「編集」グループの「クリア」❶をクリックします。

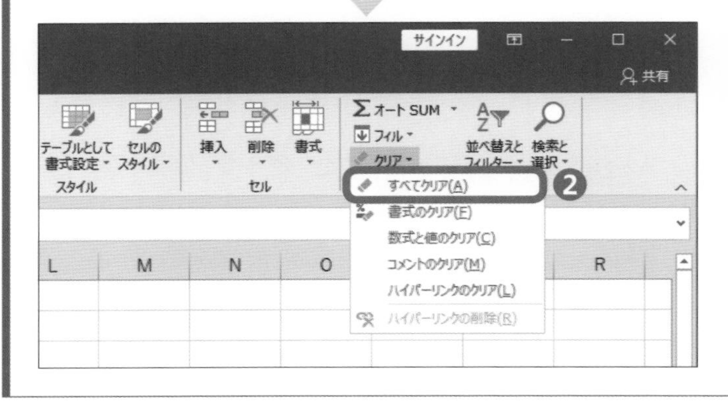

「すべてクリア」❷をクリックすると、データと書式設定を一気に消去できます。なお、「書式のクリア」をクリックすると、データは消去せずに書式設定のみ初期状態に戻すことができます。

終わり

データを編集しましょう

セルのデータは、後から修正することができます。セルをダブルクリックすることでデータの編集を行いましょう。

1 データを編集する

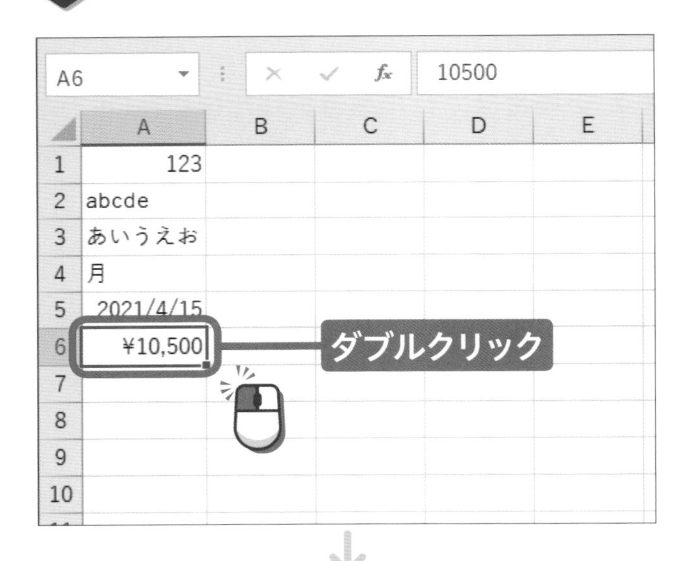

ここではセル「A6」のデータを編集します。

データを編集したいセルを ダブルクリック して、編集できる状態にします。

アドバイス

キーボードのF2でも同様の操作ができます。

A6 10500

	A	B	C	D	E
1	123				
2	abcde				
3	あいうえお				
4	月				
5	2021/4/15				
6	10500				
7					

クリック

データを入力し直したい部分を クリック して、カーソルを移動させます。

アドバイス

キーボードのカーソルキーで移動することもできます。

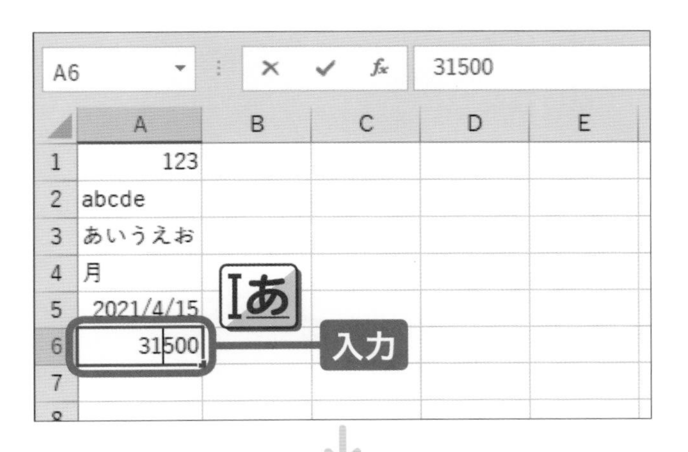

データを入力し直します。

●アドバイス●

カーソルを合わせて、キーボードのDeleteやBackSpaceを押すと、不要な文字を削除できます。

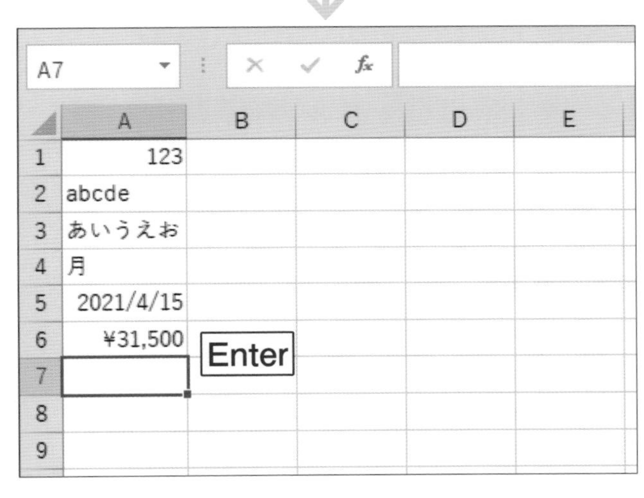

キーボードのEnterを押して、入力を確定します。

●アドバイス●

ここではセルの表示形式が通貨に設定されているので、編集後のデータも通貨になります。セルの表示形式を解除する方法は次ページを参照してください。

ヒント クリックして編集した場合

セルをクリックして選択した状態でデータを編集しようとすると、前のデータがなくなり新たにデータを入力する状態になります。前のデータに上書きしたい場合は、この方法で行うとよいでしょう。ダブルクリックをして編集する方法は、データの一部を変更するときに活用しましょう。

まったく別のデータに入力し直す場合は、セルをクリックして選択状態にし、新しいデータを入力しましょう。

次のページへ

2 セルの表示形式を変更する

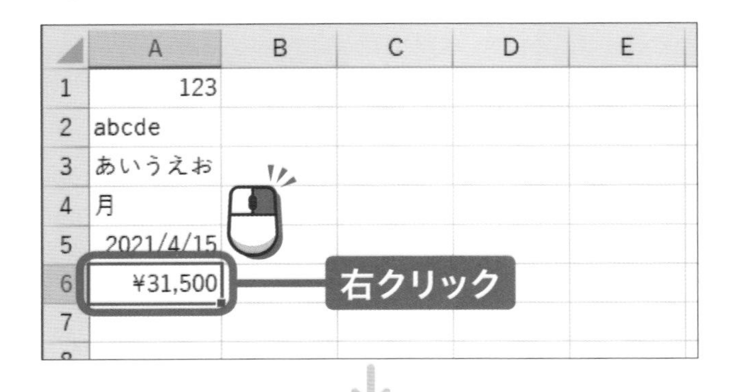

通貨表示になっているセル「A6」の表示形式を変更します。

表示形式を
変更するセルを
右クリックします。

ここでは「標準」の表示形式に変更します。

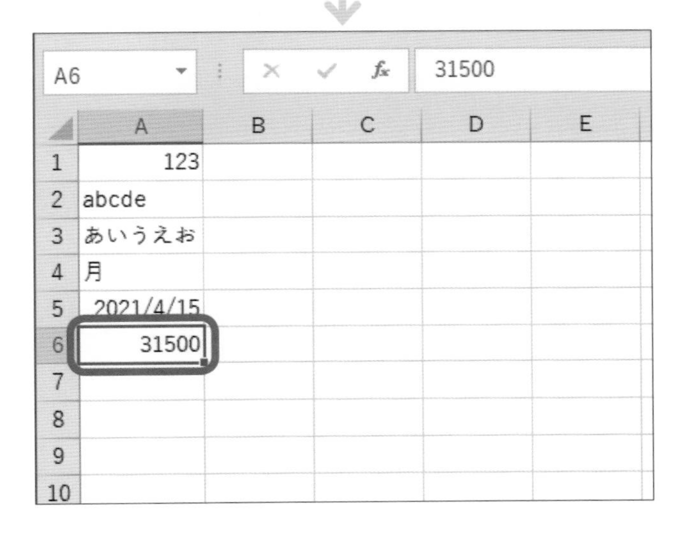

通貨表示から標準の形式に変更にされます。

ヒント そのほかの表示形式

セルの表示形式には、「日付」や「通貨」以外にもさまざまな種類があります。「時刻」に設定すると「14：30」などと入力すると自動的に「14時30分」と表示してくれます。また、「パーセンテージ」に設定すると、数値を入力すると「○○%」で表示してくれます。

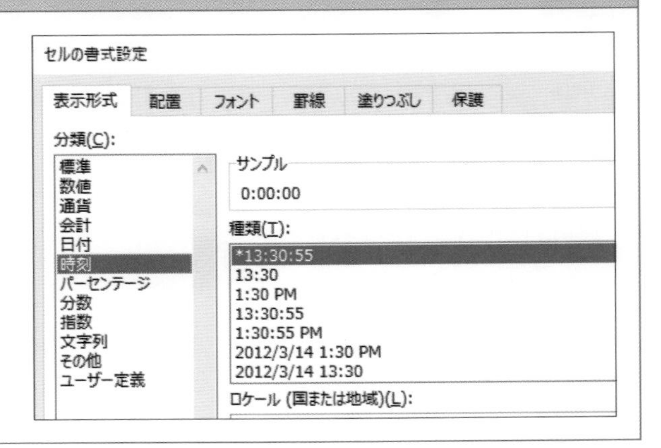

終わり

レッスン 16 セルの書式を変更しましょう

データを見やすいようにセルの書式を変更しましょう。文字の書体やサイズ、色などを変更することができます。

1 セルの書式を変更する

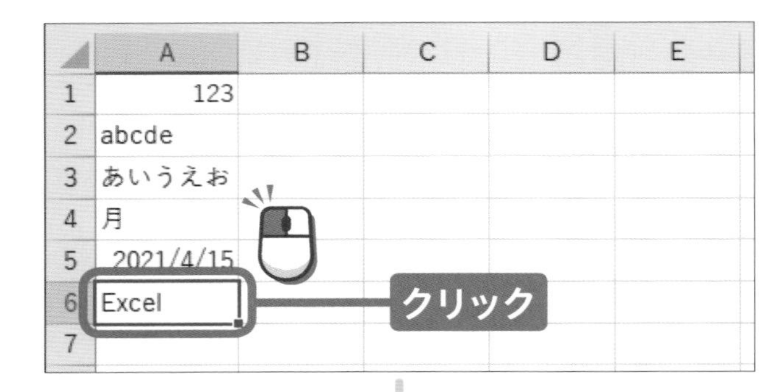

ここではセル「A6」の書式を変更します。

書式を変更したいセルをクリックして選択します。

ここではデータの文字の色を変更します。

「ホーム」タブの「フォント」グループの A の ▼ をクリックします。

アドバイス

A をクリックすると、下線の色に合わせて文字の色が変更されます。

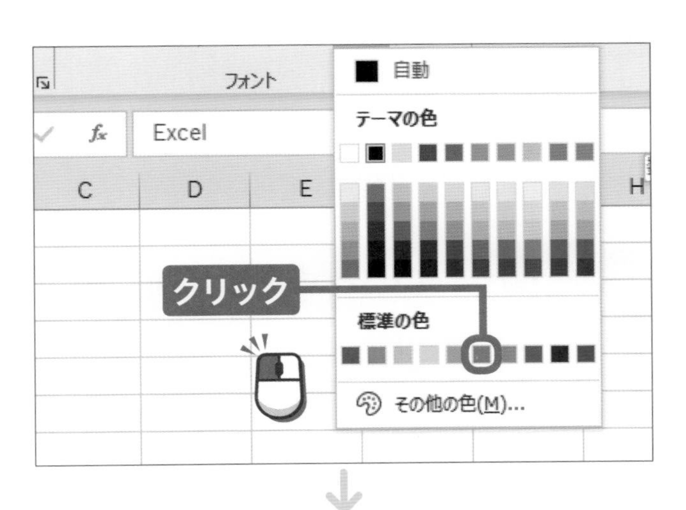

カラーパレットが表示されます。

変更したい色を
クリックします
(ここでは緑を選択します)。

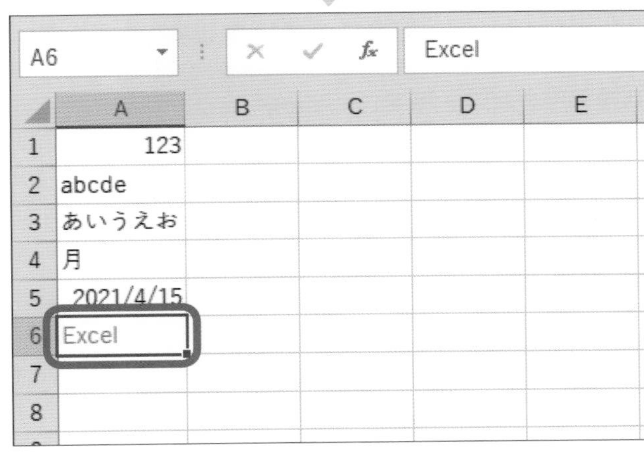

セルの文字の色が変更されます。

アドバイス

以降はこのセルのデータを変更した場合も、設定した文字の色はそのまま引き継がれます。

ヒント セルを右クリックして書式を変更する

セルを右クリックして表示されるミニツールバーからでも書式を変更することができます。基本的には、「ホーム」タブの「フォント」にある書式と同じなので、こちらから変更する場合も同様に設定しましょう。

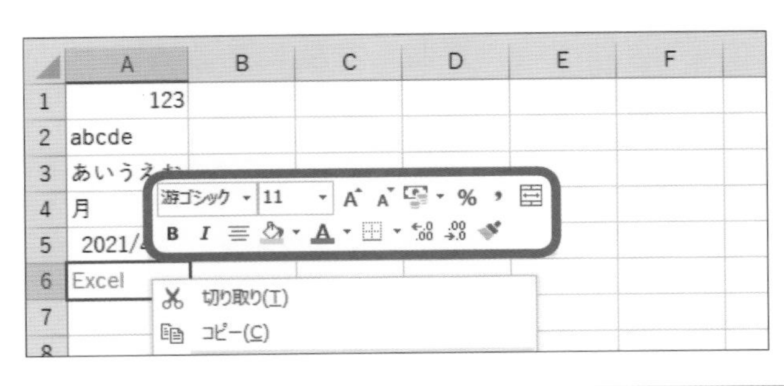

変更したいセルを右クリックして表示されるミニツールバーからでも書式を変更できます。

次のページへ

2 設定できる書式の種類

フォント

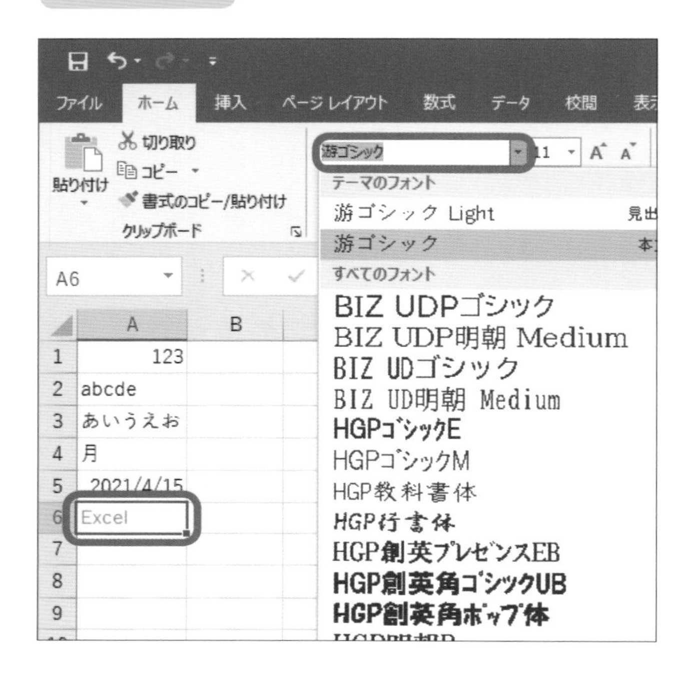

セルの「フォント」では、たくさんの種類から選んで、データの表示フォントを変更することができます。
なお、フォントの種類によっては日本語のみ対応のものや、アルファベットのみ対応のものがあるので注意しましょう。初期設定では「游ゴシック」となっています。

フォントサイズ

セルの「フォントサイズ」では、文字の大きさを変更することができます。表のタイトルなどの文字を大きくして強調すると、見やすい表を作成することができます。
なお、右側にある A をクリックすると一段階分フォントサイズが大きくなり、A をクリックすると一段階分フォントサイズが小さくなります。また、直接数値を入力してフォントサイズを変更することもできます。

太字

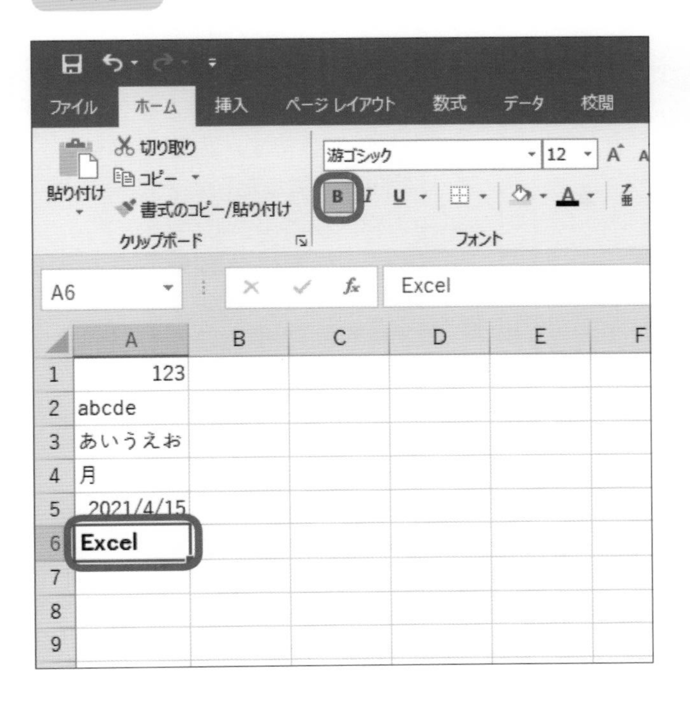

Bをクリックすると、セルに入力した文字を「太字」にすることができます。
どのフォントでも太字にすることができますが、フォントによっては太字になったことがわかりづらいものもあるので、いろいろ試してみるとよいでしょう。

斜体

*I*をクリックすると、セルに入力した文字を「斜体」にすることができます。太字で強調した文字とは別に強調したい場合などに使うことが多いです。
日本語ではあまり斜体にすることは少ないですが、引用文などを斜体にすることで見やすくするという場面で活用されることが多いです。

次のページへ

下線

Uをクリックすると、セルに入力した文字に「下線」を付けることができます。太字や斜体とは別に強調したいときに使うとよいでしょう。
なお、右側にある▼をクリックすることで、設定する下線を二重下線にすることもできます。

罫線

セルに「罫線」を引くには、田の位置にあるアイコンをクリックします（このアイコンは設定に応じて表示が変わります）。このアイコンは罫線の種類を表しており、さらに右側にある▼をクリックすることで、罫線の種類を変更できます。
罫線については、P.112を参照してください。

セルの塗りつぶし

をクリックすると、アイコンの下部の色に合わせてセルを「塗りつぶす」ことができます（アイコンの色はそのときに選択されている色に合わせて変化します）。
なお、色は右側にあるをクリックして、塗りつぶしの色を選択することができます。

フォントの色

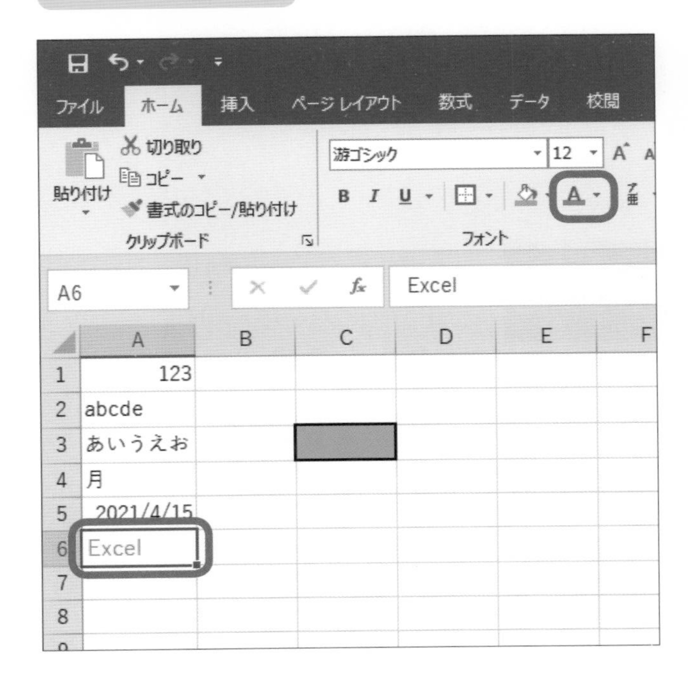

Aをクリックすると、アイコンの下部の線の色に合わせてフォントの色を変更することができます（アイコンの色は、そのときに選択されている色に合わせて変化します）。
なお、右側にあるをクリックして、フォントの色を選択することができます。

終わり

練習用ファイル ▸ 17_データのコピー.xlsx

レッスン 17

データをコピーしましょう

同じデータを何度も入力する場合、毎回データをキーボードから入力するのは手間です。そういった場合はコピーを活用しましょう。

1 セルのデータをコピーする

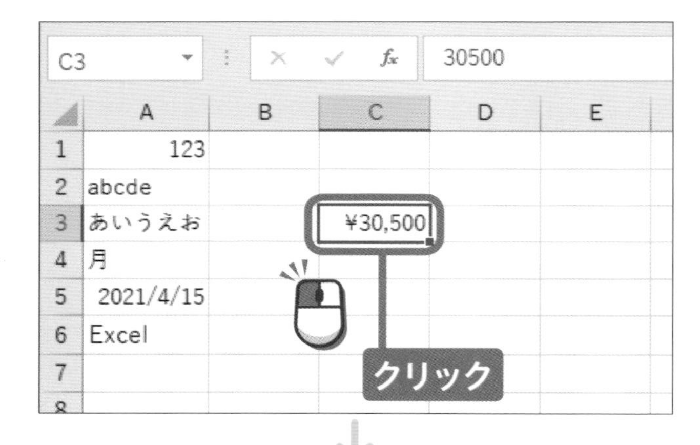

ここではセル「C3」のデータをコピーします。

コピーしたいセルをクリックして選択します。

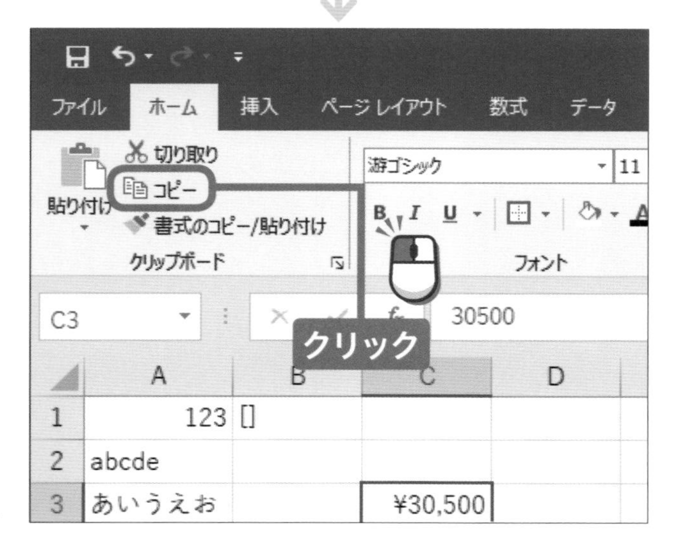

「ホーム」タブの「クリップボード」グループの コピー をクリックします。

アドバイス

キーボードのCtrl＋Cを押すことでも、コピーすることができます。

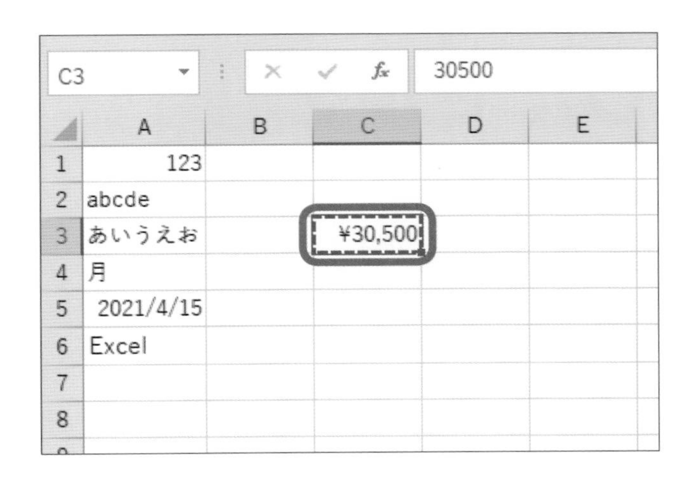

セルのコピーが完了します。

●アドバイス●

貼り付けについては、P.96を参照してください。

ヒント セルを右クリックしてコピーする

セルを右クリックして表示されるメニューから「コピー」をクリックすることでも、セルをコピーすることができます。

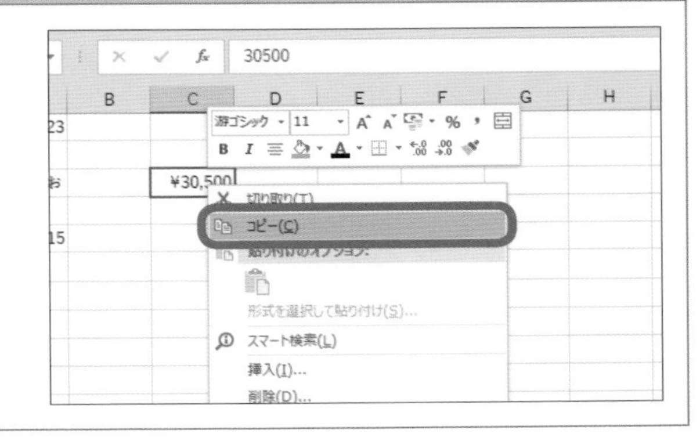

ヒント 複数のセルをコピーする

複数のセルを選択した状態でコピーをすることもできます。P.66の方法で複数のセルを選択した状態で、コピーをしましょう。P.96の方法で貼り付けを行うと、一気にコピーからの貼り付けが完了します。

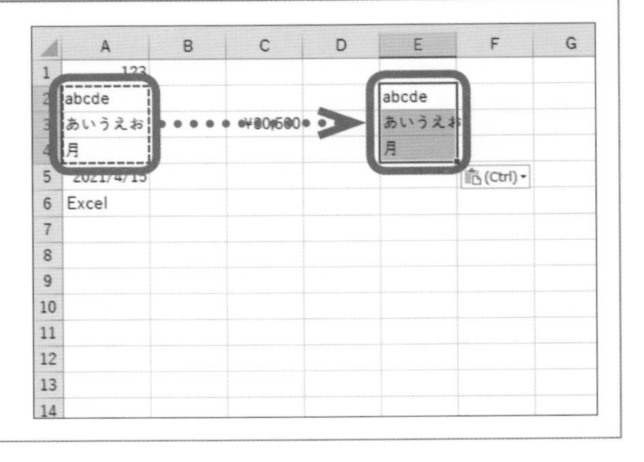

終わり ✔

レッスン 18 コピーしたセルを貼り付けましょう

セルをコピーしたら貼り付けを行いましょう。貼り付けはコピーされた状態であれば何度も行うことができます。

クリック
→P.14

1 コピーしたセルを貼り付ける

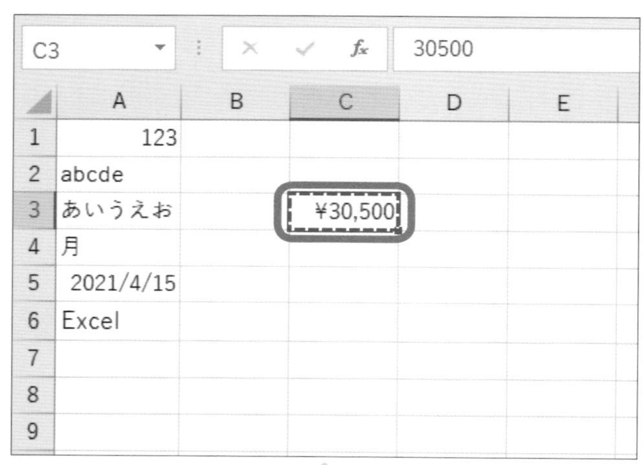

ここではセル「C3」のデータをセル「E3」に貼り付けます。

P.94を参考に、セルをコピーしている状態にします。

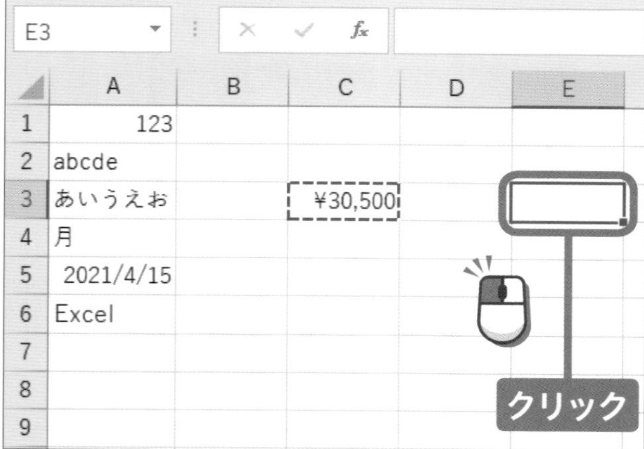

貼り付けたいセルを
クリックして
選択します。

アドバイス

キーボードのCtrl + Vを押すことでも、貼り付けることができます。

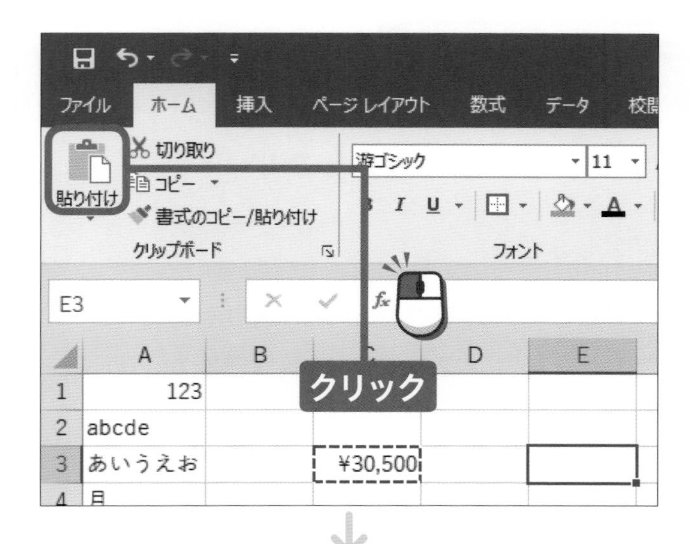

「ホーム」タブの「クリップボード」グループの 貼り付け を クリック します。

アドバイス

右クリックして表示されるメニューからでも貼り付けることができます。

E3		fx	30500		
	A	B	C	D	E
1	123				
2	abcde				
3	あいうえお		¥30,500		¥30,500
4	月				
5	2021/4/15				
6	Excel				
7					

セルにデータが貼り付けられます。

アドバイス

セルがコピーされている状態であれば、ほかのセルを選択して貼り付けを何度も行うことができます。

ヒント 書式もコピーされる

セルに書式を設定してコピーし、別のセルに貼り付けをすると、書式も一緒に貼り付けされます。書式のみをコピーしたい場合は、P.102を参照してください。

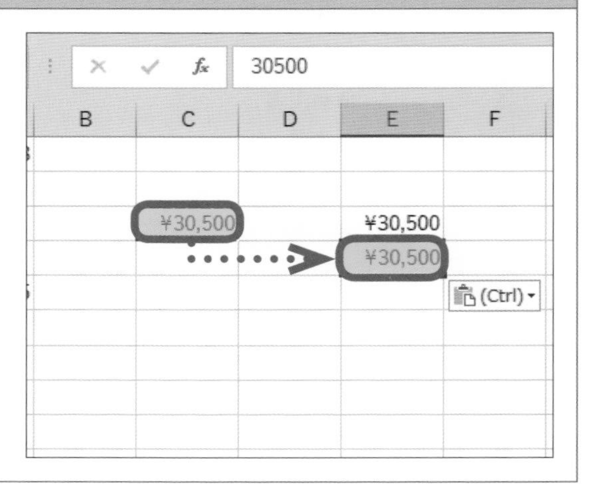

終わり

ステップアップ

Q. 同じデータや連続するデータを簡単に入力したい！

A. オートコンプリートを使いましょう。

同じデータを毎回入力するのは手間です。毎回コピーして貼り付けをしてもよいのですが、エクセルにはオートコンプリートという機能があります。これは、同じ列に同じ文字を入力する場合、入力途中で以前に入力した文字が入力候補に表示される機能です。たとえば「東京都」と同じ列に入力していた場合、次に入力する際は「と」と入力した段階で、変換候補に「東京都」と表示されます。あとは変換候補から選択するだけで残りの文字もすべて自動で入力されます。なお、この機能は同じ列に入力する場合のみ対応しており、同じ行に入力する場合には対応していません。

オートコンプリートを無効にしたい場合は、「ファイル」タブから「オプション」→「詳細設定」をクリックして、「オートコンプリートを使用する」のチェックを外しましょう。

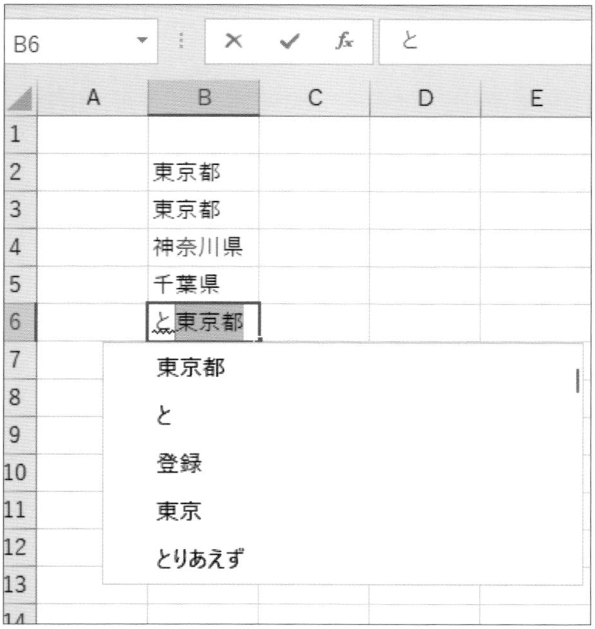

B6　と

	A	B	C	D	E
1					
2		東京都			
3		東京都			
4		神奈川県			
5		千葉県			
6		と東京都			

東京都
と
登録
東京
とりあえず

同じ列に同じ文字を入力する場合、入力途中で以前に入力した文字列が入力候補に表示されます。

ステップアップ

Q. 連続するデータを簡単に入力したい！

A. オートフィルを使いましょう。

連続するデータとは、たとえば「1,2,3,4,…」「月,火,水,…」などです。これはセルごとに入力するのは非常に手間です。こういうときに使える機能がオートフィルです。オートフィルを使うと「1」、「2」まで入力しておき、両方のセルを選択して、右下の■をドラッグすると連続したデータを自動で入力してくれます。この機能は数式や関数（5章を参照）でも使うことができます。

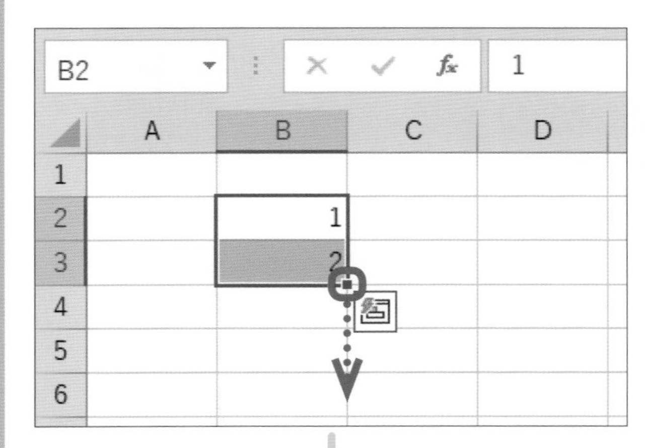

連続するデータの最初の2、3番目くらいまで入力しておき、セルを選択して右下の■をドラッグします。

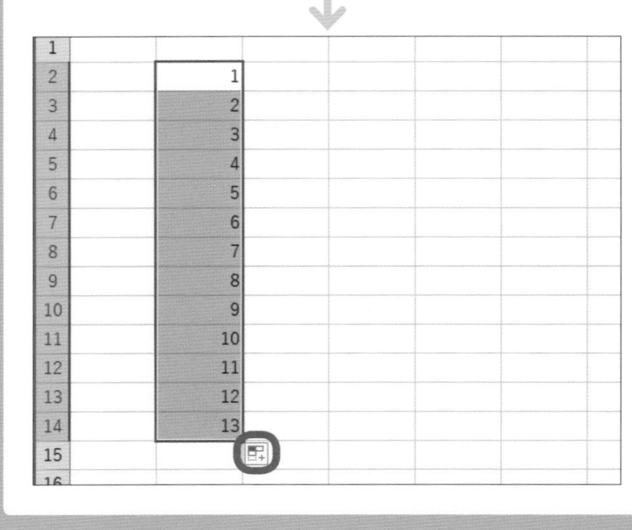

連続するデータが簡単に入力されます。
1番目のデータを入力・選択し、右下の■をドラッグすると表示されるオートフィルオプションから「連続データ」をクリックすることでも、入力することができます。

ステップアップ

Q. 離れたセルを同時に選択するには？

A. Ctrlを押しながらセルを選択しましょう。

隣り合ったセルを選択する場合は、ドラッグ操作で簡単に選択できますが、離れたセルを選択する場合は通常のクリックではできません。ここでは、キーボードのCtrlを使います。選択しておきたいセルの片方のセルをあらかじめクリックで選択しておき、もう片方のセルを選択するときにCtrl＋クリックすることで、離れたセルを同時に選択できます。なお、この操作は離れたセルを複数選択することもできます。

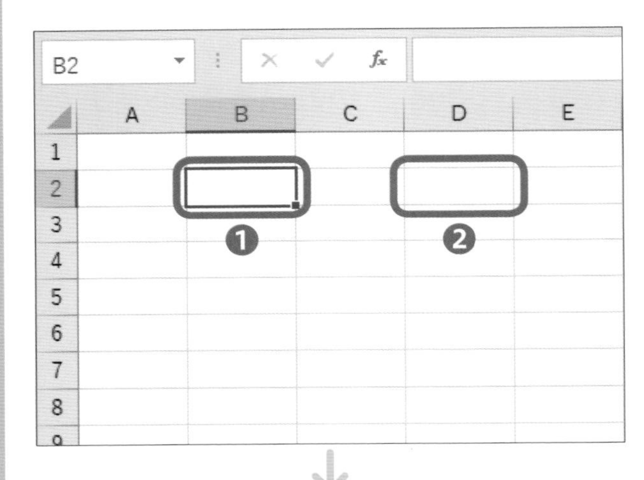

まず片方のセル❶を選択しておき、離れたセル❷をCtrl＋クリックします。

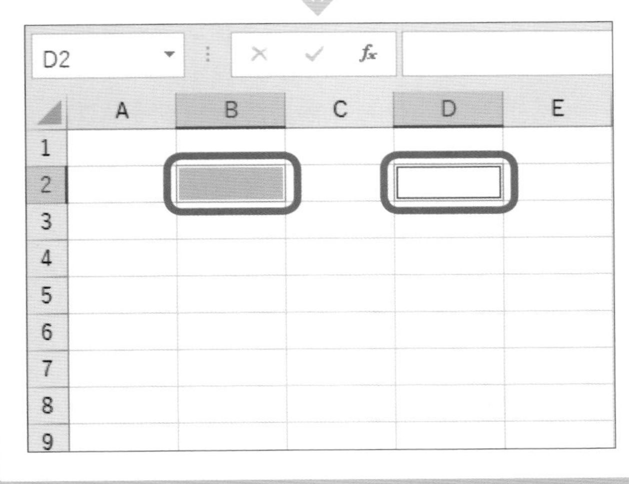

離れたセルが同時に選択されます。

ステップアップ

Q. セルではなくてセル内の文字の一部をコピーしたい！

A. ダブルクリックをして編集できる状態でコピーしましょう。

セルを選択した状態でコピーをすると、セル内のすべての文字がコピーされてしまいます。セル内の文字の一部だけをコピーしたい場合は、セルをダブルクリックして編集できる状態にしておき、コピーしたい文字をドラッグして選択してコピーをしましょう。別のセルを選択して貼り付けると、選択した文字のみが貼り付けられます。

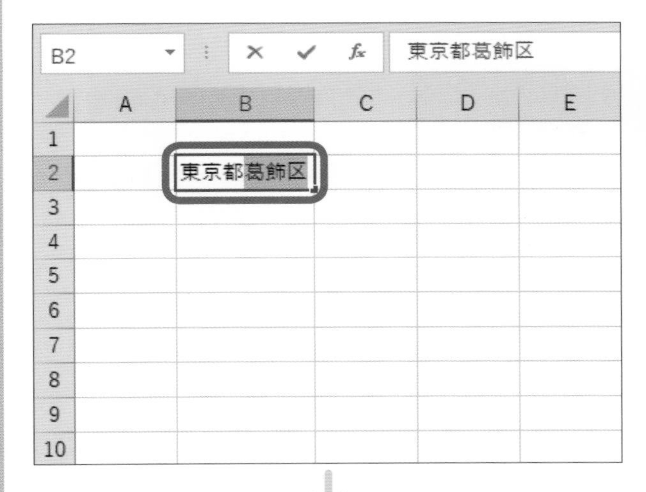

セルをダブルクリックして編集状態にし、コピーしたい文字をドラッグで選択してからコピーをします。

別のセルに貼り付けると、コピーした文字のみが貼り付けられます。

3章 データの入力と編集の方法を学びましょう

ステップアップ

Q. セルの書式だけをコピーしたい！

A. 書式のコピー／貼り付けを行いましょう。

データではなく、セルに設定した書式だけをコピーして別のデータに反映させたい場合は、通常のコピーではできません。そういう場合は、書式のコピー／貼り付けを行いましょう。まずはコピー元のセルを選択しておき、「ホーム」タブの「クリップボード」グループの「書式のコピー／貼り付け」をクリックします。貼り付け先のセルをクリックすると、書式のみ貼り付けができます。

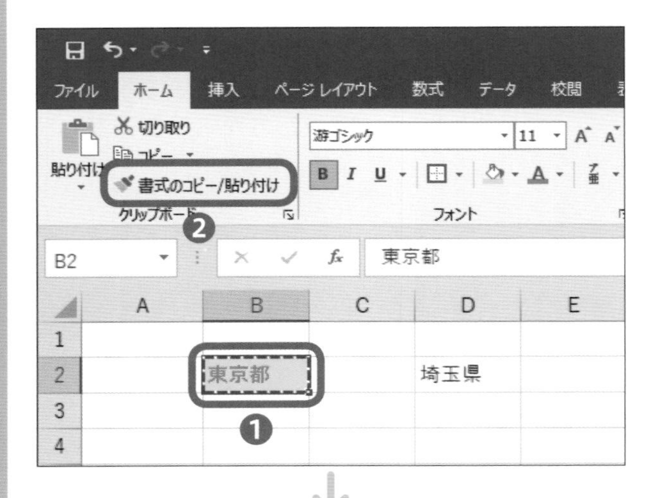

コピー元のセル❶を選択しておき、「書式のコピー／貼り付け」❷をクリックします。

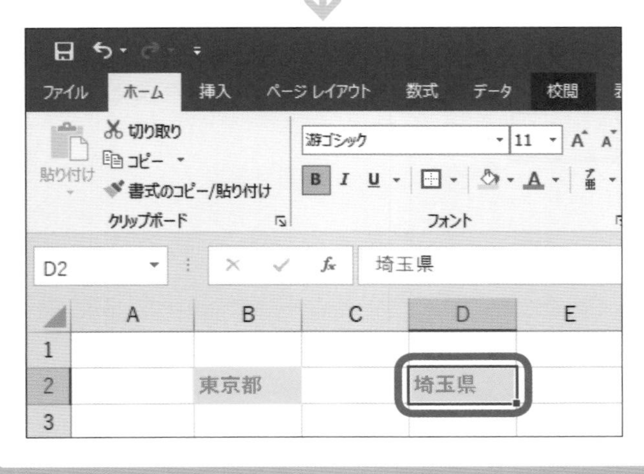

貼り付け先のセルをクリックすると、書式のみが貼り付けられます。

ステップアップ

Q. セル内で改行するには？

A. Alt＋Enterで改行できます。

セル内で改行したい場合はEnterでは行えません。Enterを押すと、セルに入力したデータを確定して次のセルに移動するからです。セル内で改行したい場合は、キーボードのAltを押しながらEnterを押しましょう。セル内で改行されて、次の段落から文字を入力できます。

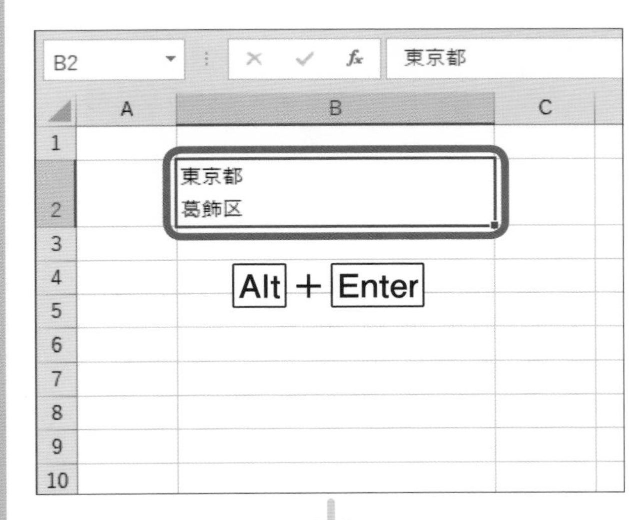

セル内で改行するにはAlt＋Enterを押しましょう。

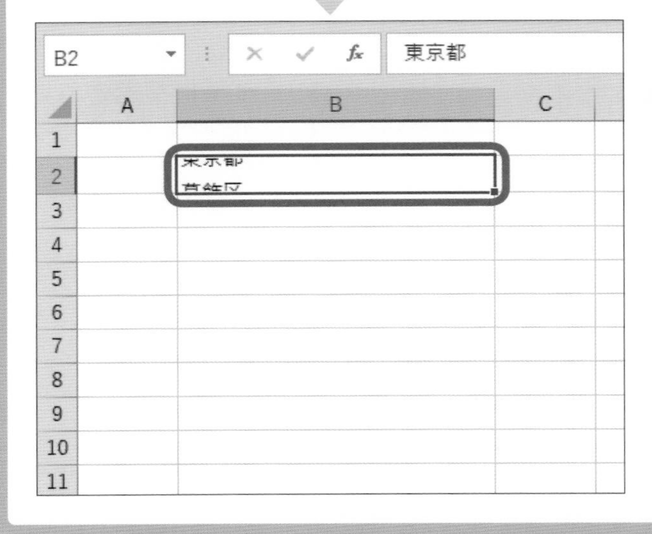

セルの行の高さが足りない場合は、左のように表示されてしまいます。高さを調節したい場合は、P.122を参照してください。

ステップアップ

Q. セル内で文字を折り返すには？

A. 「折り返して全体を表示する」をクリックしましょう。

入力する文字数が多い場合、セルの長さが足りなくなり、文字がすべて表示されなくなることがあります。セルの大きさを変更することでも対応できますが、表の形が崩れてしまう可能性があります。そういった場合は、セル内で文字列を折り返して表示しましょう。

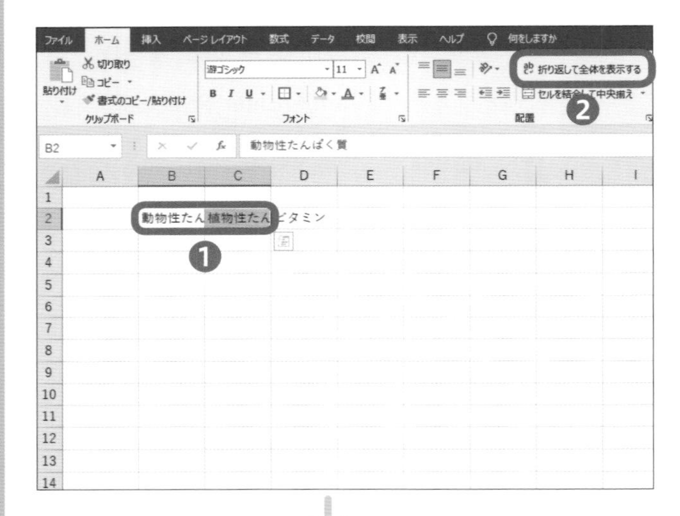

文字が見えなくなってしまっているセル❶を選択して、「折り返して全体を表示する」❷をクリックします。

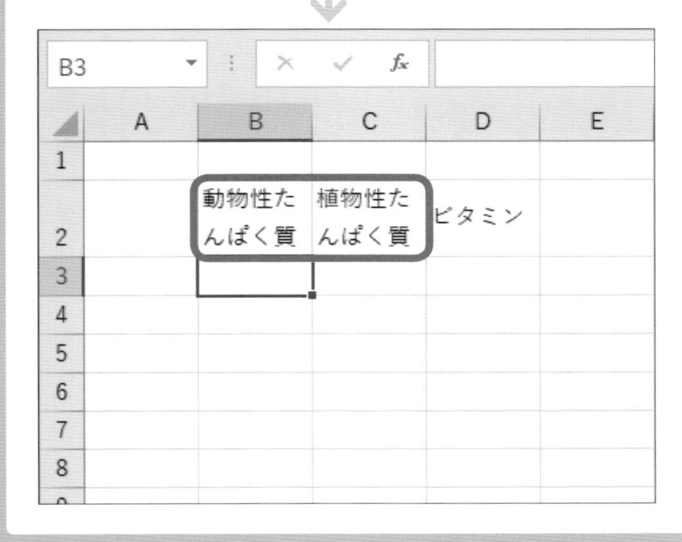

セルの幅に合わせて文字列が折り返されて、全部見えるようになります。
セルの高さも、自動的に調整されます。

4章

表の作り方を学びましょう

レッスンをはじめる前に

エクセルで表を作成します

データの入力方法を学んだら、エクセルを本格的に活用するために、まずは表を作成してみましょう。エクセルにはセルごとに罫線を引くことができるので、罫線をうまく使った表を作成することができます。本書では例として、社員名簿を作成します。作成した表は、そのまま表として活用することもできますが、フィルターを使って必要な情報だけを表示させたり、データ順に並べ替えたりすることもできます。

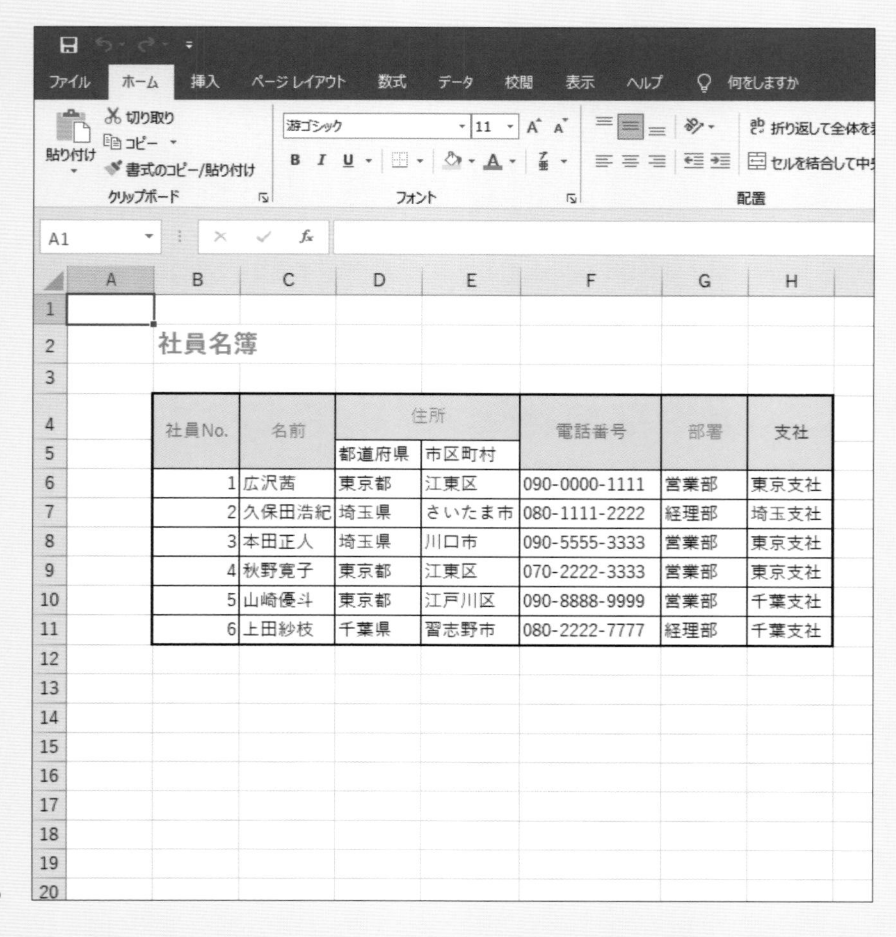

社員名簿

社員No.	名前	住所		電話番号	部署	支社
		都道府県	市区町村			
1	広沢茜	東京都	江東区	090-0000-1111	営業部	東京支社
2	久保田浩紀	埼玉県	さいたま市	080-1111-2222	経理部	埼玉支社
3	本田正人	埼玉県	川口市	090-5555-3333	営業部	東京支社
4	秋野寛子	東京都	江東区	070-2222-3333	営業部	東京支社
5	山崎優斗	東京都	江戸川区	090-8888-9999	営業部	千葉支社
6	上田紗枝	千葉県	習志野市	080-2222-7777	経理部	千葉支社

セルの結合や罫線、データの位置などを調整して、見やすい表を作成します。

セルを結合したり幅を変更したりします

表を作成する際に、1つの見出しの下に複数の項目を並べたいことがあります。複数のセルを罫線を使って1つに見せるといったことをしてしまいがちですが、そういう場合はセルを結合して、隣同士のセルを同じセルとして扱うことができます。また、長いデータを入力する場合、セルの幅が足りないといった場合は、セルの幅や高さを変更することもできます。

社員名簿

社員No.	名前	住所		電話番号	部
		都道府県	市区町村		
1	広沢茜	東京都	江東区	090-0000-1111	営業
2	久保田浩紀	埼玉県	さいたま市	080-1111-2222	経理
3	本田正人	埼玉県	川口市	090-5555-3333	営業
4	秋野寛子	東京都	江東区	070-2222-3333	営業
5	山崎優斗	東京都	江戸川区	090-8888-9999	営業
6	上田紗枝	千葉県	習志野市	080-2222-7777	経理

左の例では、「住所」の項目名が入力されたセルが右のセルと結合されています。

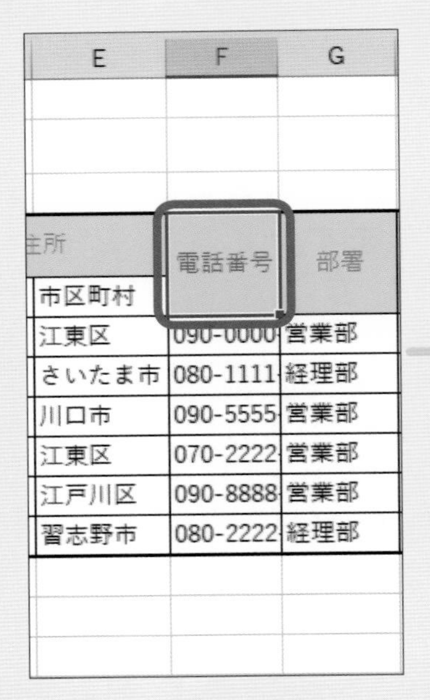

住所	電話番号	部署
市区町村		
江東区	090-0000	営業部
さいたま市	080-1111	経理部
川口市	090-5555	営業部
江東区	070-2222	営業部
江戸川区	090-8888	営業部
習志野市	080-2222	経理部

	電話番号	部署
区町村		
東区	090-0000-1111	営業部
いたま市	080-1111-2222	経理部
口市	090-5555-3333	営業部
東区	070-2222-3333	営業部
戸川区	090-8888-9999	営業部
志野市	080-2222-7777	経理部

左の例では、「F」列の幅をドラッグ操作によって広げています。

レッスン 19 表の作成に必要な情報を入力しましょう

4章では実際に表を作成していきます。ここでは例として社員名簿を作成しますので、まずは必要なデータの入力を行いましょう。

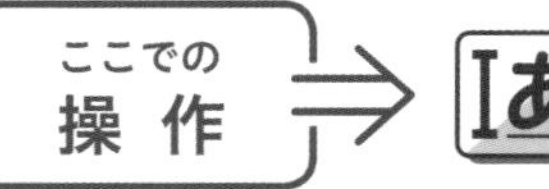

入力

→P.16

1 「社員No.」と「名前」を入力する

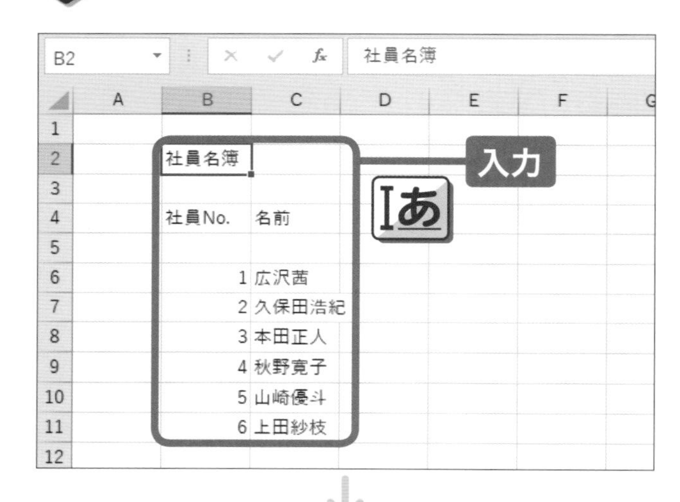

まずは名簿のタイトル（社員名簿）と「社員No.」「名前」を Iあ 入力します。

	A	B	C	D	E	F
1						
2		社員名簿				
3						
4		社員No.	名前			
5						
6		1	広沢茜			
7		2	久保田浩紀			
8		3	本田正人			
9		4	秋野寛子			
10		5	山崎優斗			
11		6	上田紗枝			

タイトルと項目名に書式を設定します。

アドバイス

ここでは「セルの塗りつぶし」「フォントサイズ」「フォントの色」を設定しています。書式の設定は3章を参照してください。

2 「住所」を入力する

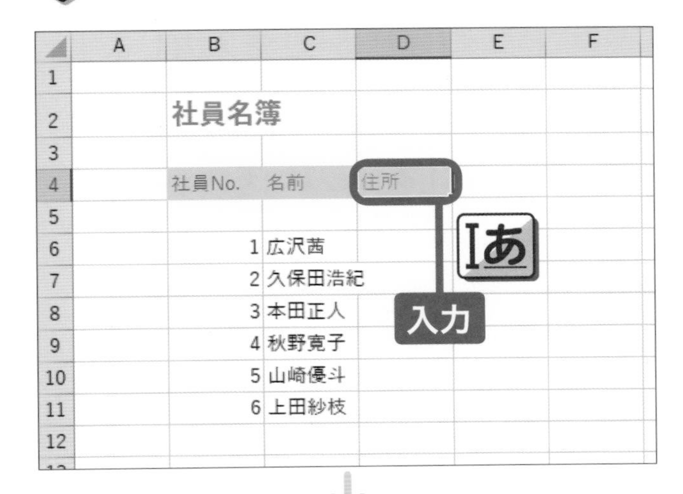

「住所」を入力します。
ここでは都道府県と市区町村を分けて作成するので、左の手順のようにセルを分けて入力します。

「住所」を
入力して、
書式を設定します。

	A	B	C	D	E	F
1						
2		社員名簿				
3						
4		社員No.	名前	住所		
5				都道府県		
6		1	広沢茜	東京都		
7		2	久保田浩紀	埼玉県		
8		3	本田正人	埼玉県		
9		4	秋野寛子	東京都		
10		5	山崎優斗	東京都		
11		6	上田紗枝	千葉県		
12						

入力

D列に「都道府県」を
入力します。

	A	B	C	D	E	F
1						
2		社員名簿				
3						
4		社員No.	名前	住所		
5				都道府県	市区町村	
6		1	広沢茜	東京都	江東区	
7		2	久保田浩紀	埼玉県	さいたま市	
8		3	本田正人	埼玉県	川口市	
9		4	秋野寛子	東京都	江東区	
10		5	山崎優斗	東京都	江戸川区	
11		6	上田紗枝	千葉県	習志野市	
12						

入力

E列に「市区町村」を
入力します。

次のページへ

3 「電話番号」を入力する

「電話番号」を入力します。

「電話番号」を
あ入力して、
書式を設定します。

電話番号のデータを
あ入力します。

アドバイス

「090」と入力すると「90」に自動で変換されてしまう場合があります。その場合はセルの書式設定を「標準」から「文字列」に変更しましょう。

ヒント セルからデータがはみ出てしまう場合

電話番号のように長いデータを入力すると、セルからデータがはみ出てしまう場合があります。その場合は、セルの幅を調節する必要があります。セルの幅の調節については、P.120を参照してください。

4 そのほかの情報を入力する

	A	B	C	D	E	F	G	H	I
1									
2		社員名簿							
3									
4		社員No.	名前	住所		電話番号	部署	支社	
5				都道府県	市区町村				
6		1	広沢茜	東京都	江東区	090-0000-1111			
7		2	久保田浩紀	埼玉県	さいたま市	080-1111-2222			
8		3	本田正人	埼玉県	川口市	090-5555-3333			
9		4	秋野寛子	東京都	江東区	070-2222-3333			
10		5	山崎優斗	東京都	江戸川区	090-8888-9999			
11		6	上田紗枝	千葉県	習志野市	080-2222-7777			

Iあ

入力

最後にそのほかの情報を入力します。
ここでは「部署」と「支社」を入力します。

「部署」と「支社」を
Iあ入力して、
書式を設定します。

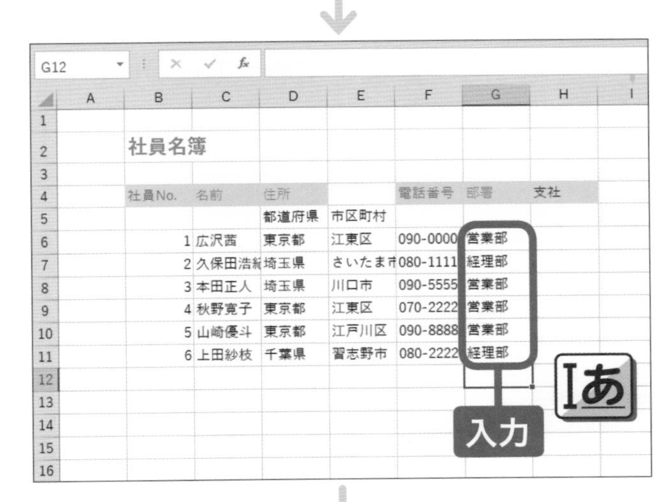

部署のデータを
Iあ入力します。

	A	B	C	D	E	F	G	H	I
1									
2		社員名簿							
3									
4		社員No.	名前	住所		電話番号	部署	支社	
5				都道府県	市区町村				
6		1	広沢茜	東京都	江東区	090-0000-	営業部	東京支社	
7		2	久保田浩紀	埼玉県	さいたま市	080-1111-	経理部	埼玉支社	
8		3	本田正人	埼玉県	川口市	090-5555-	営業部	東京支社	
9		4	秋野寛子	東京都	江東区	070-2222-	営業部	東京支社	
10		5	山崎優斗	東京都	江戸川区	090-8888-	営業部	千葉支社	
11		6	上田紗枝	千葉県	習志野市	080-2222-	経理部	千葉支社	

Iあ

入力

支社のデータを
Iあ入力します。

終わり

レッスン 20 罫線で表を作成しましょう

セルに罫線を引くと、印刷した際に周囲やマス目が線で囲まれた見栄えのよい表が完成します。ここでは罫線の引き方を解説します。

クリック →P.14

1 セルに罫線を引く

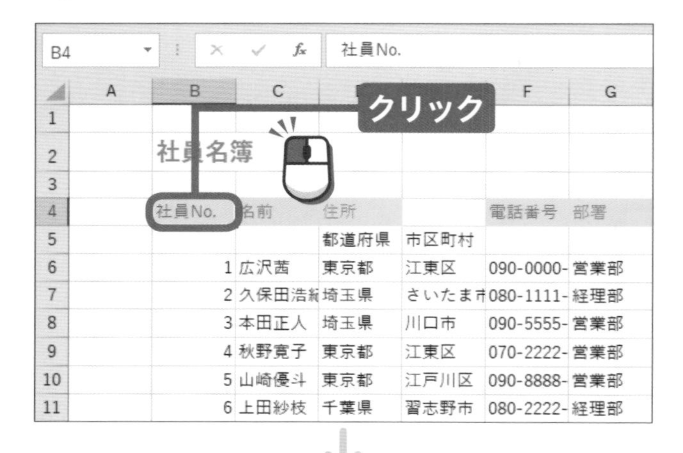

罫線を引きたいセルをクリックして選択します。

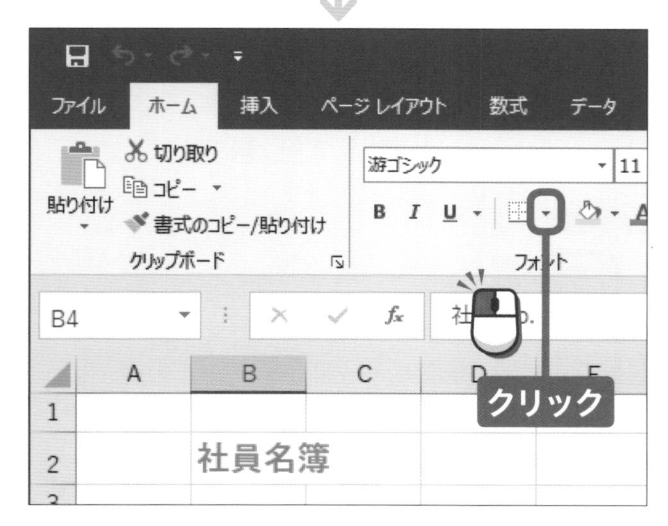

「ホーム」タブの「フォント」グループの罫線ボタンの右にある▼をクリックします。

アドバイス

罫線のアイコンは以前に選択した罫線の種類によって変化します。

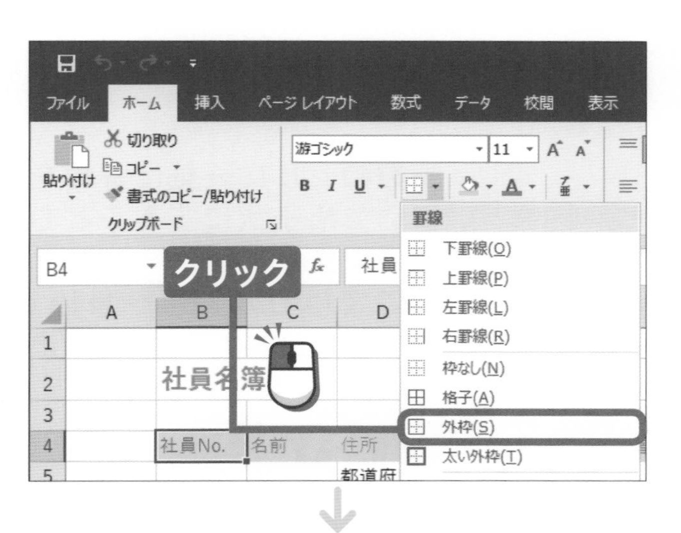

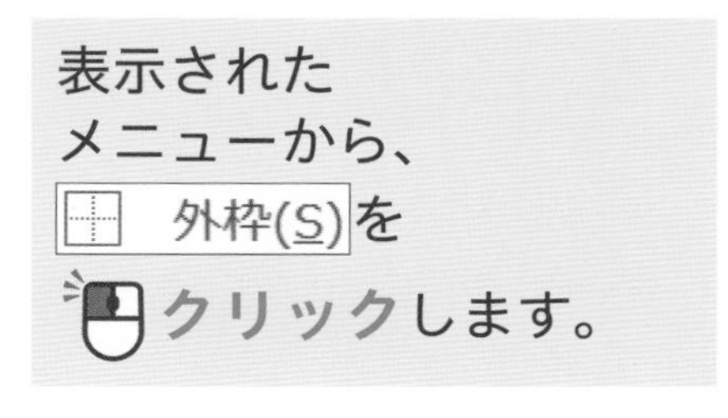

表示された
メニューから、
外枠(S)を
クリックします。

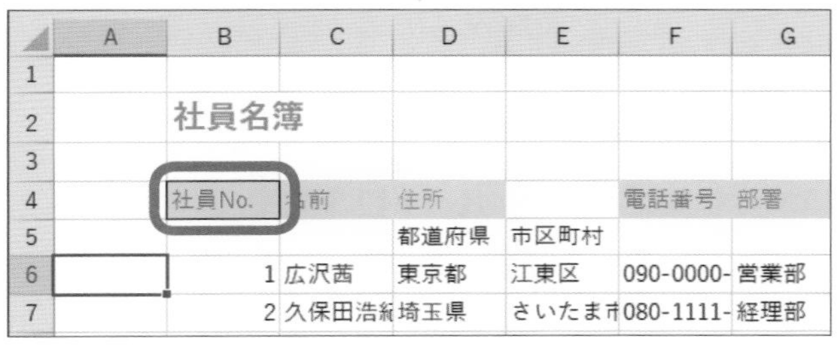

	A	B	C	D	E	F	G
1							
2		社員名簿					
3							
4		社員No.	名前	住所		電話番号	部署
5				都道府県	市区町村		
6		1	広沢茜	東京都	江東区	090-0000-	営業部
7		2	久保田浩紀	埼玉県	さいたま市	080-1111-	経理部

選択したセルを囲むように罫線が引かれます。

ヒント 罫線の種類を変更する

罫線の種類は、通常の線以外にも、点線や二重線、そのほかの線に変更することができます。罫線のメニューから、「線のスタイル」❶をクリックすることで、一覧❷から線の種類を変更できます。また、「線の色」を選択すると罫線の色を変更することもできます（P.142を参照）。

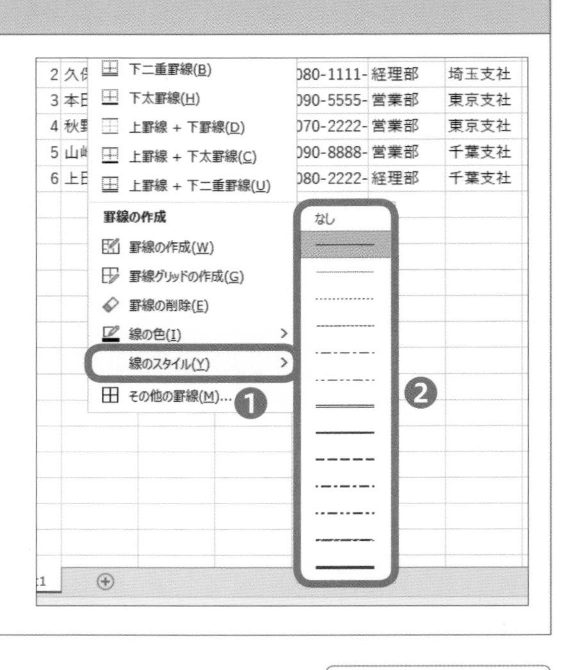

2 複数のセルを一気に格子状にする

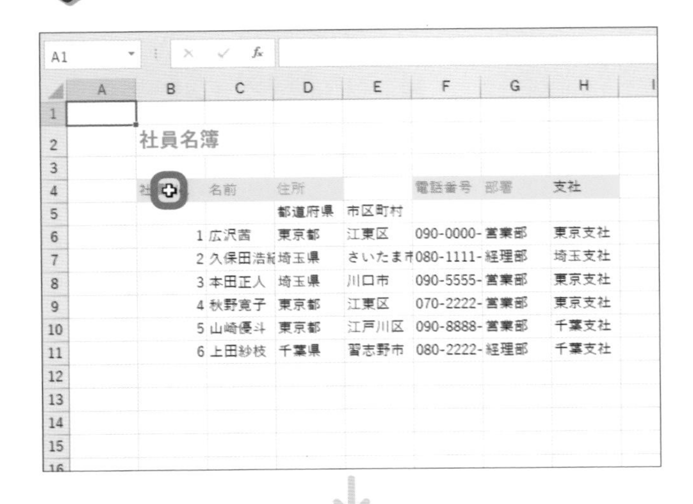

複数のセルに一気に罫線を引いて格子状にすることもできます。
ここではセル「B4～H11」に格子を付けて表にします。

セル「B4」にマウスのカーソルを重ね合わせます。

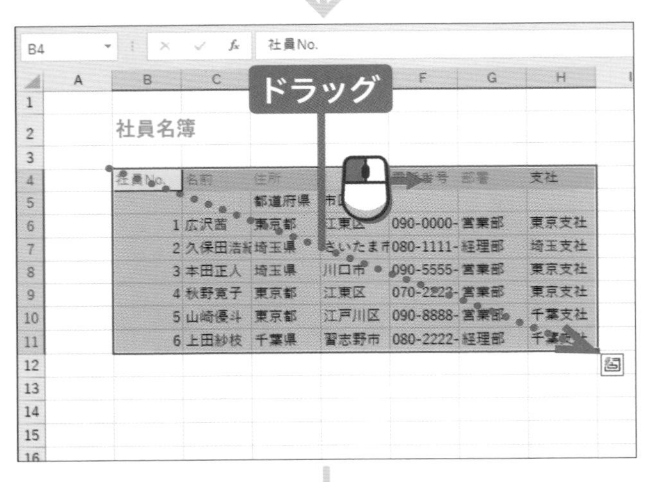

セル「H11」まで ドラッグして複数のセルを選択します。

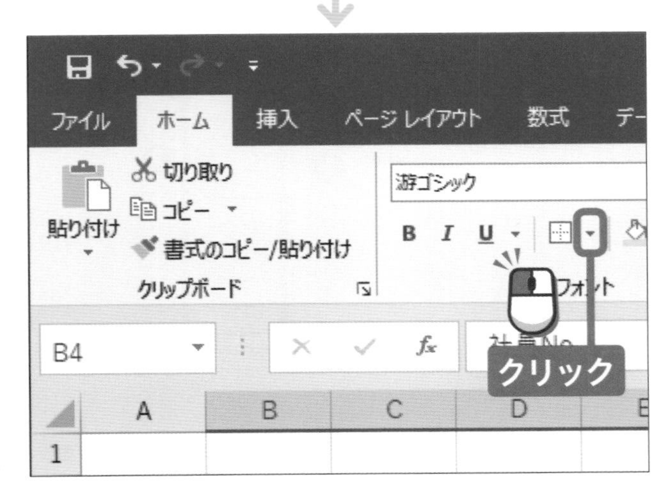

「ホーム」タブの「フォント」の の右にある を クリックします。

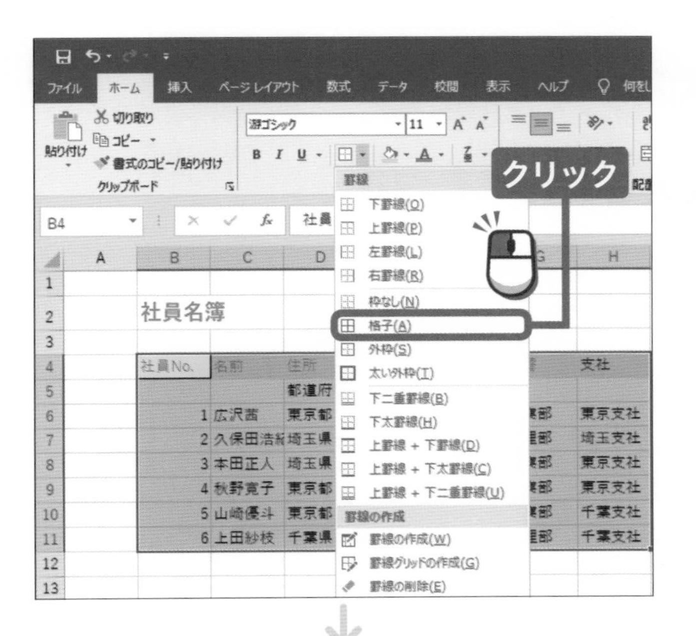

表示された
メニューから、
格子(A)を
クリックします。

アドバイス

罫線を消したい場合は、表示されたメニューから「罫線の削除」をクリックします。

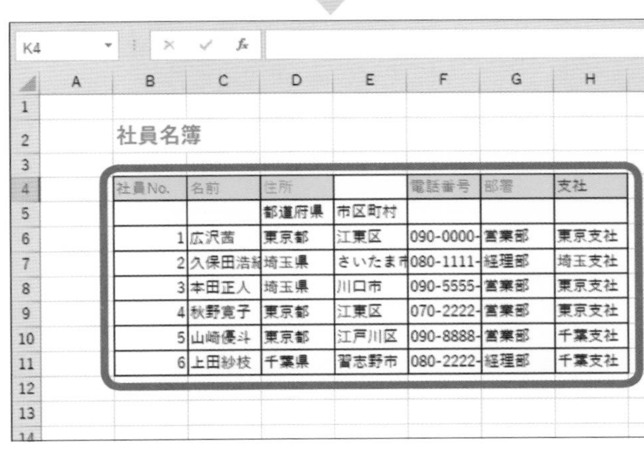

選択した複数のセルに格子状の罫線が引かれます。

ヒント 表の外枠を太線にする

表にする場合、一番外側にある外枠を太線にすると、それらしくなります。外枠のみ太線にするには、格子を付けた後に、もう一度表全体を選択して、罫線のメニューから「太い外枠」をクリックします。そうすると、外枠のみ太枠で囲まれて、より見栄えのよい表になります。

社員名簿

社員No.	名前	住所	
		都道府県	市区町村
1	広沢茜	東京都	江東区
2	久保田浩絲	埼玉県	さいたま市
3	本田正人	埼玉県	川口市

レッスン 21 データの位置を調整しましょう

セルにデータを入力すると、右揃えや左揃えに自動で配置されてしまいます。セル内のデータの位置を調整しましょう。

クリック

→P.14

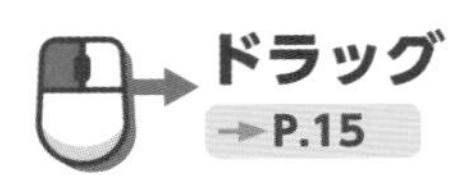

→P.15

1 中央揃えにする

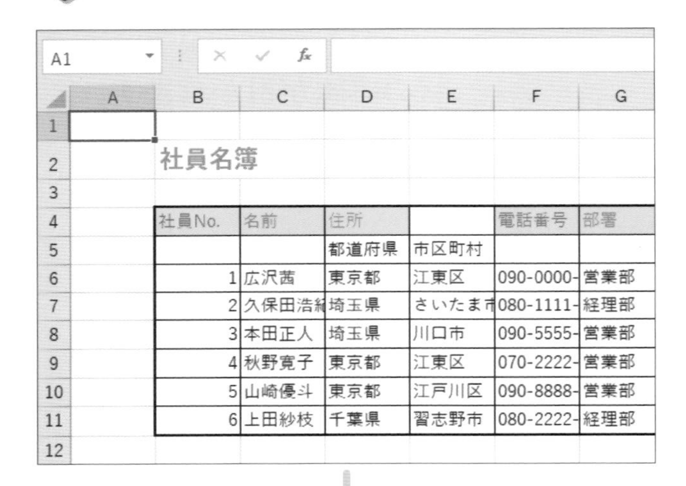

	A	B	C	D	E	F	G
1							
2		社員名簿					
3							
4		社員No.	名前	住所		電話番号	部署
5				都道府県	市区町村		
6		1	広沢茜	東京都	江東区	090-0000-	営業部
7		2	久保田浩	埼玉県	さいたま	080-1111-	経理部
8		3	本田正人	埼玉県	川口市	090-5555-	営業部
9		4	秋野寛子	東京都	江東区	070-2222-	営業部
10		5	山崎優斗	東京都	江戸川区	090-8888-	営業部
11		6	上田紗枝	千葉県	習志野市	080-2222-	経理部
12							

表の項目名を「中央揃え」にしてみましょう。
ここではセル「C4」の「名前」を中央揃えにします。

C4　名前

クリック

	A	B	C	D	E	F	G
1							
2		社員名簿					
3							
4		社員No.	名前	住所		電話番号	部署
5				都道府県	市区町村		
6		1	広沢茜	東京都	江東区	090-0000-	営業部
7		2	久保田浩	埼玉県	さいたま	080-1111-	経理部
8		3	本田正人	埼玉県	川口市	090-5555-	営業部
9		4	秋野寛子	東京都	江東区	070-2222-	営業部
10		5	山崎優斗	東京都	江戸川区	090-8888-	営業部
11		6	上田紗枝	千葉県	習志野市	080-2222-	経理部
12							

中央揃えにしたいセル（ここでは「C4」）をクリックして選択します。

アドバイス

「標準」の書式では、数値は右に、文字は左に揃えられています。

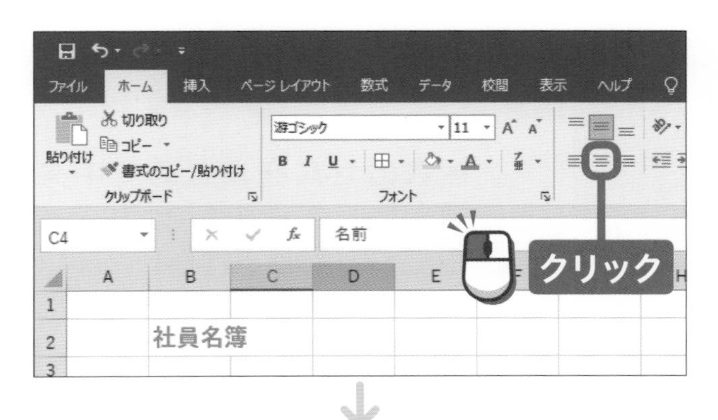

「ホーム」タブの「配置」グループの☰を クリックします。

	A	B	C	D	E	F	G
1							
2		社員名簿					
3							
4		社員No.	名前	住所		電話番号	部署
5				都道府県	市区町村		
6		1	広沢茜	東京都	江東区	090-0000-	営業部
7		2	久保田浩紀	埼玉県	さいたま市	080-1111-	経理部
8		3	本田正人	埼玉県	川口市	090-5555-	営業部
9		4	秋野寛子	東京都	江東区	070-2222-	営業部
10		5	山崎優斗	東京都	江戸川区	090-8888-	営業部
11		6	上田紗枝	千葉県	習志野市	080-2222-	経理部
12							
13							

選択したセルが中央揃えになります。

ヒント 左揃え・右揃えにする

セルを選択して、「ホーム」タブの「配置」グループの☰❶をクリックすると左揃えに、☰❷をクリックすると右揃えになります。

左揃え

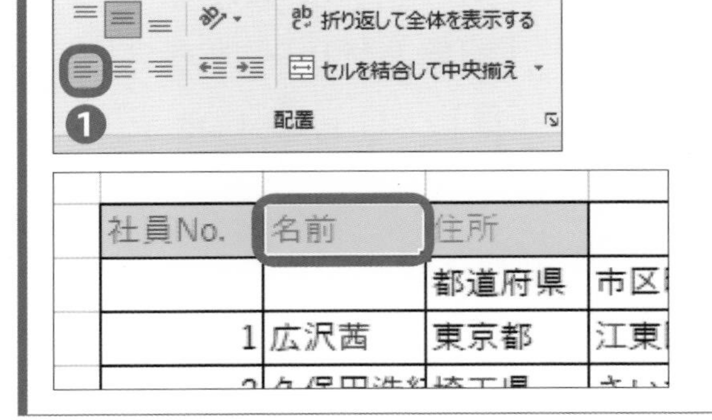

右揃え

社員No.	名前	住所	
		都道府県	市区
1	広沢茜	東京都	江東

次のページへ

2 複数のセルを中央揃えにする

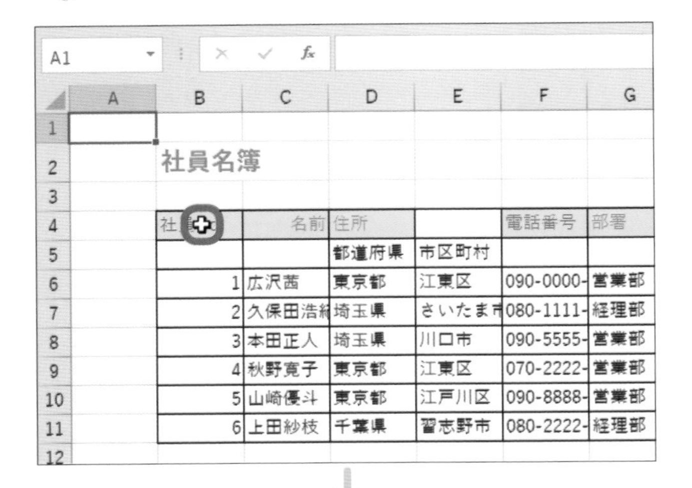

複数のセルをまとめて中央揃えにしてみましょう。ここではセル「B4～H4」を中央揃えにします。

セル「B4」にマウスのカーソルを重ね合わせます。

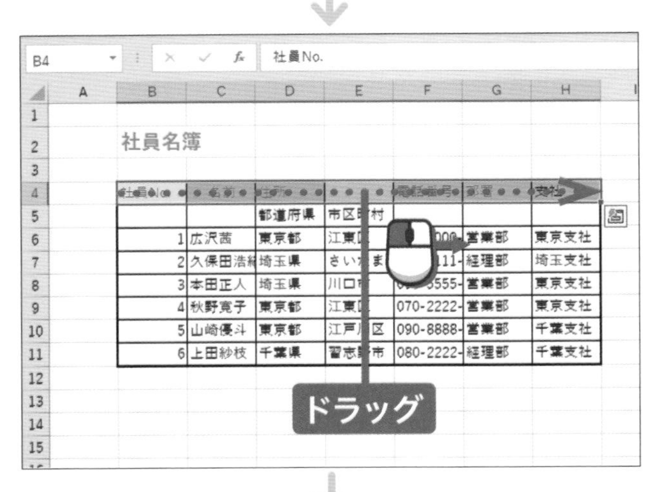

中央揃えにしたい複数のセル（ここでは「B4～H4」）をドラッグして選択します。

「ホーム」タブの「配置」グループの☰をクリックします。

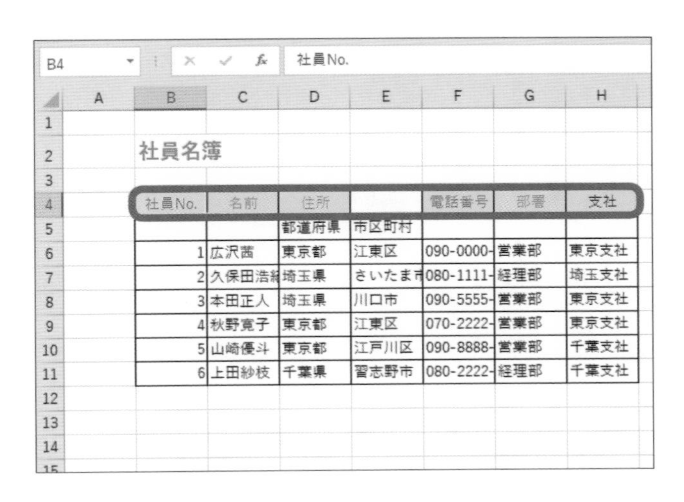

	A	B	C	D	E	F	G	H
1								
2		社員名簿						
3								
4		社員No.	名前	住所		電話番号	部署	支社
5				都道府県	市区町村			
6		1	広沢茜	東京都	江東区	090-0000-	営業部	東京支社
7		2	久保田浩	埼玉県	さいたま	080-1111-	経理部	埼玉支社
8		3	本田正人	埼玉県	川口市	090-5555-	営業部	東京支社
9		4	秋野寛子	東京都	江東区	070-2222-	営業部	東京支社
10		5	山崎優斗	東京都	江戸川区	090-8888-	営業部	千葉支社
11		6	上田紗枝	千葉県	習志野市	080-2222-	経理部	千葉支社

選択したセルが中央揃えになります。

ヒント 上揃え・下揃えにする

左右に揃えるほかにも上下に揃えることができます。左右の揃えのアイコンの上にある3つのアイコンで調整することができます。通常では中央揃えになっており、☰をクリックすると上揃えに、☰をクリックすると下揃えになります。

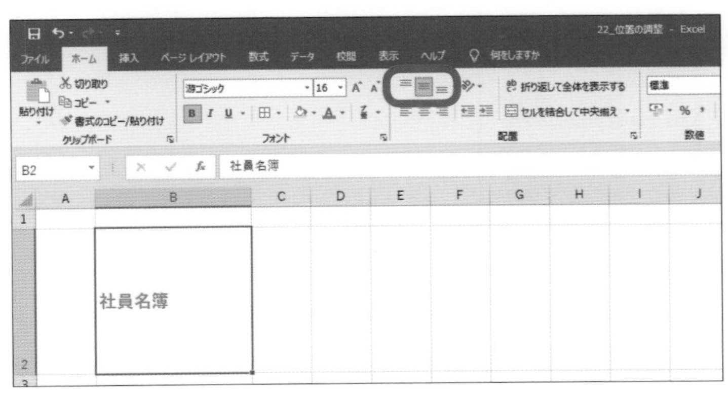

通常では中央揃えが選択された状態になっています。

上揃え

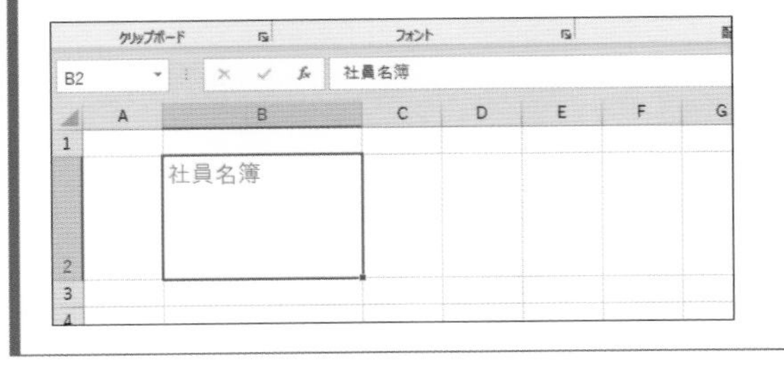

下揃え

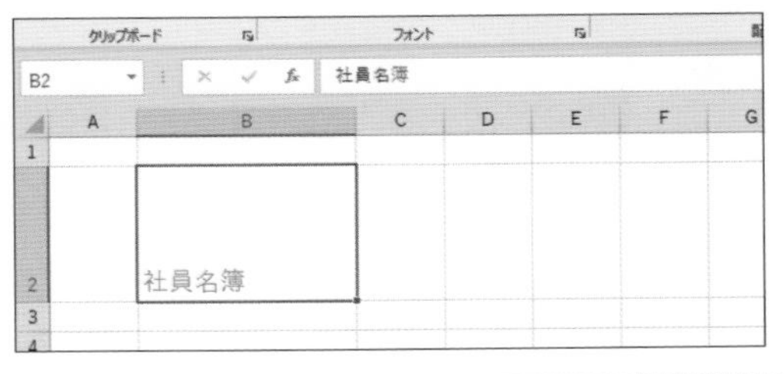

終わり

レッスン 22 枠の幅や高さを変更しましょう

長いデータを入力するとセルの幅が足りなくなります。ここではセルの幅と高さを調整しましょう。

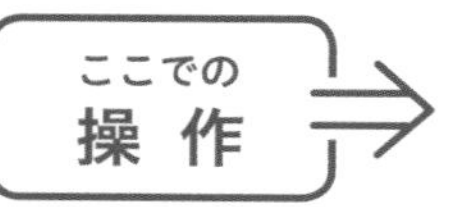

クリック
→P.14

ダブルクリック
→P.14

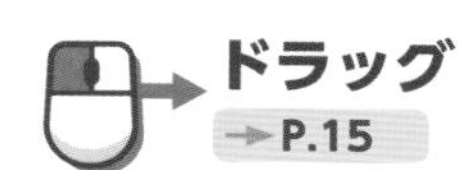

1 セルの幅を変更する

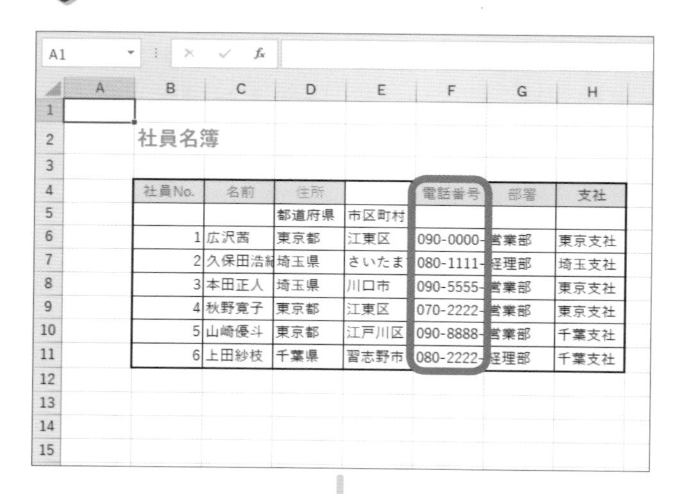

社員名簿

社員No.	名前	住所		電話番号	部署	支社
		都道府県	市区町村			
1	広沢茜	東京都	江東区	090-0000-	営業部	東京支社
2	久保田浩紀	埼玉県	さいたま	080-1111-	経理部	埼玉支社
3	本田正人	埼玉県	川口市	090-5555-	営業部	東京支社
4	秋野寛子	東京都	江東区	070-2222-	営業部	東京支社
5	山崎優斗	東京都	江戸川区	090-8888-	営業部	千葉支社
6	上田紗枝	千葉県	習志野市	080-2222-	経理部	千葉支社

「電話番号」の部分の幅が足りていないので、セルの横幅を広げて調整します。

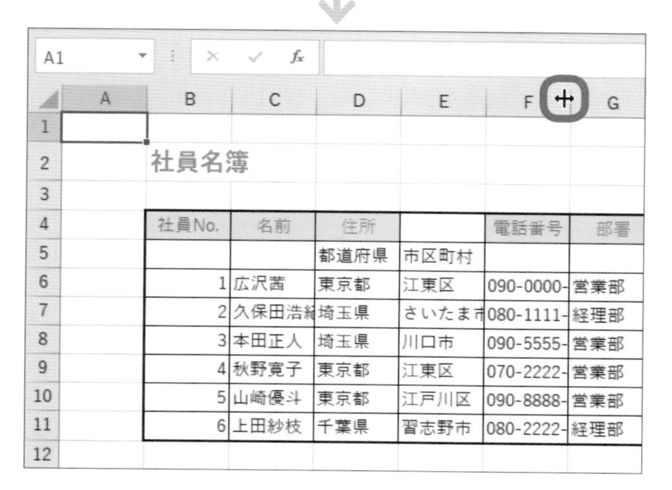

社員名簿

社員No.	名前	住所		電話番号	部署
		都道府県	市区町村		
1	広沢茜	東京都	江東区	090-0000-	営業部
2	久保田浩紀	埼玉県	さいたま市	080-1111-	経理部
3	本田正人	埼玉県	川口市	090-5555-	営業部
4	秋野寛子	東京都	江東区	070-2222-	営業部
5	山崎優斗	東京都	江戸川区	090-8888-	営業部
6	上田紗枝	千葉県	習志野市	080-2222-	経理部

幅を調整する場合は、列を示すアルファベットの部分を左右にドラッグします。

幅を調整したい部分にマウスポインターを移動させます。
マウスポインターが ✛ に変化します。

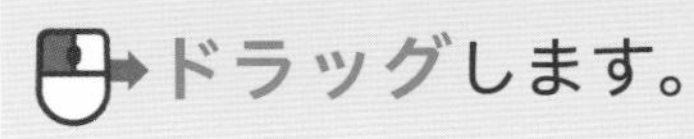

B	C	D	E	F	G
社員名簿					
社員No.	名前	住所		電話番号	支社
		都道府県	市区町村		
1	広沢茜	東京都	江東区	090-0000-	
2	久保田浩	埼玉県	さいたま市	080-1111-	
3	本田正人	埼玉県	川口市	090-5555-	営業部 東京支社
4	秋野寛子	東京都	江東区	070-2222-	営業部 東京支社
5	山崎優斗	東京都	江戸川区	090-8888-	営業部 千葉支社
6	上田紗枝	千葉県	習志野市	080-2222-	経理部 千葉支社

アドバイス

左方向にドラッグすると、セルの幅が狭くなります。

B	C	D	E	F	G	H
社員名簿						
社員No.	名前	住所		電話番号	部署	支社
		都道府県	市区町村			
1	広沢茜	東京都	江東区	090-0000-1111	営業部	東京支
2	久保田浩	埼玉県	さいたま市	080-1111-2222	経理部	埼玉支
3	本田正人	埼玉県	川口市	090-5555-3333	営業部	東京支
4	秋野寛子	東京都	江東区	070-2222-3333	営業部	東京支
5	山崎優斗	東京都	江戸川区	090-8888-9999	営業部	千葉支
6	上田紗枝	千葉県	習志野市	080-2222-7777	経理部	千葉支

「電話番号」のデータの幅に合わせてドラッグを完了すると、セルの横幅が調整されます。

アドバイス

列のアルファベットの部分を右クリックして表示されるメニューの「列の幅」では、数値を入力して幅を指定することができます。

B	C	D	E	F	G	H
社員名簿						
社員No.	名前	住所		電話番号	部署	支社
		都道府県	市区町村			
1	広沢茜	東京都	江東区	090-0000-1111	営業部	東京支
2	久保田浩	埼玉県	さいたま市	080-1111-2222	経理部	埼玉支
3	本田正人	埼玉県	川口市	090-5555-3333	営業部	東京支
4	秋野寛子	東京都	江東区	070-2222-3333	営業部	東京支
5	山崎優斗	東京都	江戸川区	090-8888-9999	営業部	千葉支
6	上田紗枝	千葉県	習志野市	080-2222-7777	経理部	千葉支

「市区町村」の部分の横幅も同様の手順で調整します。

アドバイス

数値の長さよりセル幅を狭くすると、「＃＃」で表示されます。

次のページへ

2 セルの高さを変更する

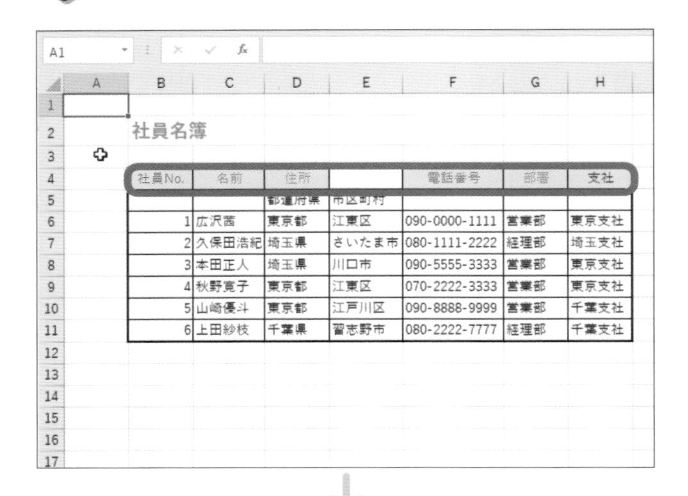

項目名のセルの高さを調整します。

高さを調整する場合は、行を示す数字の部分を上下にドラッグします。

高さを調整したい部分にマウスポインターを移動させます。
マウスポインターが に変化します。

下方向に ドラッグします。

アドバイス

上方向にドラッグすると、セルの高さが狭くなります。

社員名簿

社員No.	名前	住所		電話番号	部署	支社
		都道府県	市区町村			
1	広沢茜	東京都	江東区	090-0000-1111	営業部	東京支社
2	久保田浩紀	埼玉県	さいたま市	080-1111-2222	経理部	埼玉支社
3	本田正人	埼玉県	川口市	090-5555-3333	営業部	東京支社
4	秋野寛子	東京都	江東区	070-2222-3333	営業部	東京支社
5	山崎優斗	東京都	江戸川区	090-8888-9999	営業部	千葉支社
6	上田紗枝	千葉県	習志野市	080-2222-7777	経理部	千葉支社

ドラッグを完了すると、セルの高さが調整されます。

アドバイス

行数の部分を右クリックして表示されるメニューの「行の高さ」では、数値を入力して高さを指定することができます。

ヒント ダブルクリックによって自動でセルの幅を調整する

ここではドラッグ操作によって、手動でセルの幅を調整する方法を紹介しましたが、自動で幅を調整することも可能です。幅を調整したい部分にマウスポインターを移動させて✛に変化させた後に、ダブルクリックをします。そうすると、入力されたデータの幅に合わせて自動でセルの幅を調整してくれます。文字量に合わせてセル幅を調整したい場合に活用するとよいでしょう。なお、この操作は行の高さで使うこともできます。

幅を調整したい部分にマウスポインターを移動させて、ダブルクリックをします。

社員名簿

社員No.	名前	住所		電話番号	部署
		都道府県	市区町村		
1	広沢茜	東京都	江東区	090-0000-1111	営業部
2	久保田浩紀	埼玉県	さいたま市	080-1111-2222	経理部
3	本田正人	埼玉県	川口市	090-5555-3333	営業部

セルに入力された文字量に合わせて、セル幅が調整されます。

終わり

レッスン 23 セルを結合しましょう

隣り合うセルを結合して、１つのセルとして扱うことができます。これを使うことで、より見栄えのよい表を作ることができます。

クリック
→P.14

ドラッグ
→P.15

1 セルを結合する

D4 | 住所

	A	B	C	D	E	F
1						
2		社員名簿				
3						
4		社員No.	名前	住所		電話番
5				都道府県	市区町村	
6		1	広沢茜	東京都	江東区	090-0000-
7		2	久保田浩紀	埼玉県	さいたま市	080-1111-
8		3	本田正人	埼玉県	川口市	090-5555-
9		4	秋野寛子	東京都	江東区	070-2222-
10		5	山崎優斗	東京都	江戸川区	090-8888-

「住所」の隣のセルが空欄になっているので、結合しましょう。

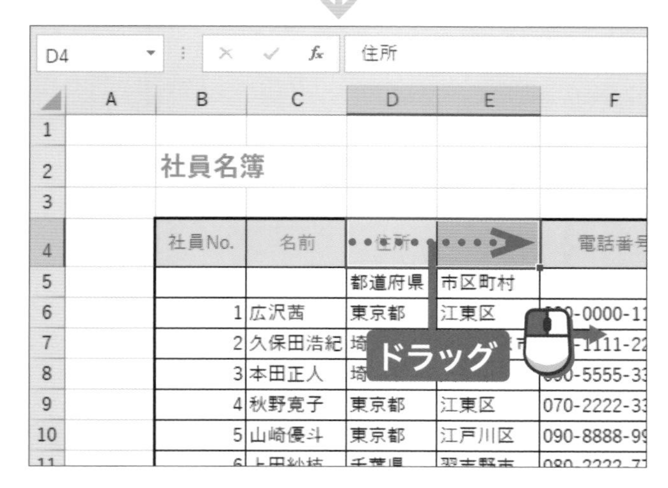

結合したいセル（ここでは「D4～E4」）をドラッグして、選択します。

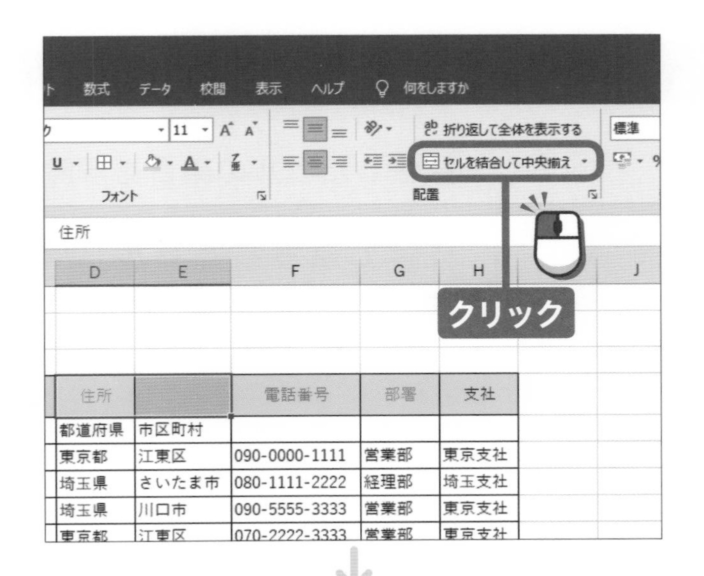

「ホーム」タブの「配置」グループの **セルを結合して中央揃え** を **クリック** します。

アドバイス

ウィンドウの大きさによっては、「セルを結合して中央揃え」の文字は表示されずに、アイコンのみ表示されます。

D4 住所

	A	B	C	D	E	F
1						
2		社員名簿				
3						
4		社員No.	名前	住所		電話番
5				都道府県	市区町村	
6		1	広沢茜	東京都	江東区	090-0000-
7		2	久保田浩紀	埼玉県	さいたま市	080-1111-
8		3	本田正人	埼玉県	川口市	090-5555-
9		4	秋野寛子	東京都	江東区	070-2222-
10		5	山崎優斗	東京都	江戸川区	090-8888-
11		6	上田紗枝	千葉県	習志野市	080-2222-

選択したセルが結合されて、データが中央揃えになります。

B2 社員名簿

	A	B	C	D	E	F	G	H
1								
2		社員名簿						
3								
4		社員No.	名前	住所		電話番号	部署	支社
5				都道府県	市区町村			
6		1	広沢茜	東京都	江東区	090-0000-1111	営業部	東京支社
7		2	久保田浩紀	埼玉県	さいたま市	080-1111-2222	経理部	埼玉支社
8		3	本田正人	埼玉県	川口市	090-5555-3333	営業部	東京支社
9		4	秋野寛子	東京都	江東区	070-2222-3333	営業部	東京支社
10		5	山崎優斗	東京都	江戸川区	090-8888-9999	営業部	千葉支社
11		6	上田紗枝	千葉県	習志野市	080-2222-7777	経理部	千葉支社
12								
13								
14								
15								
16								
17								
18								

同様の操作で、そのほかの項目をそれぞれ縦に隣り合うセルと結合させます。

次のページへ

2 セルの結合を解除する

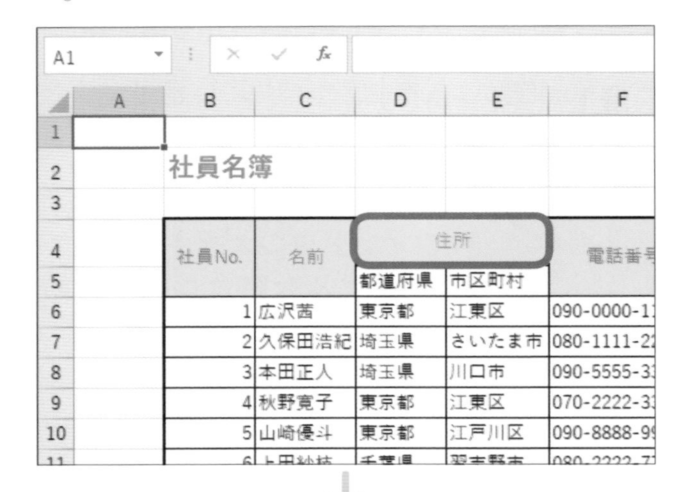

結合したセルの結合を解除しましょう。
先ほど結合したセル「D4～E4」を解除します。

結合を解除したいセルを
クリックして
選択します。

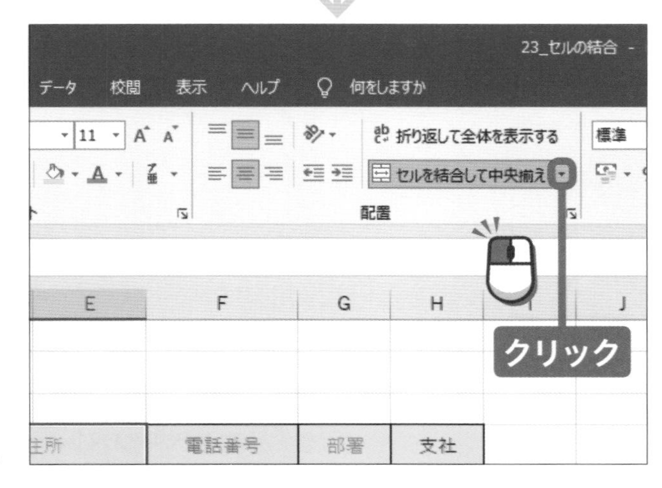

「ホーム」タブの
「配置」グループの
セルを結合して中央揃えの
右にあるを
クリックします。

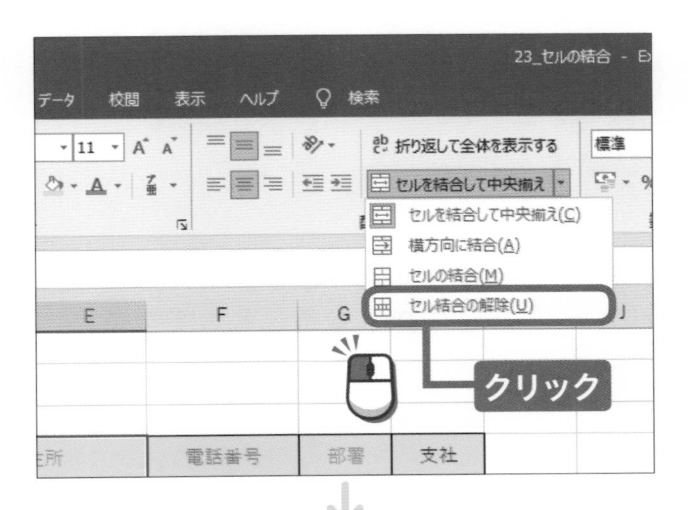

アドバイス

ウィンドウの大きさによっては、「セルを結合して中央揃え」の文字は表示されずに、アイコンのみ表示されます。

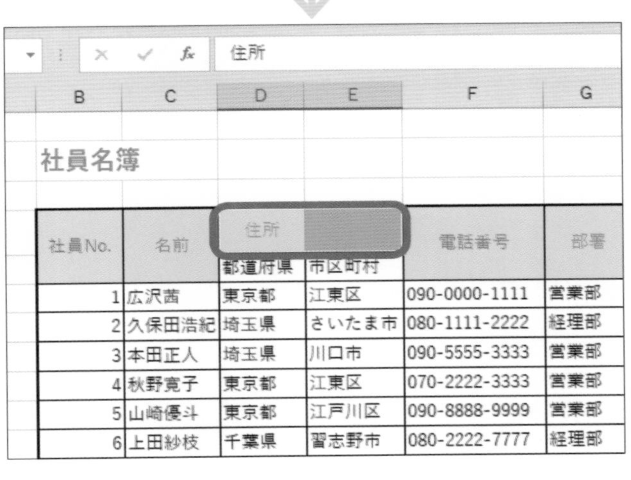

選択したセルの結合が解除されます。

社員No.	名前	住所		電話番号	部署
		都道府県	市区町村		
1	広沢茜	東京都	江東区	090-0000-1111	営業部
2	久保田浩紀	埼玉県	さいたま市	080-1111-2222	経理部
3	本田正人	埼玉県	川口市	090-5555-3333	営業部
4	秋野寛子	東京都	江東区	070-2222-3333	営業部
5	山崎優斗	東京都	江戸川区	090-8888-9999	営業部
6	上田紗枝	千葉県	習志野市	080-2222-7777	経理部

ヒント 結合を解除したセルは書式設定がそのまま残る

セルを解除すると、解除されたすべてのセルの書式設定はそのまま残ります。そのため、上記の手順のように、セルの塗りつぶし設定も残ります。

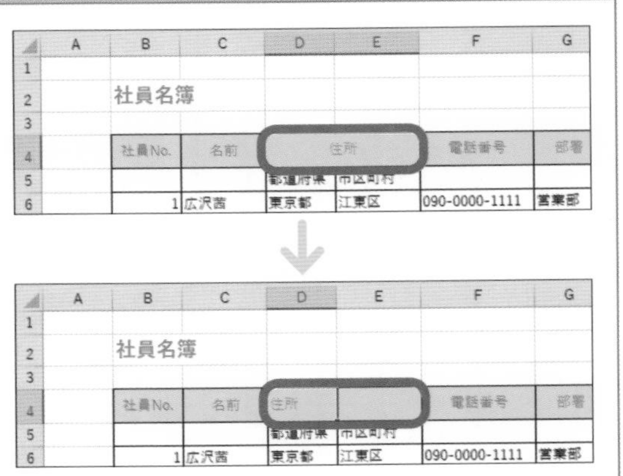

終わり

レッスン 24 表の列や行を増やしましょう

表を作成しているうちに、セルを増やしたい場合があります。セルは簡単に増やすことができます。また、行単位や列単位で挿入することもできます。

クリック

→P.14

1 1つのセルを挿入する

社員名簿

社員No.	名前	住所		電話番号	部署	支社
		都道府県	市区町村			
1	広沢茜	東京都	江東区	090-0000-1111	営業部	東京支
2	久保田浩紀	埼玉県	さいたま市	080-1111-2222	経理部	埼玉支
3	本田正人	埼玉県	川口市	090-5555-3333	営業部	東京支
4	秋野寛子	東京都	江東区	070-2222-3333	営業部	東京支
5	山崎優斗	東京都	江戸川区	090-8888-9999	営業部	千葉支
6	上田紗枝	千葉県	習志野市	080-2222-7777	経理部	千葉支

ここではセル「E6」に新規でセルを挿入します。

社員名簿

クリック

社員No.	名前	住所		電話番号
		都道府県	市区町村	
1	広沢茜	東京都	江東区	090-0000-1111
2	久保田浩紀	埼玉県	さいたま市	080-1111-2222
3	本田正人	埼玉県	川口市	090-5555-3333
4	秋野寛子	東京都	江東区	070-2222-3333
5	山崎優斗	東京都	江戸川区	090-8888-9999
6	上田紗枝	千葉県	習志野市	080-2222-7777

挿入したい部分のセルを**クリック**して選択します。

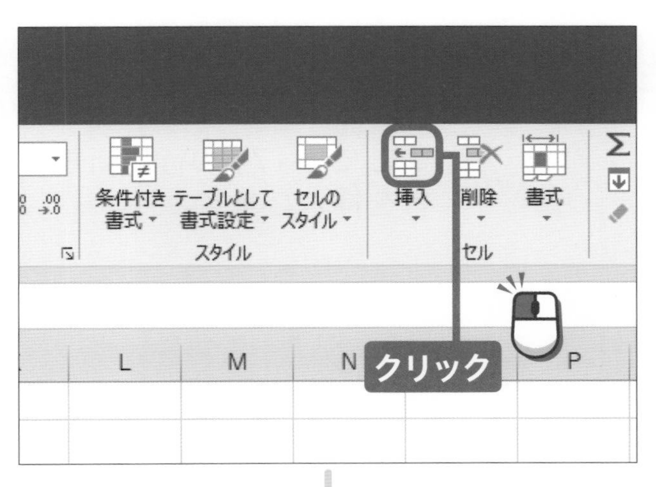

「ホーム」タブの「セル」グループの[挿入]を🖱クリックします。

●アドバイス●

セルを右クリックして、「挿入」をクリックすることでも、セルを挿入できます。

	A	B	C	D	E	F
1						
2		社員名簿				
3						
4		社員No.	名前	住所		電話番号
5				都道府県	市区町村	
6		1	広沢茜	東京都		090-0000-1111
7		2	久保田浩紀	埼玉県	江東区	0-1111-2222
8		3	本田正人	埼玉県	さいたま市	090-5555-3333
9		4	秋野寛子	東京都	川口市	070-2222-3333
10		5	山崎優斗	東京都	江東区	090-8888-9999
11		6	上田紗枝	千葉県	江戸川区	080-2222-7777
12					習志野市	

選択した部分に新たなセルが挿入され、選択していたセルから下のデータが下に1つずつ移動します。

ヒント 挿入したセルのシフト方向を変更する

ここで紹介した方法では、元からあるセルは下方向に移動（シフト）します。このほかにも右方向にシフトしてセルを挿入することができます。「挿入」の下の▼をクリックして、「セルの挿入」をクリックします。表示されたメニューから「右方向にシフト」をクリックして選択し、「OK」をクリックすると、セルが挿入され、データが右に1つずつ移動します。

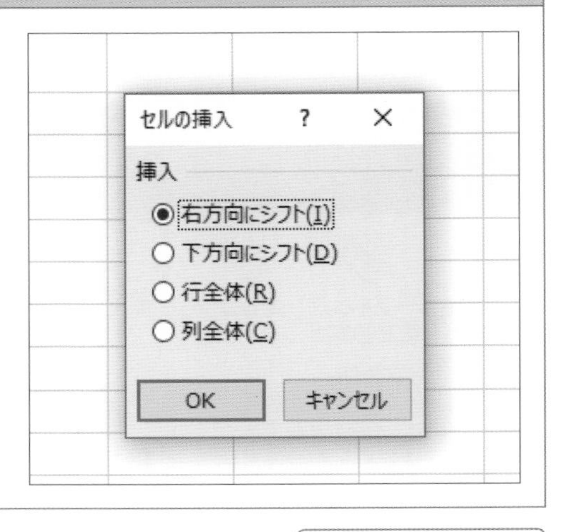

次のページへ ➡

2 行を挿入する

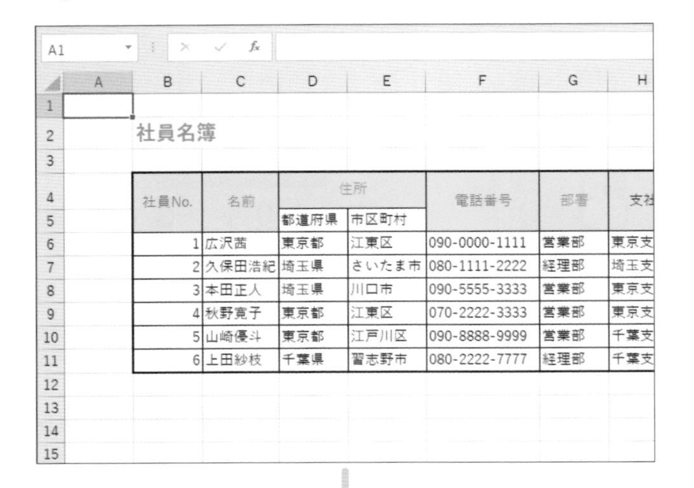

ここでは「7」の行に新規で行を挿入します。

挿入したい行の数字部分（ここでは 7 ）をクリックして選択します。

「7」の行全体が選択された状態になります。

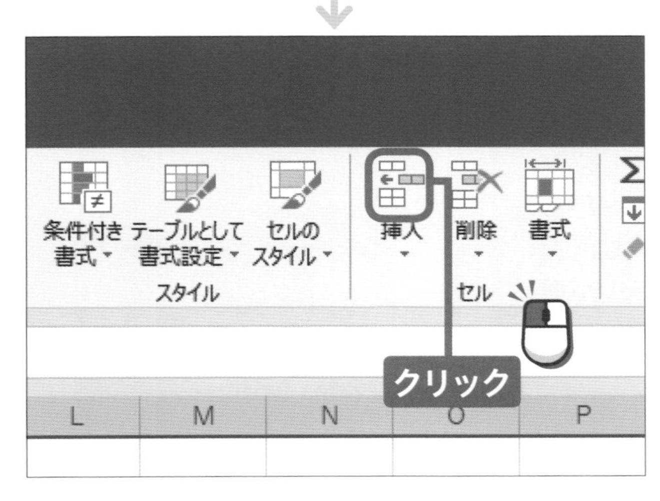

「ホーム」タブの「セル」グループの を クリックします。

アドバイス

数字部分を右クリックして、「挿入」をクリックすることでも、行を挿入できます。

社員No.	名前	住所		電話番号
		都道府県	市区町村	
1	広沢茜	東京都	江東区	090-0000-1111
2	久保田浩紀	埼玉県	さいたま市	080-1111-2222
3	本田正人	埼玉県	川口市	090-5555-3333
4	秋野寛子	東京都	江東区	070-2222-3333
5	山崎優斗	東京都	江戸川区	090-8888-9999
6	上田紗枝	千葉県	習志野市	080-2222-7777

新たな行が挿入され、選択していた行から下のデータが下に1つずつ移動します。

ヒント セルを削除する

不要になったセルを削除する場合は、P.128の手順と同様に削除したいセルをクリックして選択し、「ホーム」タブの「セル」グループの をクリックします。そうすると、選択したセルが削除選択していたセルから下のデータが上に1つずつ移動します。

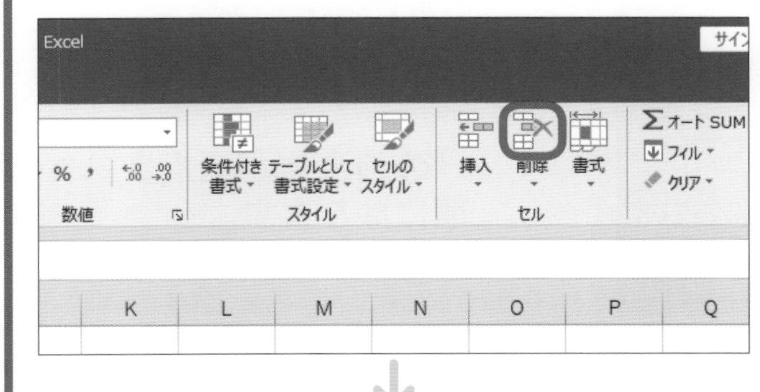

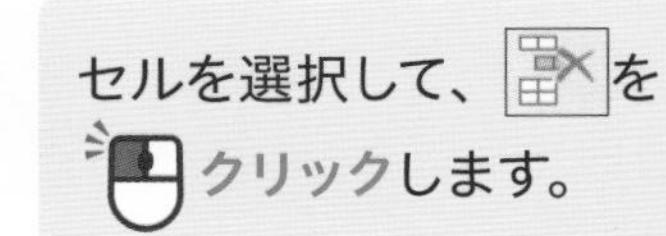

社員No.	名前	住所		電話番号	部署	支社
		都道府県	市区町村			
1	広沢茜	東京都	江東区	090-0000-1111	営業部	東京支社
2						
3	久保田浩紀	埼玉県	さいたま市	080-1111-2222	経理部	埼玉支社
4	本田正人	埼玉県	川口市	090-5555-3333	営業部	東京支社
5	秋野寛子	東京都	江東区	070-2222-3333	営業部	東京支社
6	山崎優斗	東京都	江戸川区	090-8888-9999	営業部	千葉支社
	上田紗枝	千葉県	習志野市	080-2222-7777	経理部	千葉支社

セルが削除されます。

3 列を挿入する

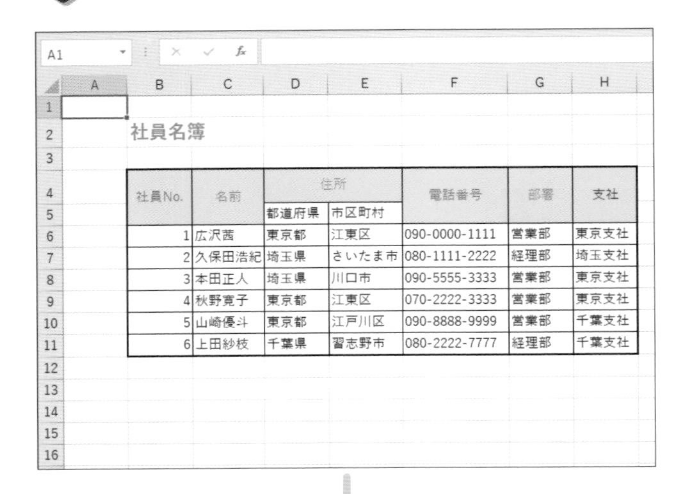

ここでは「H」の列に新規で列を挿入します。

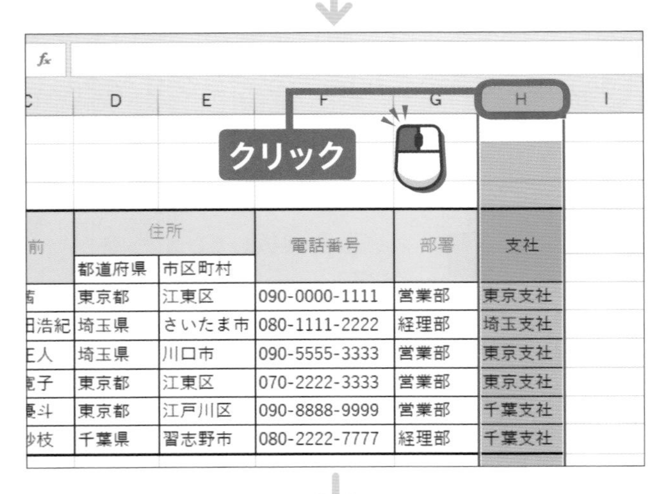

挿入したい列のアルファベット部分（ここではH）をクリックして選択します。

Hの列全体が選択された状態になります。

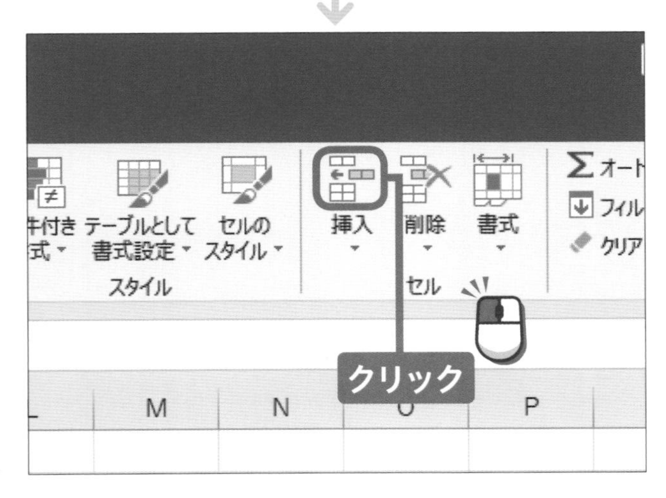

「ホーム」タブの「セル」グループの挿入アイコンをクリックします。

住所		電話番号	部署		支社
府県	市区町村				
郎	江東区	090-0000-1111	営業部		東京支社
県	さいたま市	080-1111-2222	経理部		埼玉支社
県	川口市	090-5555-3333	営業部		東京支社
郎	江東区	070-2222-3333	営業部		東京支社
郎	江戸川区	090-8888-9999	営業部		千葉支社
県	習志野市	080-2222-7777	経理部		千葉支社

新たな列が挿入され、選択していた列から右のデータが右に1つずつ移動します。

ヒント 行や列を削除する

不要になった行や列を削除する場合は、P.130の手順と同様に削除したい行の数字または列のアルファベットをクリックして選択し、「ホーム」タブの「セル」グループのをクリックします。そうすると、選択した行や列が削除され、選択していた行や列のデータが1つずつ移動します。下の例では行を削除しています。

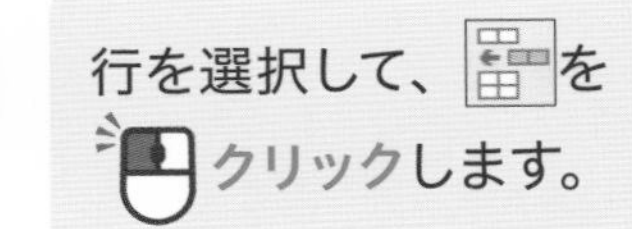

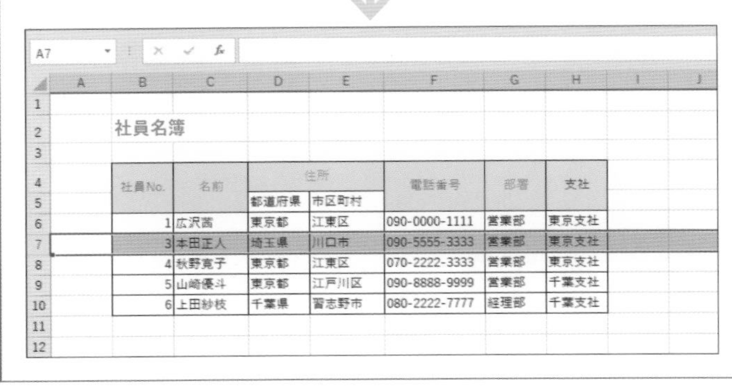

	A	B	C	D	E	F	G	H
1								
2		社員名簿						
3								
4		社員No.	名前	住所		電話番号	部署	支社
5				都道府県	市区町村			
6		1	広沢茜	東京都	江東区	090-0000-1111	営業部	東京支社
7		3	本田正人	埼玉県	川口市	090-5555-3333	営業部	東京支社
8		4	秋野寛子	東京都	江東区	070-2222-3333	営業部	東京支社
9		5	山崎優斗	東京都	江戸川区	090-8888-9999	営業部	千葉支社
10		6	上田紗枝	千葉県	習志野市	080-2222-7777	経理部	千葉支社
11								
12								

行が削除されます。同様の操作で列の削除も行えます。

終わり

練習用ファイル ▸ 25_フィルター.xlsx

フィルターで必要な情報だけを表示しましょう

フィルターを使うと、表の中で必要な情報だけを抜き取ることができます。ここではその方法を紹介します。

1 フィルターとは

フィルターとは、表の中から自分が見たい情報だけを抜き取って表示させることができる機能です。たとえば、表の中から東京都出身の人だけを抜き出したい場合、フィルター設定で「東京都」だけにチェックを入れてフィルターを反映させると、東京都出身の人だけが表示される仕組みです。それでは、次のページから実際に設定を行ってみましょう。

社員名簿

社員No	名前	住所		電話番号	部署	支社
		都道府県	市区町村			
1	広沢茜	東京都	江東区	090-0000-1111	営業部	東京支社
2	久保田浩紀	埼玉県	さいたま市	080-1111-2222	経理部	埼玉支社
3	本田正人	埼玉県	川口市	090-5555-3333	営業部	東京支社
4	秋野寛子	東京都	江東区	070-2222-3333	営業部	東京支社
5	山崎優斗	東京都	江戸川区	090-8888-9999	営業部	千葉支社
6	上田紗枝	千葉県	習志野市	080-2222-7777	経理部	千葉支社

表にフィルターを設定すると、指定したデータが入力されたデータのみ抜き取ることができます。

↓

社員名簿

社員No	名前	住所		電話番号	部署	支社
1	広沢茜	東京都	江東区	090-0000-1111	営業部	東京支社
4	秋野寛子	東京都	江東区	070-2222-3333	営業部	東京支社
5	山崎優斗	東京都	江戸川区	090-8888-9999	営業部	千葉支社

2 表にフィルターを設定する

フィルターを
設定したい表の
いずれかのセルを
クリックして
選択します。

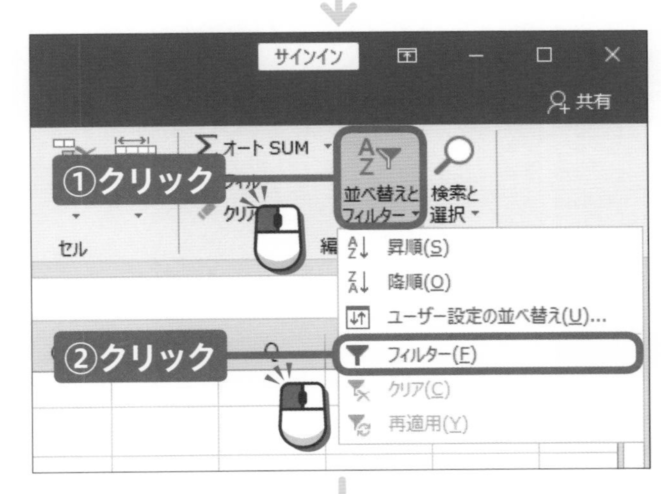

「ホーム」タブの
「編集」グループの 並べ替えと フィルター を
クリックします。

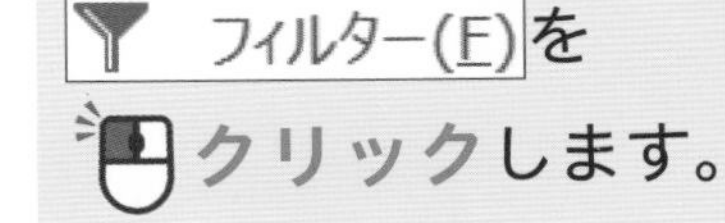

を
クリックします。

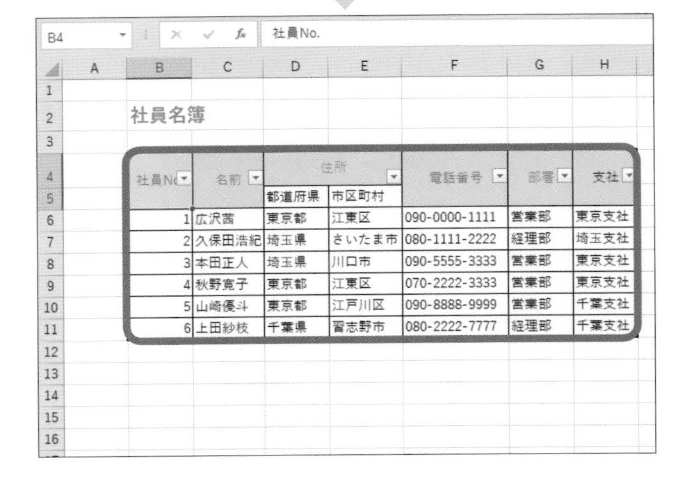

表にフィルターが設定されます。

アドバイス

フィルターが設置された表は、見出しの項目部分に▼のアイコンが表示されます。

次のページへ ➡

3 フィルターでデータを抜き取る

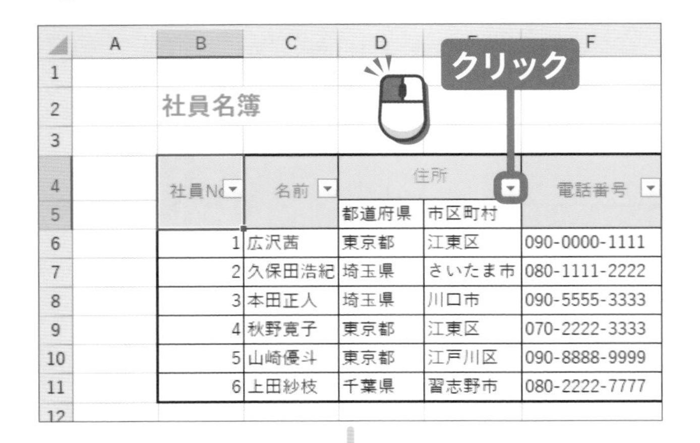

今回は名簿から「住所」が「東京都」の社員のみを表示します。

「住所」の▼を🖱クリックします。

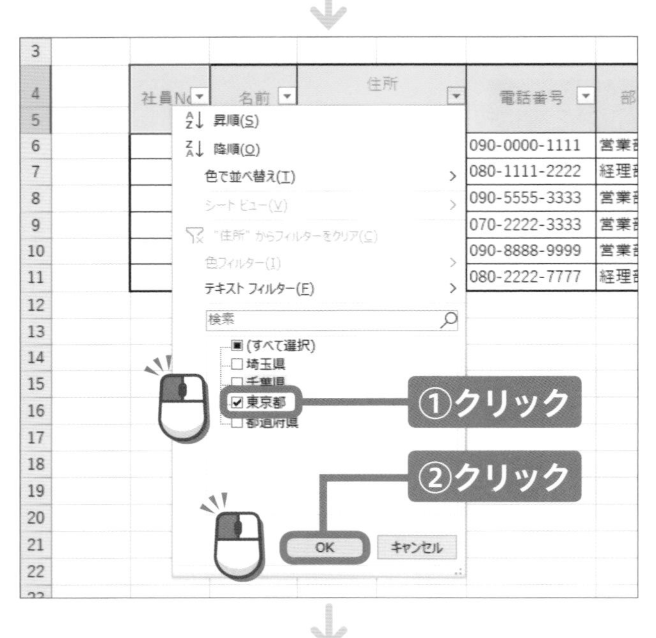

「東京都」のみに🖱クリックをしてチェックを入れます。

を🖱クリックします。

社員No	名前	住所		電話番号	部署	支社
1	広沢茜	東京都	江東区	090-0000-1111	営業部	東京支社
4	秋野寛子	東京都	江東区	070-2222-3333	営業部	東京支社
5	山崎優斗	東京都	江戸川区	090-8888-9999	営業部	千葉支社

「住所」が「東京都」の社員のみが表示されます。

4 フィルターを解除する

設定したフィルターを解除します。

フィルターを設定した表のいずれかのセルを クリックして選択します。

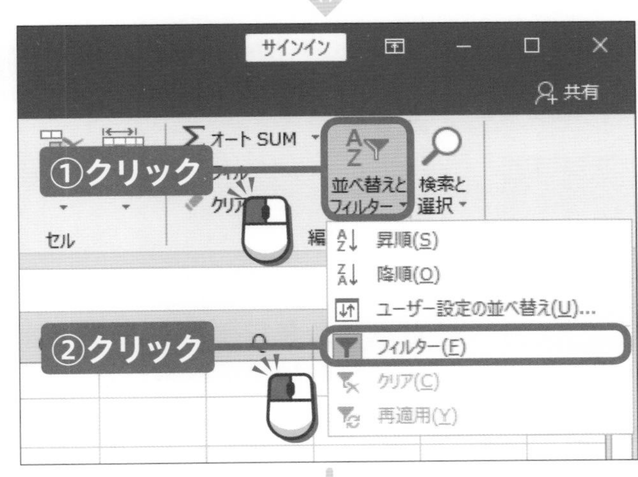

「ホーム」タブの「編集」グループの 並べ替えとフィルター を クリックします。

フィルター(F) を クリックします。

社員名簿

社員No.	名前	住所		電話番号	部署	支社
		都道府県	市区町村			
1	広沢茜	東京都	江東区	090-0000-1111	営業部	東京支社
2	久保田浩紀	埼玉県	さいたま市	080-1111-2222	経理部	埼玉支社
3	本田正人	埼玉県	川口市	090-5555-3333	営業部	東京支社
4	秋野寛子	東京都	江東区	070-2222-3333	営業部	東京支社
5	山崎優斗	東京都	江戸川区	090-8888-9999	営業部	千葉支社
6	上田紗枝	千葉県	習志野市	080-2222-7777	経理部	千葉支社

フィルターが解除され、元の表に戻ります。

終わり

レッスン 26 表のデータを並べ替えましょう

表のデータを大きい順や小さい順に並べ替えてみましょう。特定の項目を基準にして並べ替えることもできます。

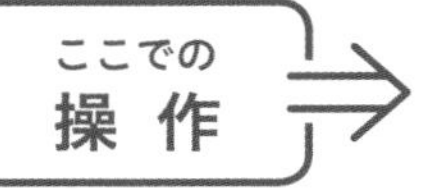

クリック →P.14

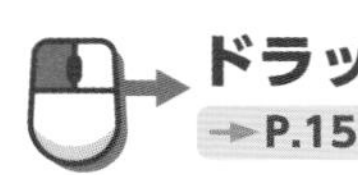

ドラッグ →P.15

1 表のデータを並べ替える

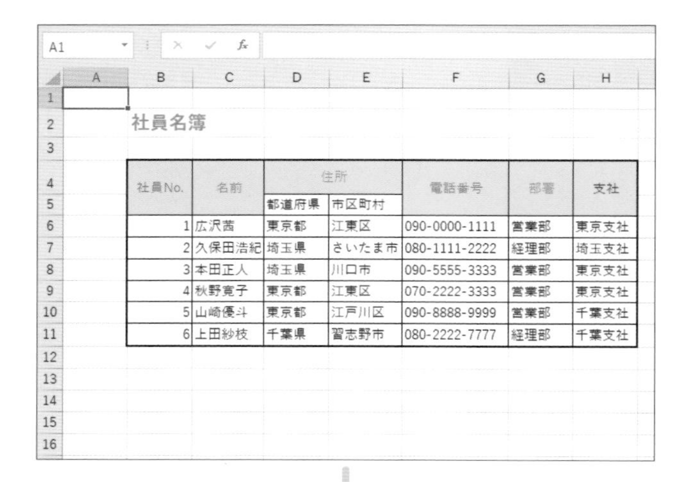

社員名簿

社員No.	名前	住所		電話番号	部署	支社
		都道府県	市区町村			
1	広沢茜	東京都	江東区	090-0000-1111	営業部	東京支社
2	久保田浩紀	埼玉県	さいたま市	080-1111-2222	経理部	埼玉支社
3	本田正人	埼玉県	川口市	090-5555-3333	営業部	東京支社
4	秋野寛子	東京都	江東区	070-2222-3333	営業部	東京支社
5	山崎優斗	東京都	江戸川区	090-8888-9999	営業部	千葉支社
6	上田紗枝	千葉県	習志野市	080-2222-7777	経理部	千葉支社

ここでは「社員No.」を「降順」（大きい順）に並べ替えます。

アドバイス

並べ替えを行うと、表の行全体が自動的に並べ替えられます。

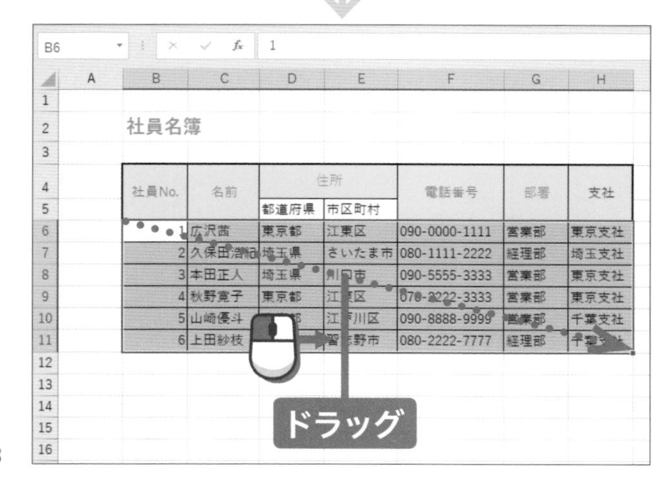

並べ替えたい表のデータ部分をドラッグで選択します。

アドバイス

項目名の部分を選択すると、一緒に並べ替えられてしまうので注意しましょう。

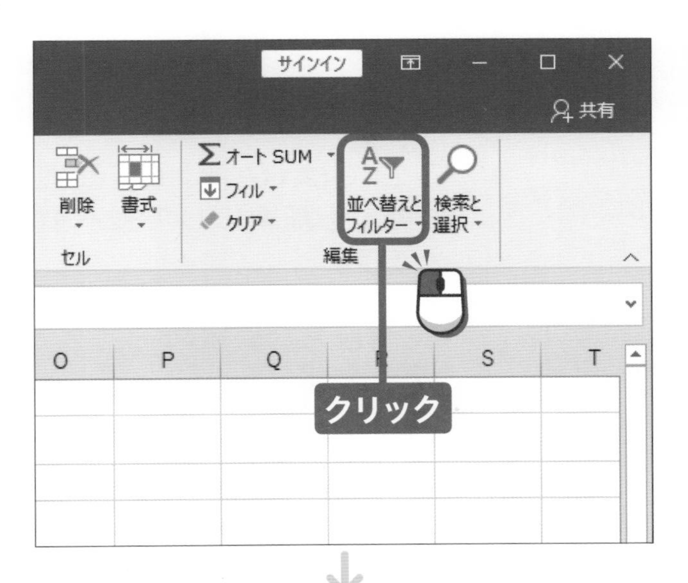

「ホーム」タブの「編集」グループの 並べ替えとフィルター を クリックします。

アドバイス

選択したセルを右クリックして、「並べ替え」で表示されるメニューからでも並べ替えが行えます。

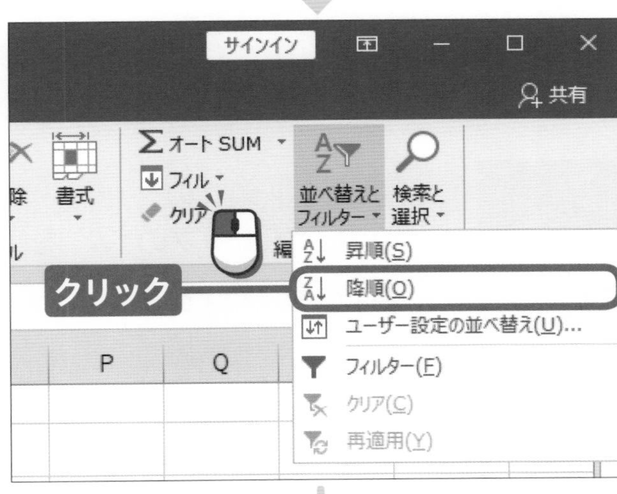

降順(O) を クリックします。

アドバイス

「昇順」を選択すると、番号が小さい順に並び替えられます。

B6 | 6

社員名簿

社員No.	名前	住所 都道府県	住所 市区町村	電話番号	部署	支社
6	上田紗枝	千葉県	習志野市	080-2222-7777	経理部	千葉支社
5	山崎優斗	東京都	江戸川区	090-8888-9999	営業部	千葉支社
4	秋野寛子	東京都	江東区	070-2222-3333	営業部	東京支社
3	本田正人	埼玉県	川口市	090-5555-3333	営業部	東京支社
2	久保田浩紀	埼玉県	さいたま市	080-1111-2222	経理部	埼玉支社
1	広沢茜	東京都	江東区	090-0000-1111	営業部	東京支社

「社員No.」の数値が大きい順に並べ替えられます。

アドバイス

この方法では、一番左の列を基準に並べ替えが行われます。

次のページへ

2 特定の列を基準にして並べ替える

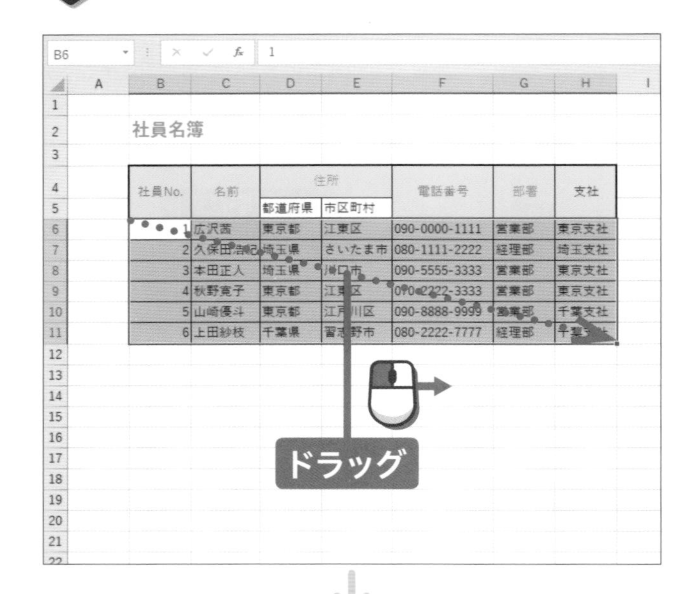

ここでは「住所」の「都道府県」を基準にして並べ替えます。

並べ替えたい表のデータ部分をドラッグで選択します。

アドバイス

表の項目名は選択しなくても大丈夫です。

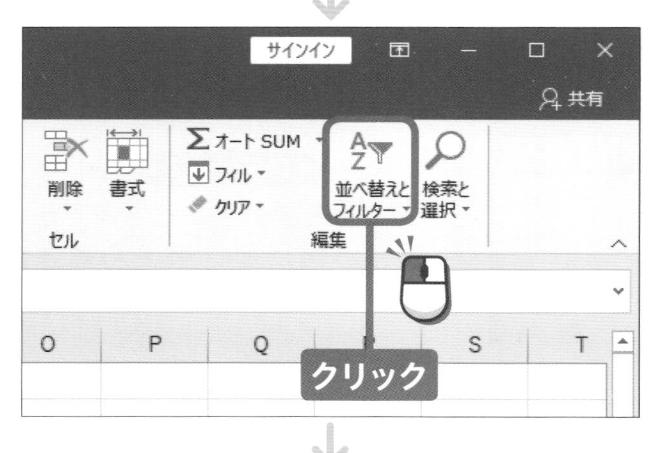

「ホーム」タブの「編集」グループの 並べ替えと フィルター をクリックします。

ユーザー設定の並べ替え(U)... をクリックします。

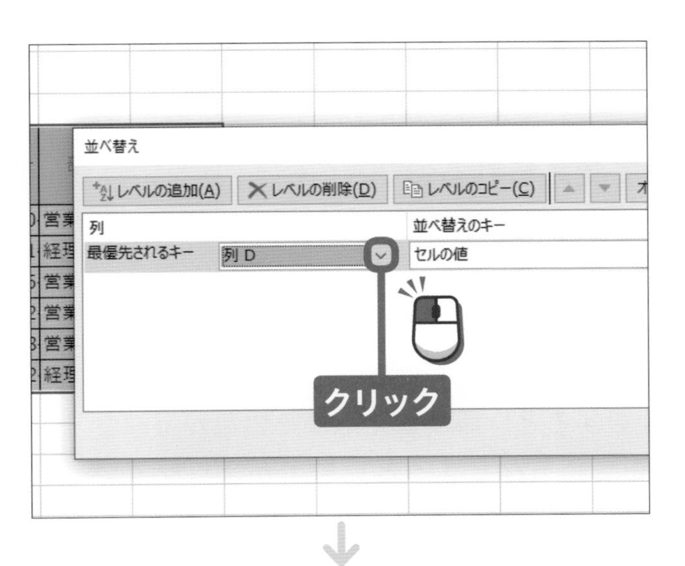

「並べ替え」ダイアログボックスが表示されます。ここでは「住所」の「都道府県」(D列)を基準にして並べ替えます。

「列」の「最優先されるキー」の右の を

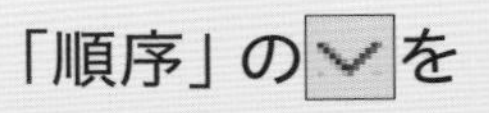

「列D」を選択します。

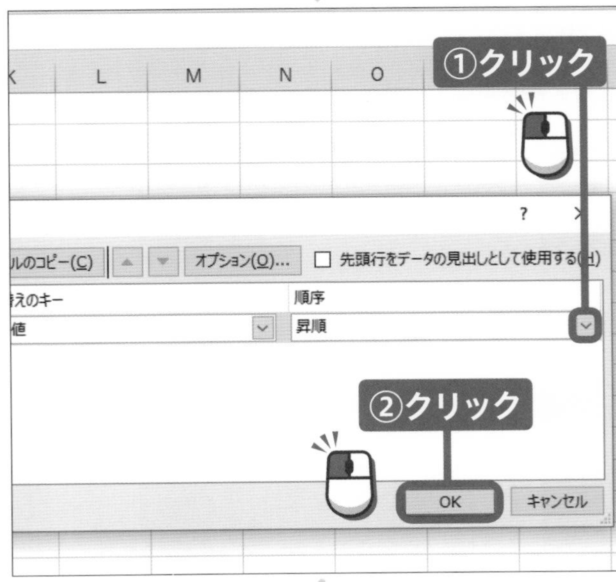

「順序」の を

クリックして、

「昇順」を選択します。

アドバイス

「降順」を選択すると、「ん」からの順番で表示されます。

社員名簿

社員No.	名前	住所		電話番号	部署	支社
		都道府県	市区町村			
2	久保田浩紀	埼玉県	さいたま市	080-1111-2222	経理部	埼玉支社
3	本田正人	埼玉県	川口市	090-5555-3333	営業部	東京支社
6	上田紗枝	千葉県	習志野市	080-2222-7777	経理部	千葉支社
1	広沢茜	東京都	江東区	090-0000-1111	営業部	東京支社
4	秋野寛子	東京都	江東区	070-2222-3333	営業部	東京支社
5	山崎優斗	東京都	江戸川区	090-8888-9999	営業部	千葉支社

「住所」の「都道府県」があいうえお順に並び替えられます。

終わり

ステップアップ

Q. 罫線の色や線の種類って変えられるの？

A. 罫線のメニューから変更しましょう。

表に引いた罫線は線の種類や色を変更することができます。線の種類についてはP.113で解説をしているので、ここでは罫線の色の変更について解説をします。罫線の色を変更すると、印刷した際にその色が反映されるので、表ごとに罫線の色を変えるなどすると見栄えがよくなるでしょう。色を変えるには、田の右にある▼❶をクリックして、「線の色」❷をクリックし、表示される一覧❸から任意の色を選択しましょう。

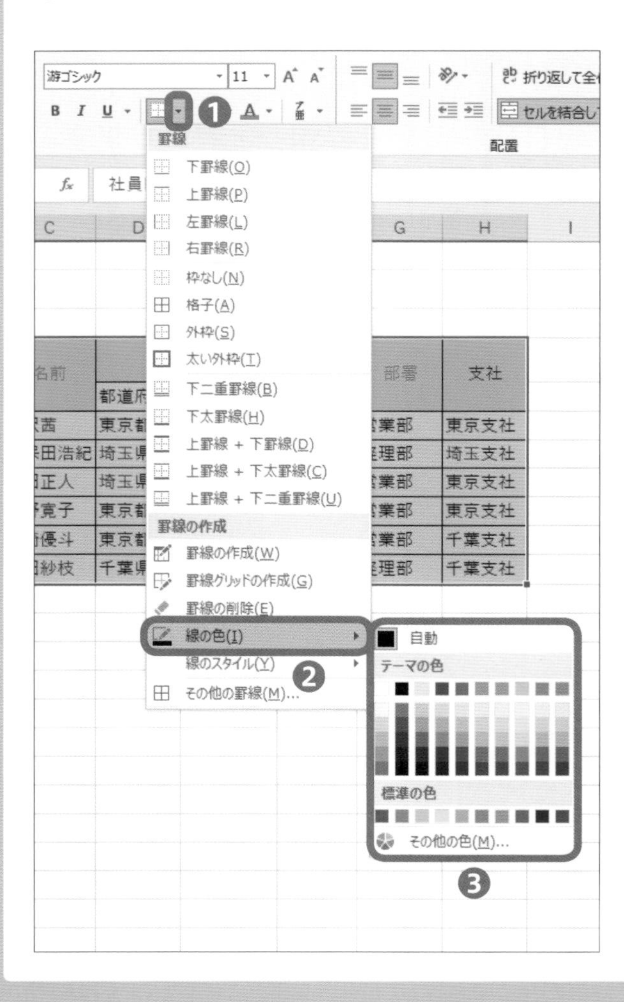

罫線の色は細かく分けて設定することもできます。

ステップアップ

Q. 表のスタイルって何？

A. 簡単に表の見栄えをよくできる機能です。

表の見栄えをよくするために、セルの塗りつぶしなどの書式設定を使うことが多いですが、大きな表だと時間がかかってしまいます。そこで、「スタイル」という機能を使いましょう。スタイルはエクセルに入っている表のデザインデータから任意のデザインを選んで自動で反映させてくれる機能です。なお、スタイルを実行すると自動的に表にテーブルも反映されます。テーブルについてはP.144を参照してください。

スタイルを使うには「ホーム」タブの「スタイル」グループの「テーブルとして書式設定」❶をクリックし、表示される一覧❷から任意のデザインを選択しましょう。

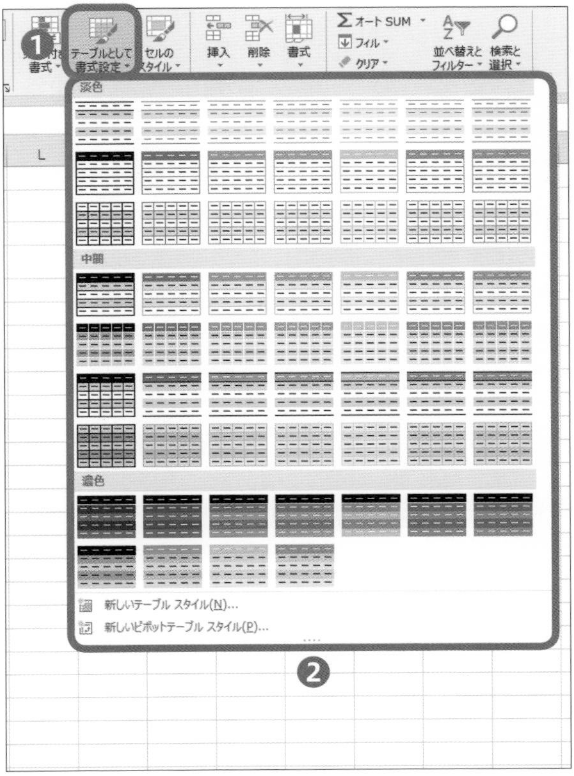

スタイルを設定すると、きれいに色分けされた表を簡単に作ることができます。

ステップアップ

Q. エクセルのテーブルって？

A. フィルターや並べ替えを簡単に行う機能です。

テーブルとは、フィルターや並べ替えを一気に行うことができる機能です。テーブルを使うと、表がフィルターを反映させた画面になり、フィルターや並べ替えを設定できるようになります。テーブルを設定する場合は、P.143でスタイルと同時に設定する場合と、「挿入」タブから行うことができます。ここでは「挿入」タブから設定する方法を解説します。

「挿入」タブ→「テーブル」グループの「テーブル」をクリックし、「テーブルの作成」ダイアログボックスでテーブルにする範囲を設定して「OK」をクリックします。

↓

B4 列1

社員名簿

列1	列2	列3	列4	列5	列6	列7
社員No.	名前	住所		電話番号	部署	支社
		都道府県	市区町村			
1	広沢茜	東京都	江東区	090-0000	営業部	東京支社
2	久保田浩紀	埼玉県	さいたま市	080-1111	経理部	埼玉支社
3	本田正人	埼玉県	川口市	090-5555	営業部	東京支社
4	秋野寛子	東京都	江東区	070-2222	営業部	東京支社
5	山崎優斗	東京都	江戸川区	090-8888	営業部	千葉支社
6	上田紗枝	千葉県	習志野市	080-2222	経理部	千葉支社

テーブルが設定されます。

5章

エクセルで計算を行いましょう

5章 エクセルで計算を行いましょう

レッスンをはじめる前に

エクセルで四則計算が行えます

エクセルでは足し算や引き算などの四則計算を行うことができます。エクセルで行う計算はセル内で数値で計算をするのではなく、数式に値を入力したセルを指定して行います。たとえば、セルの数値と別のセルの数値を足した数を割り出すことができます。この場合、セルの数値を変更すると自動的に計算にも反映されます。

	A	B	C	D	E	F	G	H
1								
2		Yシャツ	セーター	デニム				
3	値段	¥2,900	¥3,800	¥3,500		合計	=B3+C3+D3	
4								
5								
6		クラス人数	欠席者数					
7	人数	45	3			出席者数		
8								
9								
10		値段	売れた数					
11	リンゴ	¥145	325			売上		
12								

セルを指定して四則計算を入力します。

↓

	A	B	C	D	E	F	G	H
1								
2		Yシャツ	セーター	デニム				
3	値段	¥2,900	¥3,800	¥3,500		合計	¥10,200	
4								
5								
6		クラス人数	欠席者数					
7	人数	45	3			出席者数		
8								
9								
10		値段	売れた数					
11	リンゴ	¥145	325			売上		
12								

セルに入力された数値を検知して、自動で計算結果を割り出します。

関数を利用した計算が行えます

エクセルには関数という便利な機能があります。関数を使うと、指定された複数のセルの合計の値や平均値を簡単に割り出すことなどができます。売上データの合計やテストの平均点を出すときに使うとよいでしょう。

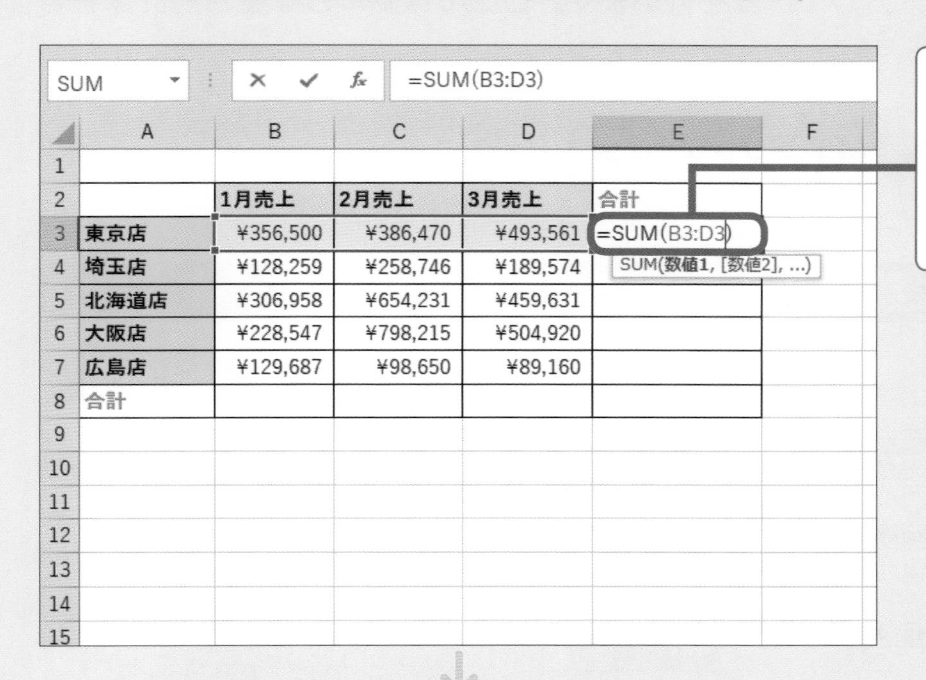

SUM ▾ | =SUM(B3:D3)

	A	B	C	D	E	F
1						
2		1月売上	2月売上	3月売上	合計	
3	東京店	¥356,500	¥386,470	¥493,561	=SUM(B3:D3)	
4	埼玉店	¥128,259	¥258,746	¥189,574	SUM(数値1, [数値2], ...)	
5	北海道店	¥306,958	¥654,231	¥459,631		
6	大阪店	¥228,547	¥798,215	¥504,920		
7	広島店	¥129,687	¥98,650	¥89,160		
8	合計					
9						
10						
11						
12						
13						
14						
15						

SUM関数では、指定した範囲のセルの合計数値を割り出します。

E4 ▾

	A	B	C	D	E	F
1						
2		1月売上	2月売上	3月売上	合計	
3	東京店	¥356,500	¥386,470	¥493,561	¥1,236,531	
4	埼玉店	¥128,259	¥258,746	¥189,574		
5	北海道店	¥306,958	¥654,231	¥459,631		
6	大阪店	¥228,547	¥798,215	¥504,920		
7	広島店	¥129,687	¥98,650	¥89,160		
8	合計					
9						
10						
11						
12						
13						
14						
15						

大きい金額を扱うデータなどで活用できます。

レッスン 27

数式を入力して計算を行いましょう

セルに数式を入力して計算を行います。ここでは基本となる四則計算を学んでいきましょう。

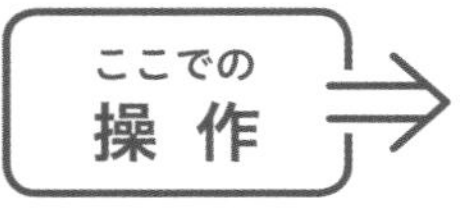

クリック →P.14

入力 →P.16

1 セルに数式を入力する

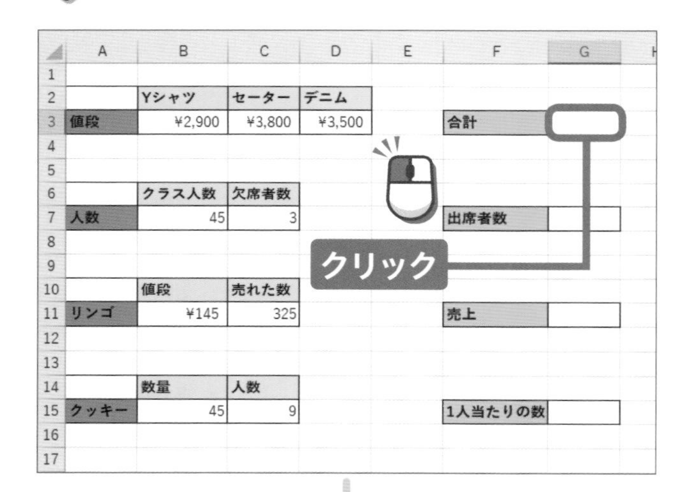

ここではセル「G3」に、「B3」と「C3」と「D3」のデータを足し算した数値が反映されるように数式を入力します。

数式を入力するセル（ここでは「G3」）を クリックして、選択します。

セーター
デニム
¥3,800
¥3,500
合計
=
欠席者数
3
出席者数
入力
売れた数
325
売上

キーボードから「=」を 入力します。

アドバイス

最初に「=」を入力しないと数式として認識されないので、絶対に入力てください。

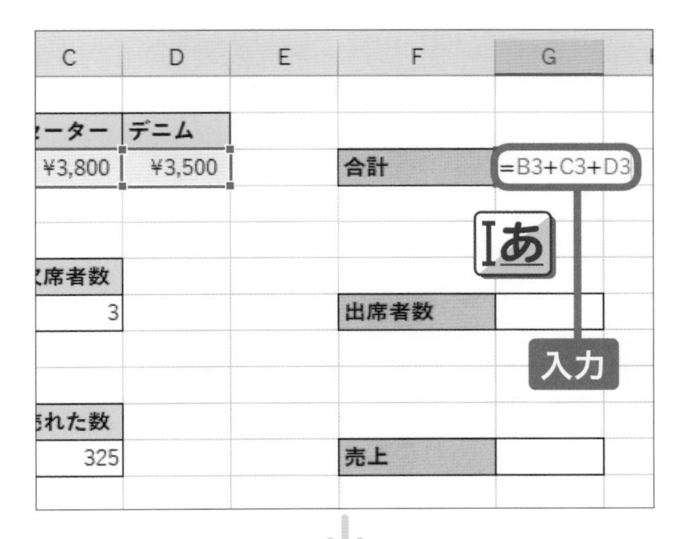

続けてキーボードから「B3+C3+D3」を入力します。

●アドバイス●

数式は半角で入力します。全角では数式として認識されないので注意しましょう。

	A	B	C	D	E	F	G
1							
2		Yシャツ	セーター	デニム			
3	値段	¥2,900	¥3,800	¥3,500		合計	=B3+C3+D3
4							
5							
6		クラス人数	欠席者数				
7	人数	45	3			出席者数	
8							
9							
10		値段	売れた数				
11	リンゴ	¥145	325			売上	
12							
13							
14		数量	人数				
15	クッキー	45	9			1人当たりの数	
16							
17							
18							

Enter

数式の入力が完了したら、キーボードのEnterを押して確定させます。

●アドバイス●

数式に入力したセルはそれぞれ色分けされた状態になっています。

	A	B	C	D	E	F	G
1							
2		Yシャツ	セーター	デニム			
3	値段	¥2,900	¥3,800	¥3,500		合計	¥10,200
4							
5							
6		クラス人数	欠席者数				
7	人数	45	3			出席者数	
8							
9							
10		値段	売れた数				
11	リンゴ	¥145	325			売上	
12							
13							
14		数量	人数				
15	クッキー	45	9			1人当たりの数	
16							
17							
18							

数式が反映され、セル「B3」と「C3」と「D3」のデータを足した数値が表示されます。

次のページへ ➡

2 数式の種類

足し算

C	D	E	F	G
ーター	デニム			
¥3,800	¥3,500		合計	=B3+C3+D3
席者数				

数式の足し算では、「+」(プラス) を使って計算を行います。合計金額を出すときなどに使うとよいでしょう。なお、「+」は全角でも半角でも認識をしてくれます。

	A	B	C	D	E	F	G
1							
2		Yシャツ	セーター	デニム			
3	値段	¥2,900	¥3,800	¥3,500		合計	¥10,200
4							
5							
6		クラス人数	欠席者数				
7	人数	45	3			出席者数	
8							
9							
10		値段	売れた数				

引き算

数式の引き算では、「−」(マイナス) を使って計算を行います。残りの数を計算するときなどに使うとよいでしょう。なお、「−」は全角でも半角でも認識をしてくれます。

	A	B	C	D	E	F	G
1							
2		Yシャツ	セーター	デニム			
3	値段	¥2,900	¥3,800	¥3,500		合計	¥10,200
4							
5							
6		クラス人数	欠席者数				
7	人数	45	3			出席者数	42
8							
9							
10		値段	売れた数				
11	リンゴ	¥145	325			売上	

掛け算

数式の掛け算では、「*」(アスタリスク)を使って計算を行います。金額と売れた個数から金額を出すときなどに使うとよいでしょう。なお、「*」は全角でも半角でも認識をしてくれます。

	A	B	C	D	E	F
5						
6		クラス人数	欠席者数			
7	人数	45	3		出席者数	42
8						
9						
10		値段	売れた数			
11	リンゴ	¥145	325		売上	¥47,125
12						
13						
14		数量	人数			
15	クッキー	45	9		1人当たりの数	
16						
17						

割り算

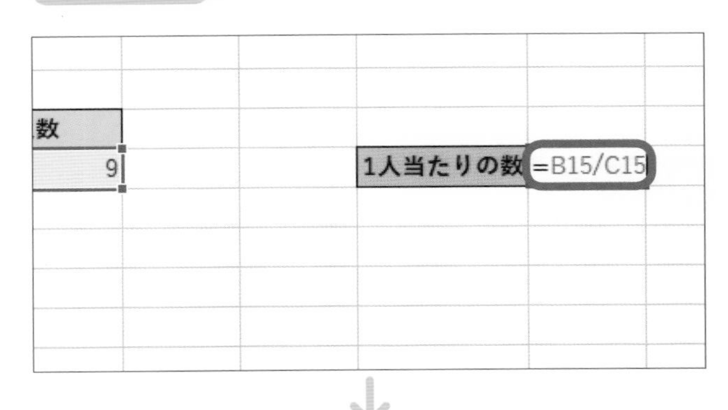

数式の割り算では、「/」(スラッシュ)を使って計算を行います。1人当たりの数を計算するときなどに使うとよいでしょう。なお、「/」は全角でも半角でも認識をしてくれます。

	A	B	C	D	E	F
9						
10		値段	売れた数			
11	リンゴ	¥145	325		売上	¥47,125
12						
13						
14		数量	人数			
15	クッキー	45	9		1人当たりの数	5
16						
17						
18						
19						
20						

終わり

レッスン 28 数値の合計を計算しましょう

エクセルでは関数という、表に入力した数値の合計などを簡単に割り出せる機能があります。ここでは合計を行うSUM関数を学びましょう。

クリック →P.14

入力 →P.16

1 SUM関数を入力する

	A	B	C	D	E
1					
2		1月売上	2月売上	3月売上	合計
3	東京店	¥356,500	¥386,470	¥493,561	
4	埼玉店	¥128,259	¥258,746	¥189,574	
5	北海道店	¥306,958	¥654,231	¥459,631	
6	大阪店	¥228,547	¥798,215	¥504,920	
7	広島店	¥129,687	¥98,650	¥89,160	
8	合計				

SUM関数を使って、東京店の1月から3月までの売上の合計を割り出します。

関数を入力するセル（ここでは「E3」）をクリックして、選択します。

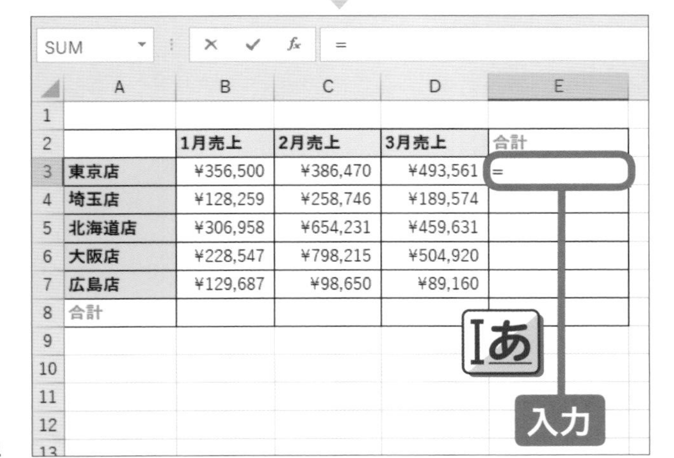

	A	B	C	D	E
1					
2		1月売上	2月売上	3月売上	合計
3	東京店	¥356,500	¥386,470	¥493,561	=
4	埼玉店	¥128,259	¥258,746	¥189,574	
5	北海道店	¥306,958	¥654,231	¥459,631	
6	大阪店	¥228,547	¥798,215	¥504,920	
7	広島店	¥129,687	¥98,650	¥89,160	
8	合計				

最初に「＝」を入力します。

●アドバイス●

数式と同様に、最初に「＝」を入力しないと関数として認識されないので、絶対に入力してください。

SUM　=SUM()

	A	B	C	D	E
1					
2		1月売上	2月売上	3月売上	合計
3	東京店	¥356,500	¥386,470	¥493,561	=SUM()
4	埼玉店	¥128,259	¥258,746	¥189,574	
5	北海道店	¥306,958	¥654,231	¥459,631	
6	大阪店	¥228,547	¥798,215	¥504,920	
7	広島店	¥129,687	¥98,650	¥89,160	
8	合計				

入力

「=」の後ろに「SUM ()」を Iあ 入力します。

●アドバイス●

関数は「()」を入力しないと認識されないので注意しましょう。

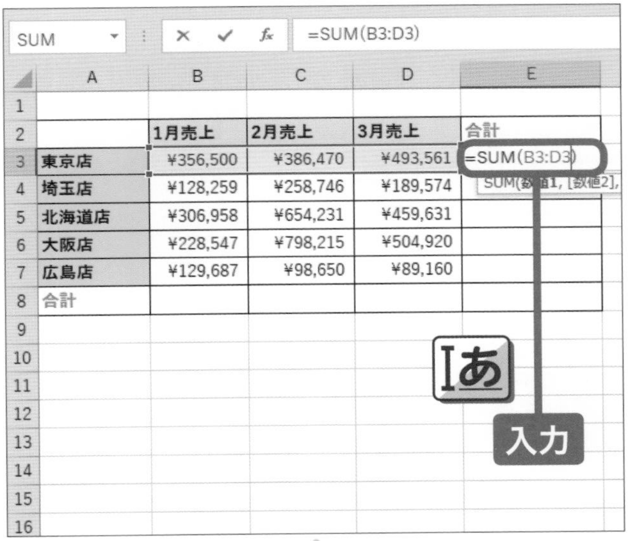

SUM　=SUM(B3:D3)

	A	B	C	D	E
1					
2		1月売上	2月売上	3月売上	合計
3	東京店	¥356,500	¥386,470	¥493,561	=SUM(B3:D3)
4	埼玉店	¥128,259	¥258,746	¥189,574	
5	北海道店	¥306,958	¥654,231	¥459,631	
6	大阪店	¥228,547	¥798,215	¥504,920	
7	広島店	¥129,687	¥98,650	¥89,160	
8	合計				

入力

「()」の中に合計を出したいセルの範囲（ここでは「B3」から「D3」）を Iあ 入力します。

●アドバイス●

「○から○」の「から」は「：」で表します。そのため、ここでは「B3：D3」と入力しています。

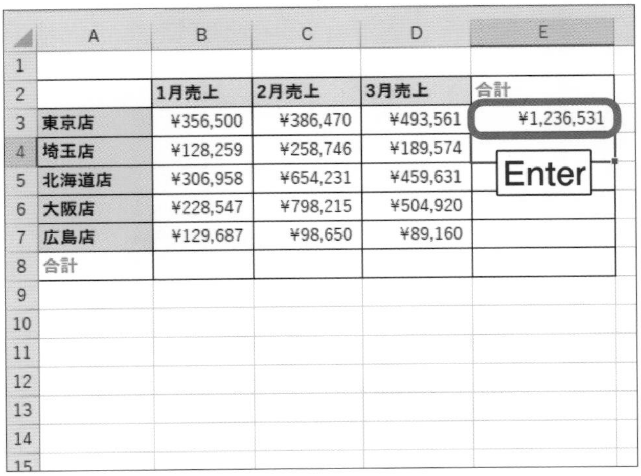

	A	B	C	D	E
1					
2		1月売上	2月売上	3月売上	合計
3	東京店	¥356,500	¥386,470	¥493,561	¥1,236,531
4	埼玉店	¥128,259	¥258,746	¥189,574	
5	北海道店	¥306,958	¥654,231	¥459,631	
6	大阪店	¥228,547	¥798,215	¥504,920	
7	広島店	¥129,687	¥98,650	¥89,160	
8	合計				

Enter

関数の入力が完了したら、キーボードの Enter を押して確定させます。

関数が反映され、セル「B3」から「D3」の合計の数値が表示されます。

次のページへ ➡

2 SUM関数を自動で入力する

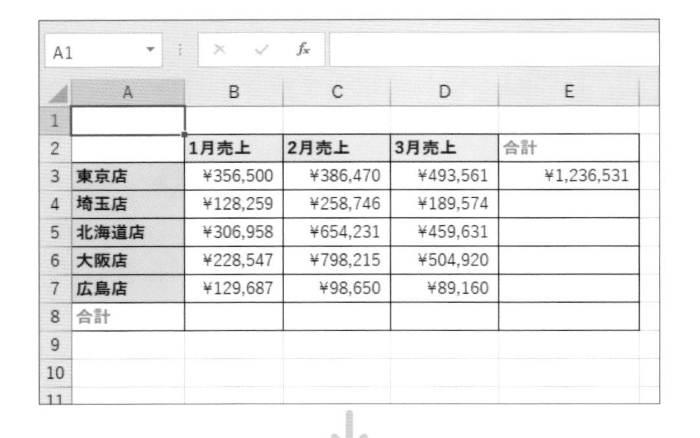

SUM関数は手入力するほかにも、自動で入力してくれる機能があります。埼玉店の1月から3月までの売上の合計を自動で割り出します。

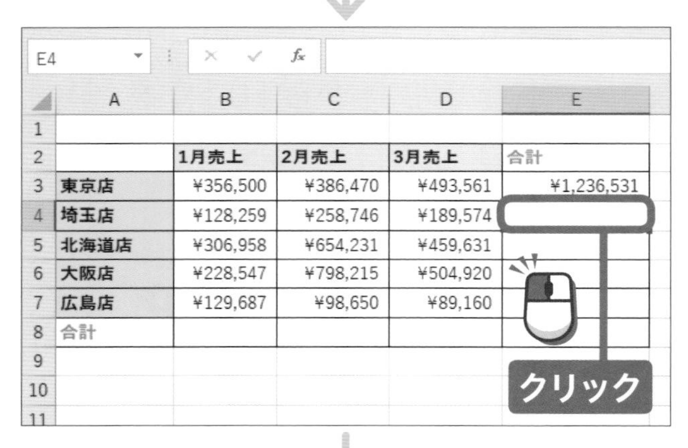

関数を入力するセル(ここでは「E4」)をクリックして、選択します。

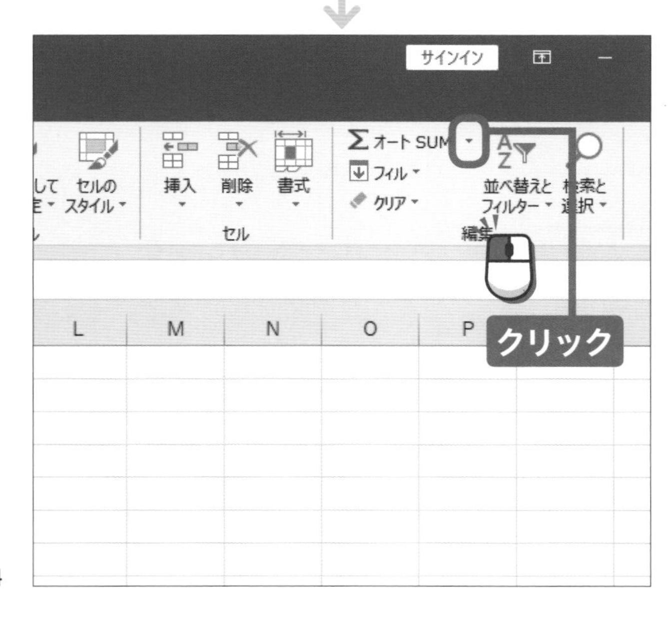

「ホーム」タブの「編集」グループのΣオート SUMの右にある▼をクリックします。

アドバイス

Σオート SUMをクリックすることでも自動で合計を出せますが、ここでは▼をクリックしています。

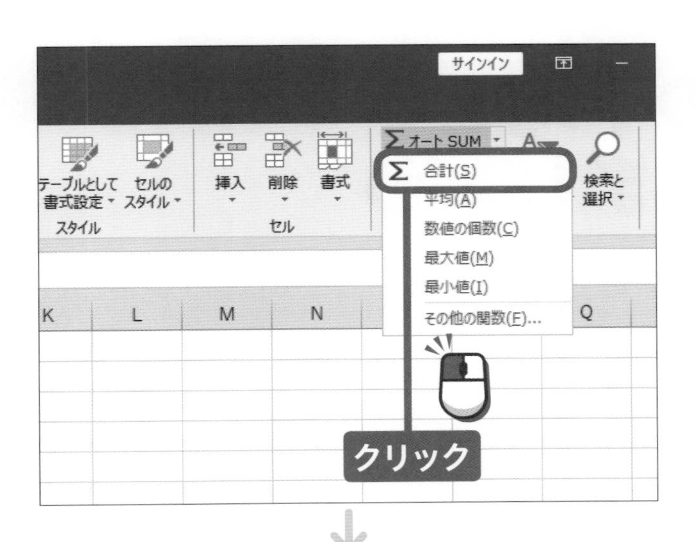

Σ 合計(S) を クリックします。

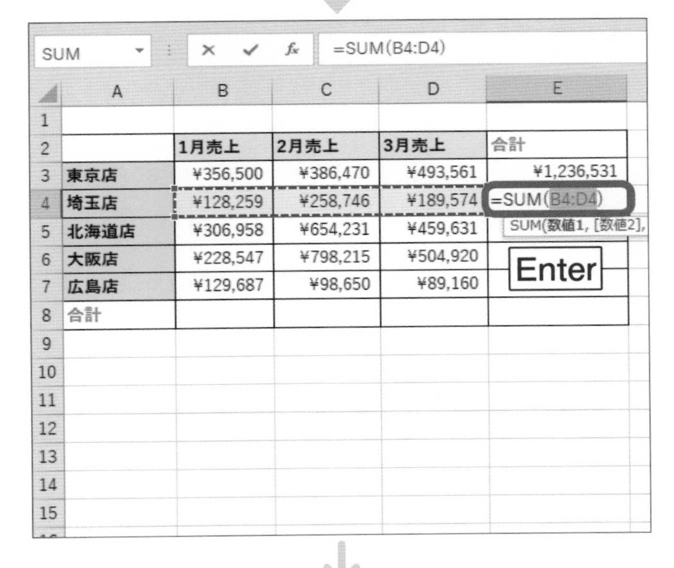

	A	B	C	D	E
1					
2		1月売上	2月売上	3月売上	合計
3	東京店	¥356,500	¥386,470	¥493,561	¥1,236,531
4	埼玉店	¥128,259	¥258,746	¥189,574	=SUM(B4:D4)
5	北海道店	¥306,958	¥654,231	¥459,631	
6	大阪店	¥228,547	¥798,215	¥504,920	
7	広島店	¥129,687	¥98,650	¥89,160	
8	合計				

SUM関数が入力されます。

合計を出す範囲を確認して、問題がないようであればキーボードのEnterを押して確定させます。

アドバイス

合計を出す範囲が異なっている場合は、セル範囲を入力し直してから、Enterを押します。

E5

	A	B	C	D	E
1					
2		1月売上	2月売上	3月売上	合計
3	東京店	¥356,500	¥386,470	¥493,561	¥1,236,531
4	埼玉店	¥128,259	¥258,746	¥189,574	¥576,579
5	北海道店	¥306,958	¥654,231	¥459,631	
6	大阪店	¥228,547	¥798,215	¥504,920	
7	広島店	¥129,687	¥98,650	¥89,160	
8	合計				

関数が反映され、セル「B4」から「D4」合計の数値が表示されます。

終わり

レッスン29 数値の平均を計算しましょう

次に関数を使って数値の平均を求めてみましょう。ここでは、テストの点数の平均を割り出してみます。

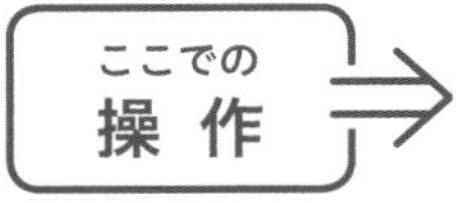

クリック
→P.14

1 AVERAGE関数を自動で入力する

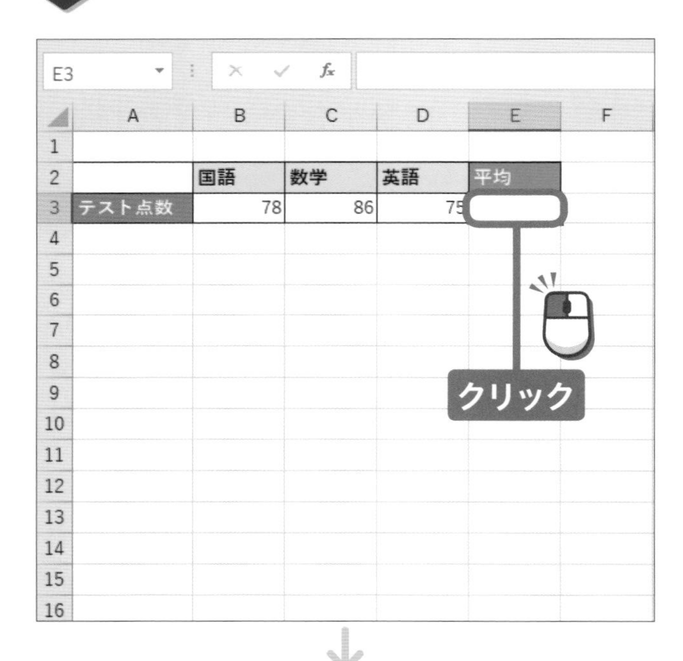

平均を入力するAVERAGE関数を自動で入力する方法で、平均を割り出します。

関数を入力するセル（ここでは「E3」）をクリックして、選択します。

アドバイス

平均はP.148を参考に数式を使って求めることもできます。

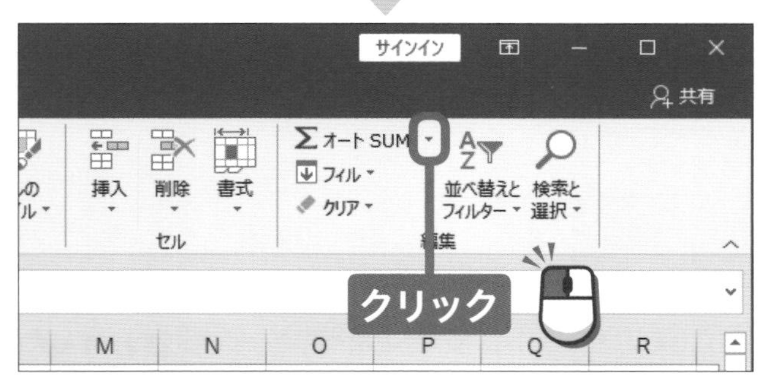

「ホーム」タブの「編集」グループの Σ オート SUM の右にある ▼ をクリックします。

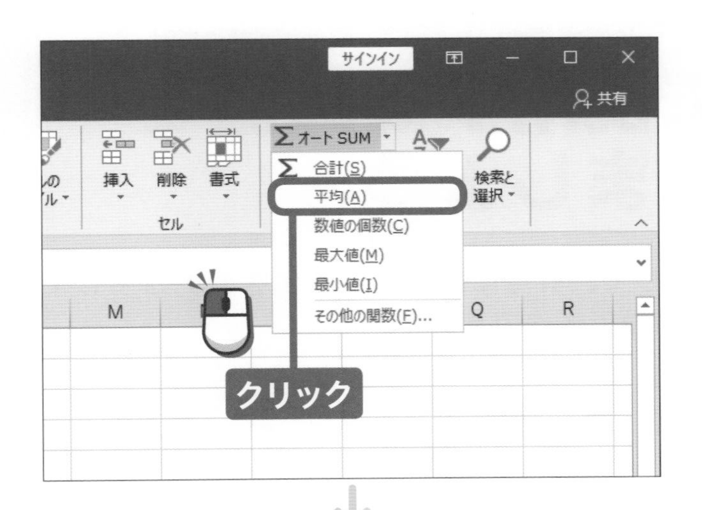

平均(A)を
クリックします。

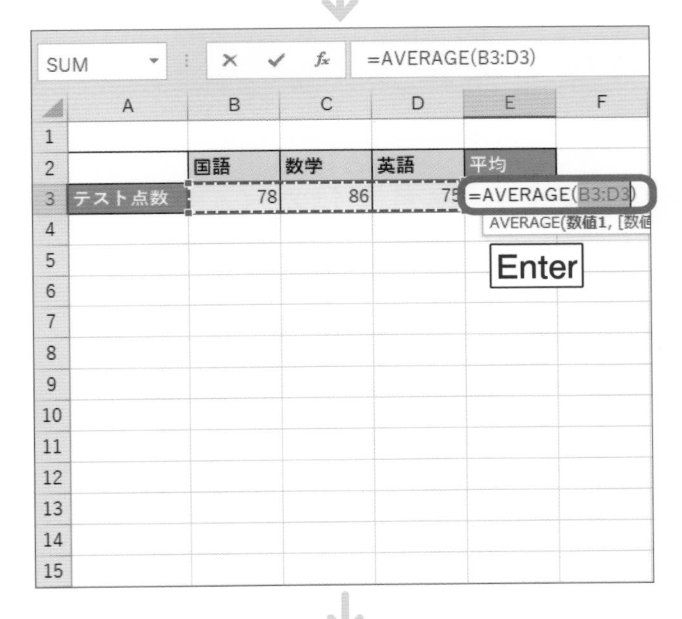

AVERAGE関数が入力されます。

平均を出す範囲を
確認して、
問題がないようであれば
キーボードのEnterを
押して確定させます。

アドバイス

平均を出す範囲が異なっている場合は、セル範囲を入力し直してから、Enterを押します。

	A	B	C	D	E	F
1						
2		国語	数学	英語	平均	
3	テスト点数	78	86	75	79.66667	
4						

関数が反映され、セル「B3」から「D3」の平均の数値が表示されます。

終わり

レッスン 30 計算に使用する数値を変更しましょう

関数に指定したセル範囲を変更して、計算に使用する数値を変更しましょう。範囲は入力かドラッグの2種類で操作できます。

ダブルクリック →P.14

→P.15

入力 →P.16

1 関数の範囲を入力して変更する

	A	B	C	D	E
1					
2		1月売上	2月売上	3月売上	合計
3	東京店	¥356,500	¥386,470	¥493,561	¥1,236,531
4	埼玉店	¥128,259	¥258,746	¥189,574	¥576,579
5	北海道店	¥306,958	¥654,231	¥459,631	
6	大阪店	¥228,547	¥798,215	¥504,920	
7	広島店	¥129,687	¥98,650	¥89,160	
8	合計				

埼玉店の合計を、1月から3月ではなく、2月から3月までに変更します。

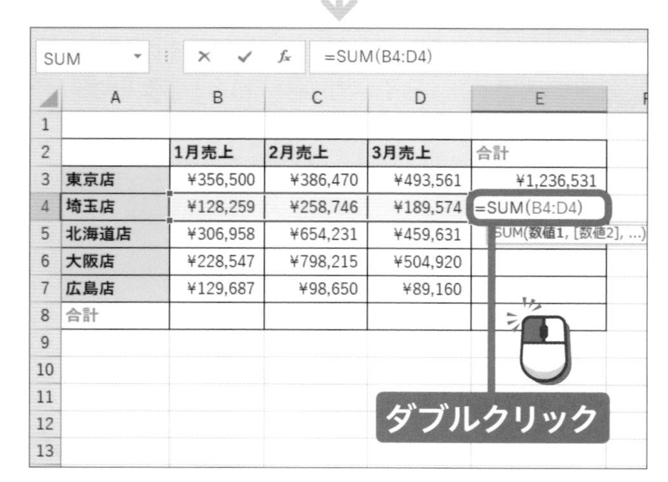

	A	B	C	D	E
1					
2		1月売上	2月売上	3月売上	合計
3	東京店	¥356,500	¥386,470	¥493,561	¥1,236,531
4	埼玉店	¥128,259	¥258,746	¥189,574	=SUM(B4:D4)
5	北海道店	¥306,958	¥654,231	¥459,631	
6	大阪店	¥228,547	¥798,215	¥504,920	
7	広島店	¥129,687	¥98,650	¥89,160	
8	合計				

関数を変更したいセル（ここでは「E4」）をダブルクリックします。

セルのデータが編集できる状態になります。

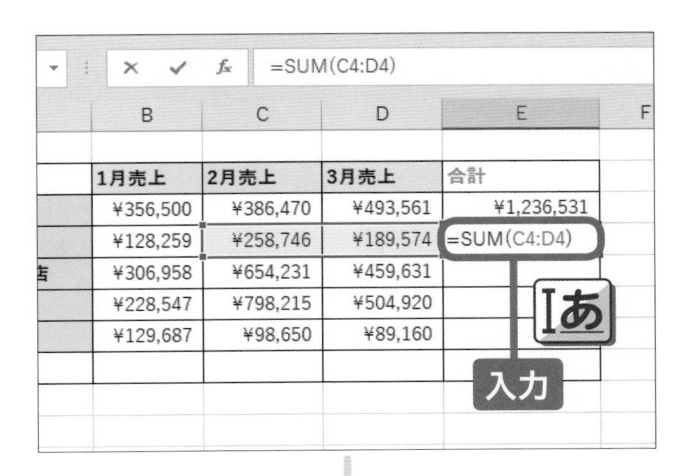

セルの範囲を
入力し直します。
ここでは「C4：D4」に
変更しています。

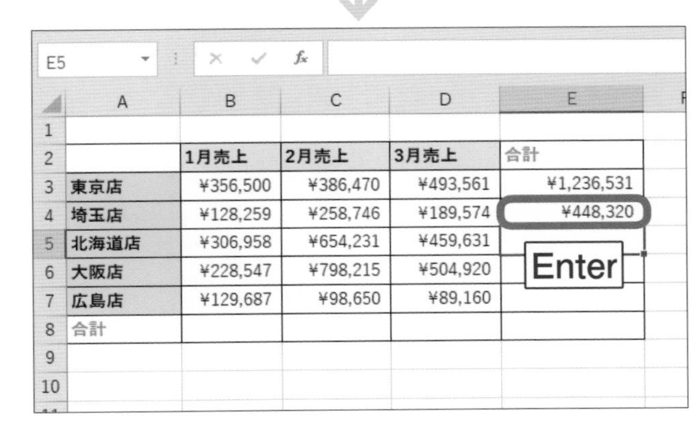

関数の入力が
完了したら、
キーボードのEnterを
押して確定させます。

変更が確定して、埼玉店の合計が2月から3月までに変更されます。

ヒント 最大値と最小値を割り出す

関数を使えば、表内の数値の最大値または最小値を割り出して表示させることもできます。最大値を割り出すときは「MAX関数」を、最小値を割り出すときは「MIN関数」を使います。

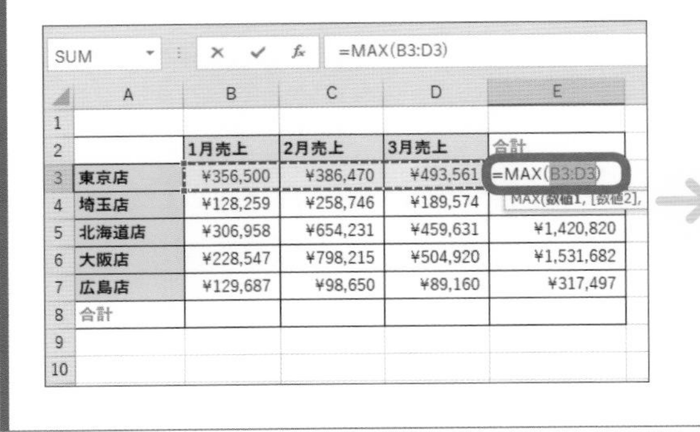

	A	B	C	D	E
1					
2		1月売上	2月売上	3月売上	合計
3	東京店	¥356,500	¥386,470	¥493,561	¥493,561
4	埼玉店	¥128,259	¥258,746	¥189,574	¥576,579
5	北海道店	¥306,958	¥654,231	¥459,631	¥1,420,820
6	大阪店	¥228,547	¥798,215	¥504,920	¥1,531,682
7	広島店	¥129,687	¥98,650	¥89,160	¥317,497
8	合計				

次のページへ

2 関数の範囲をドラッグで変更する

ドラッグ操作で範囲を変更します。ここではセル「E3」の合計を東京店と埼玉店の1月から3月の売上の合計に変更します。

	A	B	C	D	E
1					
2		1月売上	2月売上	3月売上	合計
3	東京店	¥356,500	¥386,470	¥493,561	¥1,236,531
4	埼玉店	¥128,259	¥258,746	¥189,574	¥448,320
5	北海道店	¥306,958	¥654,231	¥459,631	
6	大阪店	¥228,547	¥798,215	¥504,920	
7	広島店	¥129,687	¥98,650	¥89,160	
8	合計				

関数を変更したいセル（ここでは「E3」）を ダブルクリック します。

セルのデータが編集できる状態になります。

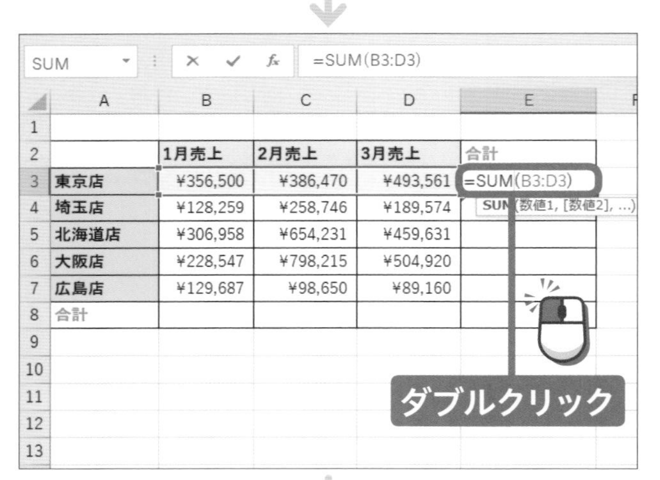

=SUM(B3:D3)

	A	B	C	D	E
1					
2		1月売上	2月売上	3月売上	合計
3	東京店	¥356,500	¥386,470	¥493,561	=SUM(B3:D3)
4	埼玉店	¥128,259	¥258,746	¥189,574	
5	北海道店	¥306,958	¥654,231	¥459,631	
6	大阪店	¥228,547	¥798,215	¥504,920	
7	広島店	¥129,687	¥98,650	¥89,160	
8	合計				

関数の範囲に選択されているセルの四隅の■を ドラッグして、範囲を変更します。

B	C	D	E
1月売上	2月売上	3月売上	合計
¥356,500	¥386,470	¥493,561	=SUM(B3:D4)
¥128,259	¥258,746	¥189,574	
¥306,958	¥654,231	¥459,631	
¥228,547	¥798,215	¥504,920	
¥129,687	¥98,650	¥89,160	

SUM(数値1, [数値2], ...)

ドラッグ

SUM　=SUM(B3:D4)

	A	B	C	D	E
1					
2		1月売上	2月売上	3月売上	合計
3	東京店	¥356,500	¥386,470	¥493,561	=SUM(B3:D4)
4	埼玉店	¥128,259	¥258,746	¥189,574	SUM(数値1, [数値2], ...)
5	北海道店	¥306,958	¥654,231	¥459,631	
6	大阪店	¥228,547	¥798,215	¥504,920	
7	広島店	¥129,687	¥98,650	¥89,160	
8	合計				

Enter

関数の範囲を
確認したら、
キーボードのEnterを
押して確定させます。

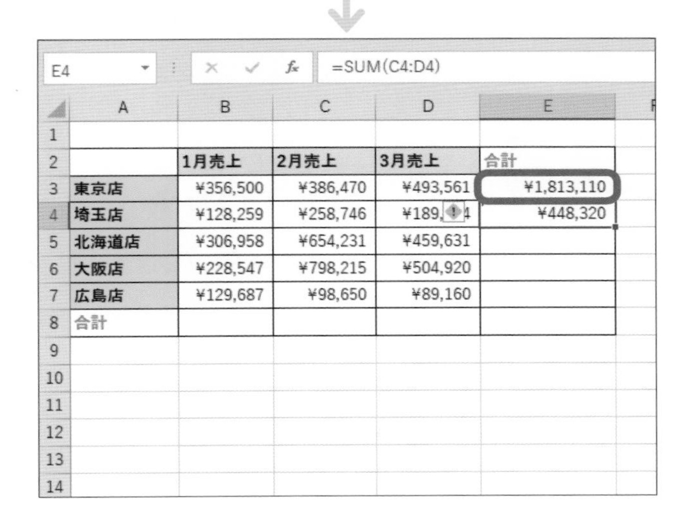
E4　=SUM(C4:D4)

	A	B	C	D	E
1					
2		1月売上	2月売上	3月売上	合計
3	東京店	¥356,500	¥386,470	¥493,561	¥1,813,110
4	埼玉店	¥128,259	¥258,746	¥189,574	¥448,320
5	北海道店	¥306,958	¥654,231	¥459,631	
6	大阪店	¥228,547	¥798,215	¥504,920	
7	広島店	¥129,687	¥98,650	¥89,160	
8	合計				

変更が確定して、東京店と埼玉店の1月から3月まで合計に変更されます。

ヒント 平均の関数でも範囲を変更できる

合計以外にも、P.156の平均のAVERAGE関数でも関数の範囲を変更できます。操作はP.158の入力の方法と、P.160のドラッグの方法、どちらでも可能です。

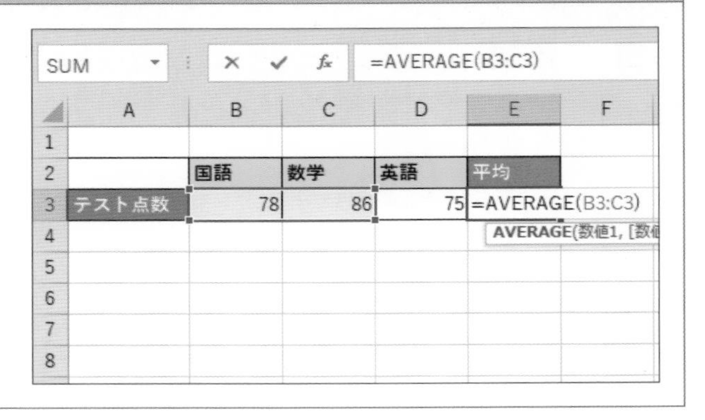
SUM　=AVERAGE(B3:C3)

	A	B	C	D	E	F
1						
2		国語	数学	英語	平均	
3	テスト点数	78	86	75	=AVERAGE(B3:C3)	
4					AVERAGE(数値1, [数値	

終わり

レッスン 31 数式をコピーして簡単に入力しましょう

数式をコピーして貼り付けを行うと、同じような計算を行いたいセルに簡単に数式を入力することができます。

クリック →P.14

1 数式をコピーする

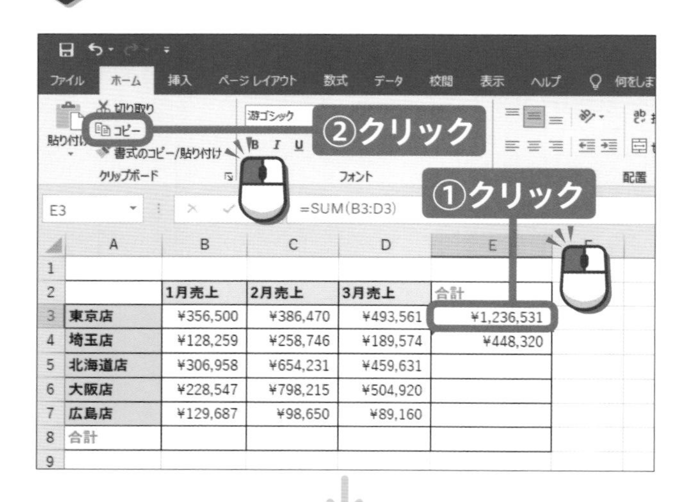

コピーしたいセル（ここでは「E3」）をクリックして、選択します。

「ホーム」タブの コピー をクリックします。

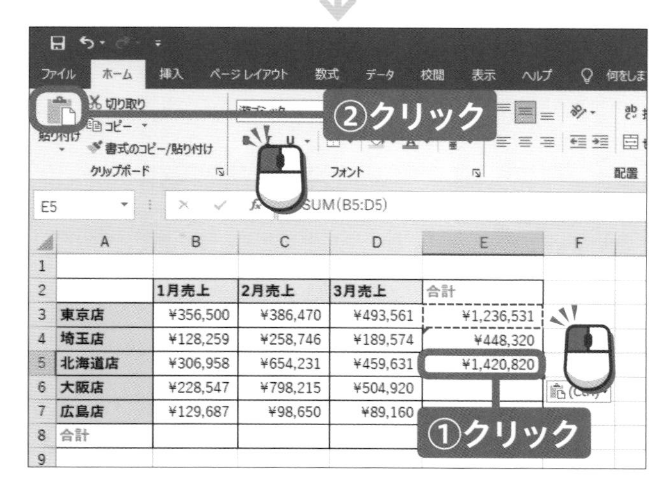

貼り付けたいセル（ここでは「E5」）をクリックして、選択します。

「ホーム」タブの をクリックします。

2 数式をオートフィルでコピーする

A1 | fx

	A	B	C	D	E
1					
2		1月売上	2月売上	3月売上	合計
3	東京店	¥356,500	¥386,470	¥493,561	¥1,236,531
4	埼玉店	¥128,259	¥258,746	¥189,574	¥448,320
5	北海道店	¥306,958	¥654,231	¥459,631	¥1,420,820
6	大阪店	¥228,547	¥798,215	¥504,920	
7	広島店	¥129,687	¥98,650	¥89,160	
8	合計				
9					
10					
11					
12					
13					

セル「E4」～「E7」に合計の関数をオートフィルで入力します。

アドバイス

オートフィルについては、P.99を参照してください。

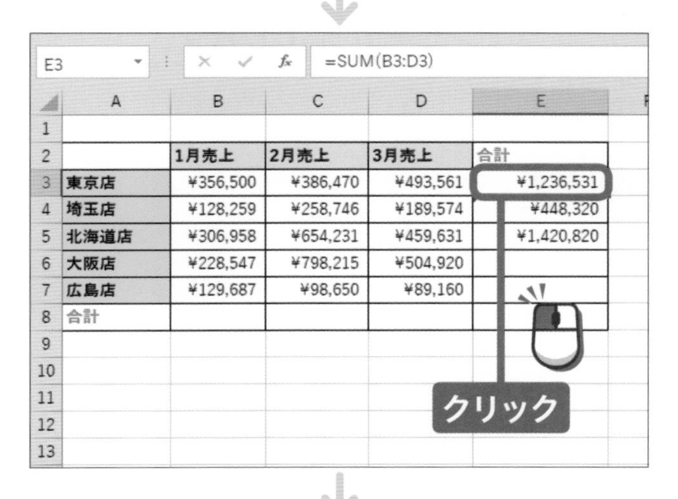
E3 | fx | =SUM(B3:D3)

	A	B	C	D	E
1					
2		1月売上	2月売上	3月売上	合計
3	東京店	¥356,500	¥386,470	¥493,561	¥1,236,531
4	埼玉店	¥128,259	¥258,746	¥189,574	¥448,320
5	北海道店	¥306,958	¥654,231	¥459,631	¥1,420,820
6	大阪店	¥228,547	¥798,215	¥504,920	
7	広島店	¥129,687	¥98,650	¥89,160	
8	合計				
9					
10					
11					
12					
13					

コピーしたいセル（ここでは「E3」）を **クリック**して、選択します。

E3 | fx | =SUM(B3:D3)

	A	B	C	D	E
1					
2		1月売上	2月売上	3月売上	合計
3	東京店	¥356,500	¥386,470	¥493,561	¥1,236,53
4	埼玉店	¥128,259	¥258,746	¥189,574	¥448,32
5	北海道店	¥306,958	¥654,231	¥459,631	¥1,420,820
6	大阪店	¥228,547	¥798,215	¥504,920	
7	広島店	¥129,687	¥98,650	¥89,160	
8	合計				
9					
10					
11					
12					
13					

選択したセルの右下の■にマウスポインターを重ね合わせます。

マウスポインターが十に変化します。

次のページへ ➡

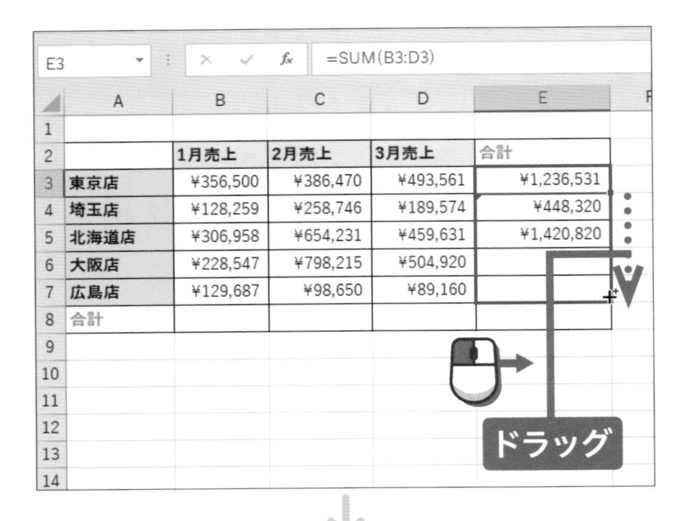

	A	B	C	D	E
1					
2		1月売上	2月売上	3月売上	合計
3	東京店	¥356,500	¥386,470	¥493,561	¥1,236,531
4	埼玉店	¥128,259	¥258,746	¥189,574	¥448,320
5	北海道店	¥306,958	¥654,231	¥459,631	¥1,420,820
6	大阪店	¥228,547	¥798,215	¥504,920	
7	広島店	¥129,687	¥98,650	¥89,160	
8	合計				

	A	B	C	D	E
1					
2		1月売上	2月売上	3月売上	合計
3	東京店	¥356,500	¥386,470	¥493,561	¥1,236,531
4	埼玉店	¥128,259	¥258,746	¥189,574	¥576,579
5	北海道店	¥306,958	¥654,231	¥459,631	¥1,420,820
6	大阪店	¥228,547	¥798,215	¥504,920	¥1,531,682
7	広島店	¥129,687	¥98,650	¥89,160	¥317,497
8	合計				

ドラッグが完了すると、オートフィルでの関数のコピーが完了します。

ヒント コピーしてもエラーになる場合

数式をコピーして貼り付けをしても、エラーになってしまう場合があります。たとえば横軸の合計を出しているセルの関数をコピーして、縦軸の合計を出すセルに貼り付けするとエラーになります。関数のコピーは隣り合うセルなど、似たような合計を割り出すときに使いましょう。

	A	B	C	D	
1					
2		1月売上	2月売上	3月売上	合計
3	東京店	¥356,500	¥386,470	¥493,561	
4	埼玉店	¥128,259	¥258,746	¥189,574	
5	北海道店	¥306,958	¥654,231	¥459,631	
6	大阪店	¥228,547	¥798,215	¥504,920	
7	広島店	¥129,687	¥98,650	¥89,160	
8	合計	#REF!			
9			(Ctrl)		
10					

終わり

6章

グラフの作り方を学びましょう

6章 グラフの作り方を学びましょう

レッスンをはじめる前に

グラフを作成します

エクセルでは、入力したデータに基づいたグラフを作成することができます。作成した表からデータを自動的に読み取り、最適なグラフを作成してくれるので、とても便利です。グラフにもさまざまな種類が用意されていますが、本書では縦棒グラフを中心に解説をしています。

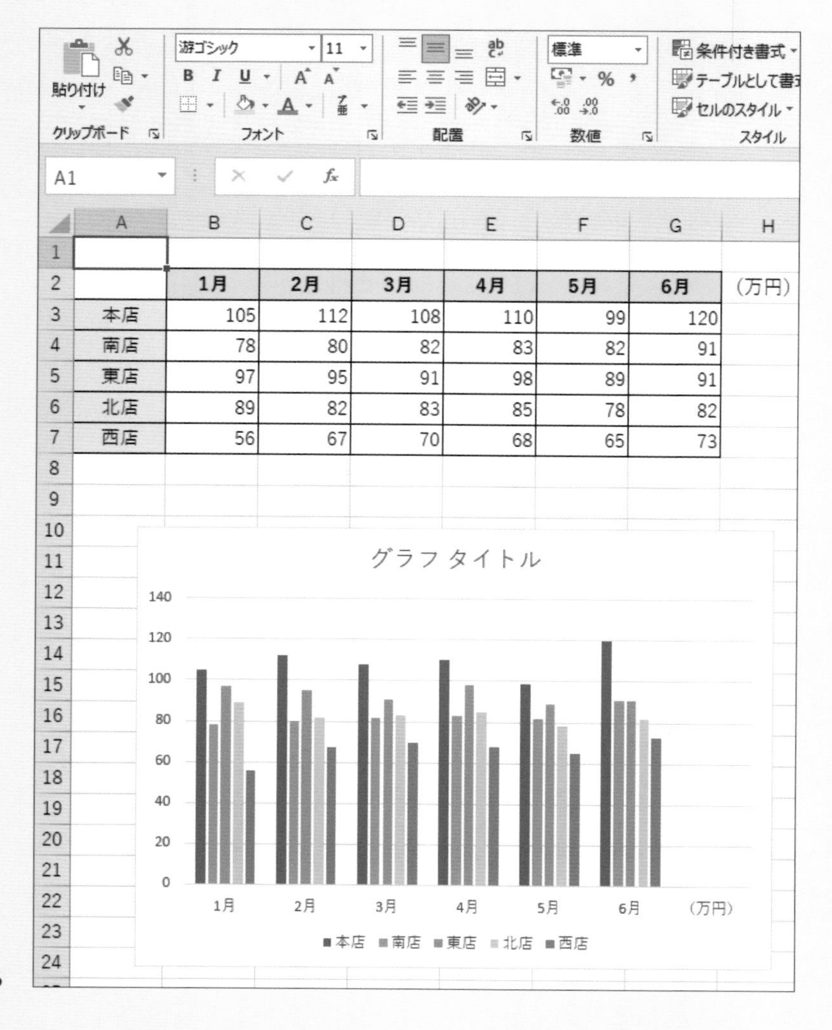

	1月	2月	3月	4月	5月	6月	(万円)
本店	105	112	108	110	99	120	
南店	78	80	82	83	82	91	
東店	97	95	91	98	89	91	
北店	89	82	83	85	78	82	
西店	56	67	70	68	65	73	

作成した表のデータを基に、きれいなグラフを作成することができます。

グラフを編集します

作成したグラフは、自由に編集することができます。グラフにタイトルを入力したり行と列を変更したり、グラフの種類を変更したりするなど、好きなグラフを完成させることができます。なお、グラフを作成した後に基となる表の数値を変えると、自動的にグラフにも反映されるようになっています。

グラフのスタイルの変更

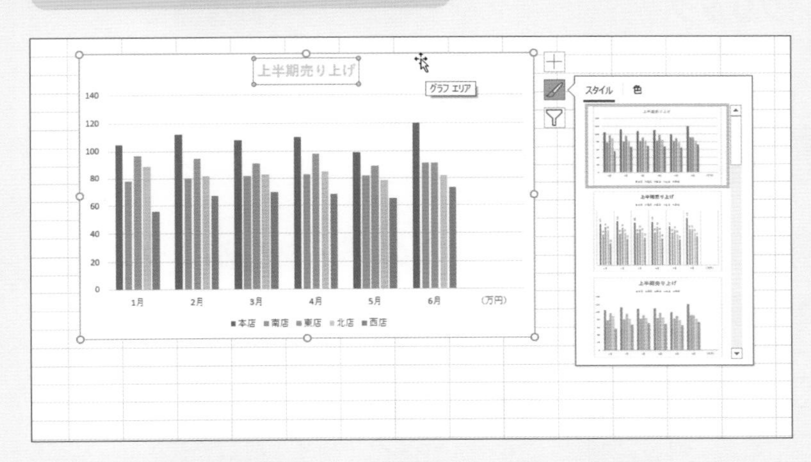

グラフのスタイルを変更すると、グラフの見た目や色を変えたりできます。

行と列の変更

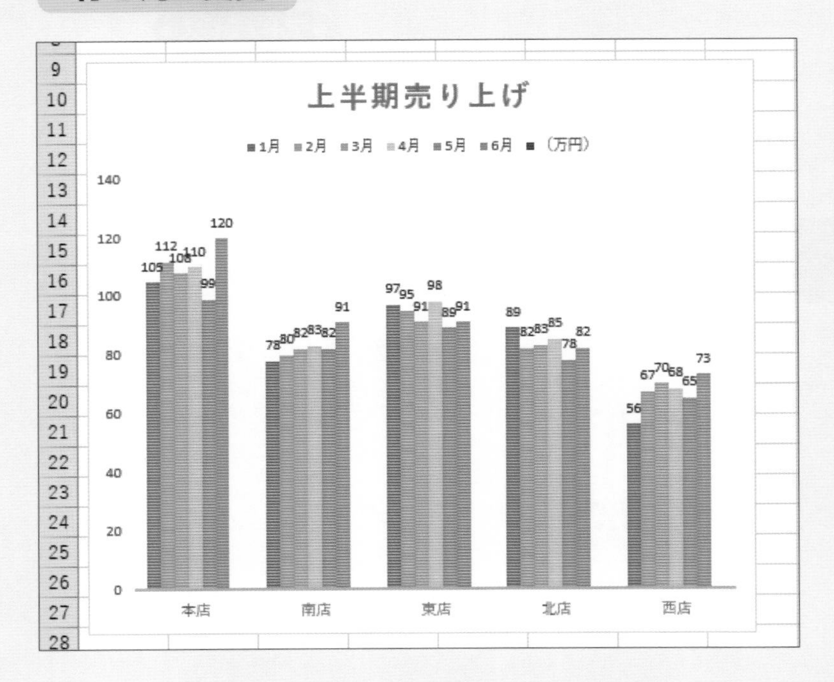

行と列の変更をすると、グラフの縦軸と横軸が変更されます。

レッスン 32 グラフを作成しましょう

エクセルではセルに入力したデータを基にして、グラフにすることができます。まずは、グラフの作成方法を確認しましょう。

クリック
→P.14

1 グラフを作成する

	A	B	C	D	E	F	G
1							
2		1月	2月	3月	4月	5月	6月
3	本店	105	112	108	110	99	120
4	南店	78	80	82	83	82	91
5	東店	97	95	91	98	89	91
6	北店	89	82	83	85	78	82
7	西店	56	67	70	68	65	73

クリック

表のデータを基にグラフを作成します。

表のいずれかのセルをクリックして選択します。

アドバイス

表全体を選択する必要はありません。

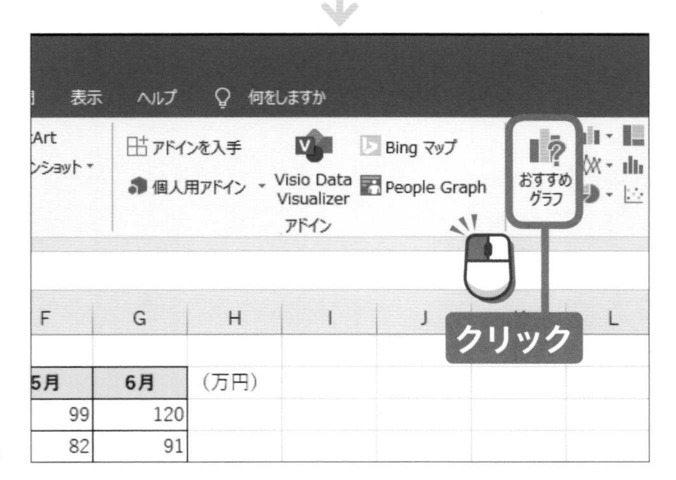

「挿入」タブの「グラフ」グループから おすすめグラフ をクリックします。

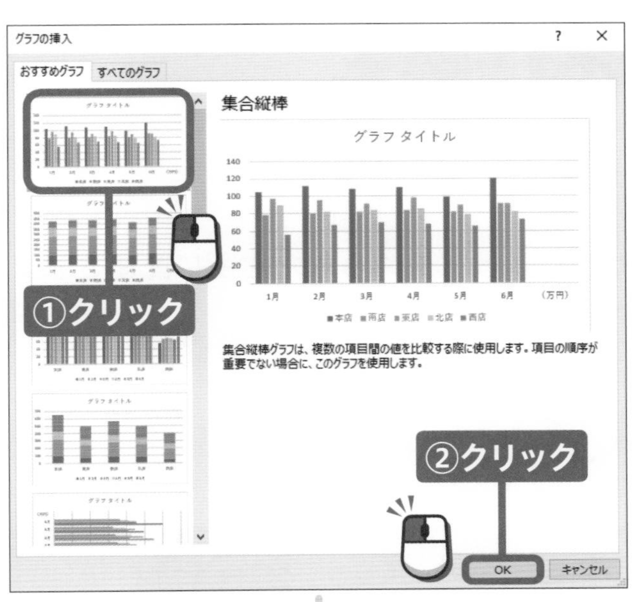

「グラフの挿入」ダイアログボックスが表示されます。

ここでは「集合縦棒」を

クリックします。

OK を

クリックします。

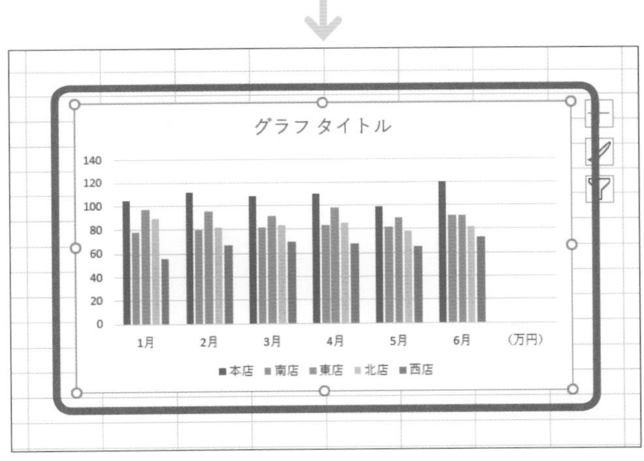

ワークシート上にグラフが挿入されます。

ヒント グラフ化するデータは表にする

グラフ化するデータは基本的には表で作成しましょう。表で作成して、横軸と縦軸、入力された数値からグラフを割り出します。

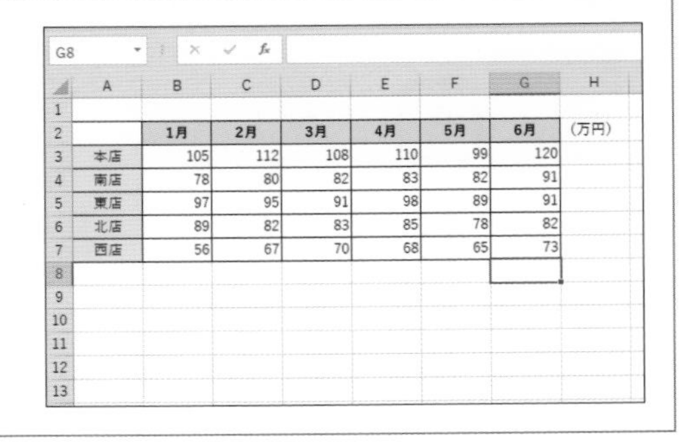

	1月	2月	3月	4月	5月	6月	(万円)
本店	105	112	108	110	99	120	
南店	78	80	82	83	82	91	
東店	97	95	91	98	89	91	
北店	89	82	83	85	78	82	
西店	56	67	70	68	65	73	

次のページへ

練習用ファイル ▸ 33_位置の調整.xlsx

レッスン 33 グラフの位置を調整しましょう

挿入したグラフは、最初はエクセルによって決められた場所に配置されます。見やすい位置に移動させてみましょう。

クリック
→P.14

ドラッグ
→P.15

1 グラフを移動させる

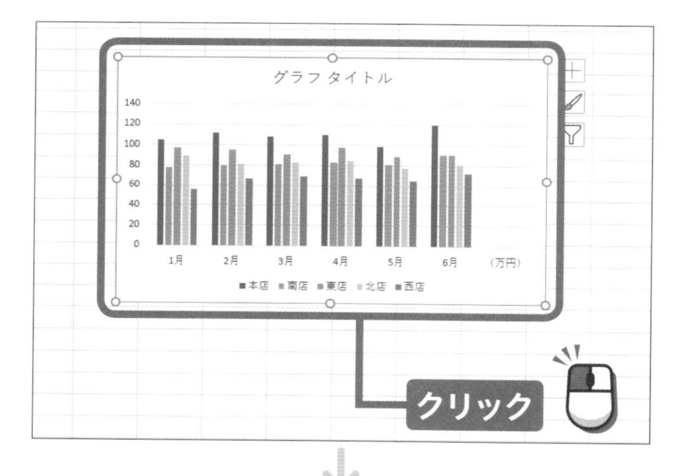

グラフを クリックして選択状態にします。

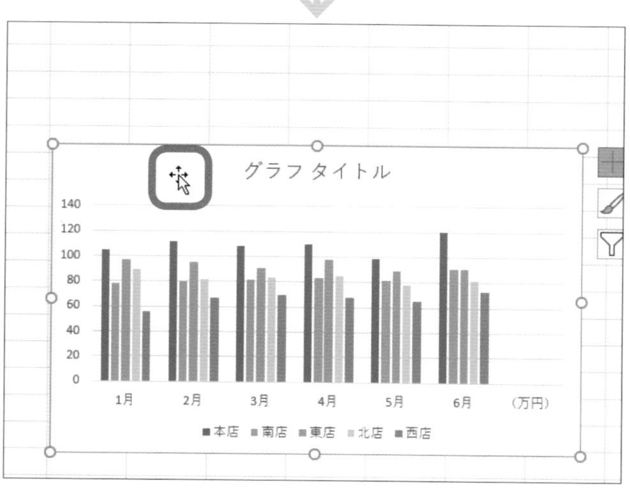

マウスポインターを になる部分までグラフ上を移動させます。

アドバイス

グラフはセルに入力したデータと同様に、コピーと貼り付けを行うことができます。

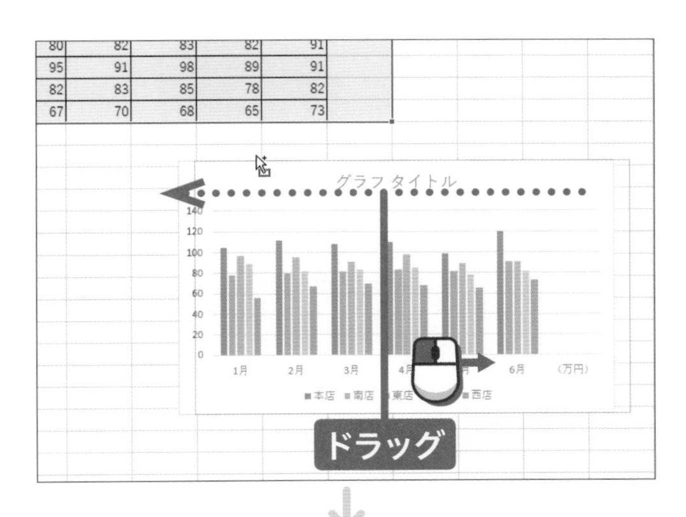

移動させたい位置まで **ドラッグ** します。

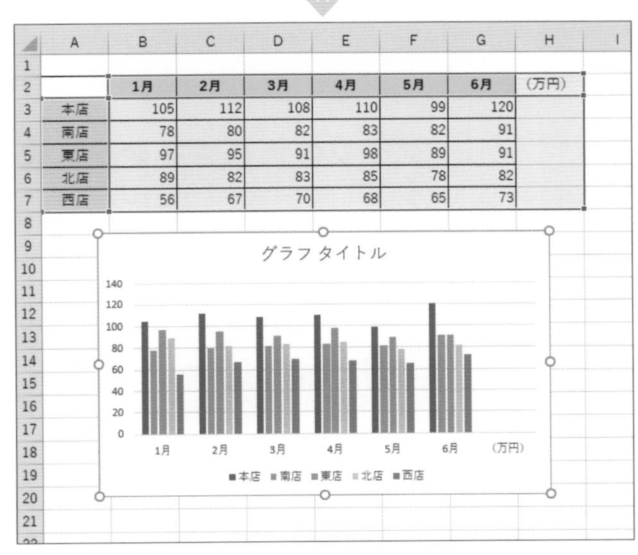

	1月	2月	3月	4月	5月	6月	(万円)
本店	105	112	108	110	99	120	
南店	78	80	82	83	82	91	
東店	97	95	91	98	89	91	
北店	89	82	83	85	78	82	
西店	56	67	70	68	65	73	

グラフの移動が完了します。

ヒント グラフを別のワークシートに移動させる

作成したグラフは別のワークシートに移動させることができます。グラフを右クリックして、「グラフを移動」をクリックし、移動させるワークシートを指定します。

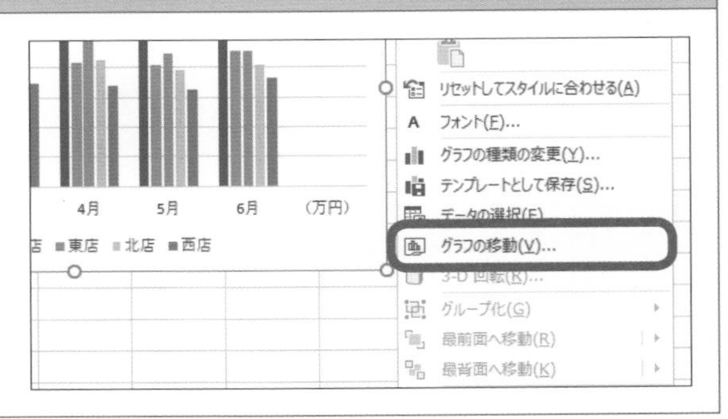

終わり

練習用ファイル ▶ 34_大きさの変更.xlsx

レッスン 34

グラフの大きさを変更しましょう

挿入したグラフの大きさを変更しましょう。今回はグラフをドラッグ操作で拡大してみます。

1 グラフの大きさを変更する

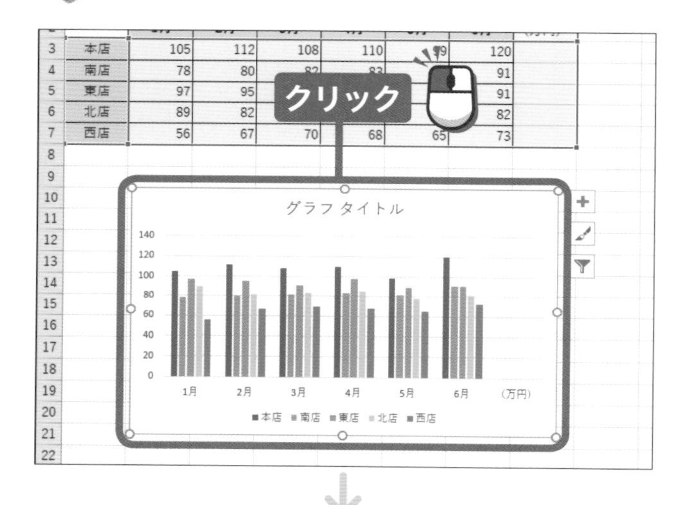

グラフの大きさを変更します。

グラフを クリックして選択状態にします。

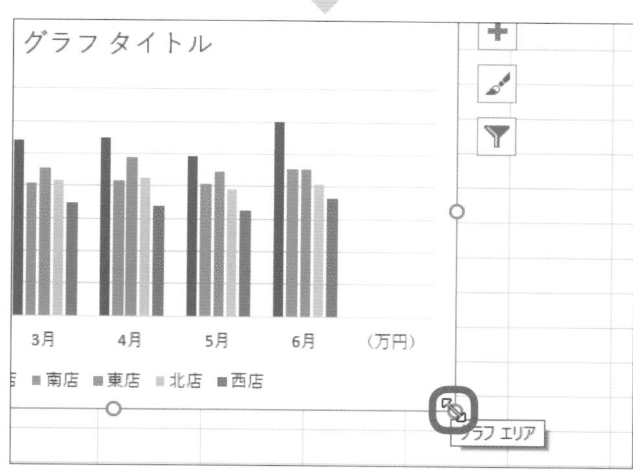

マウスポインターをグラフの上下左右の四隅の〇に移動させると、形が↘のように変わります。

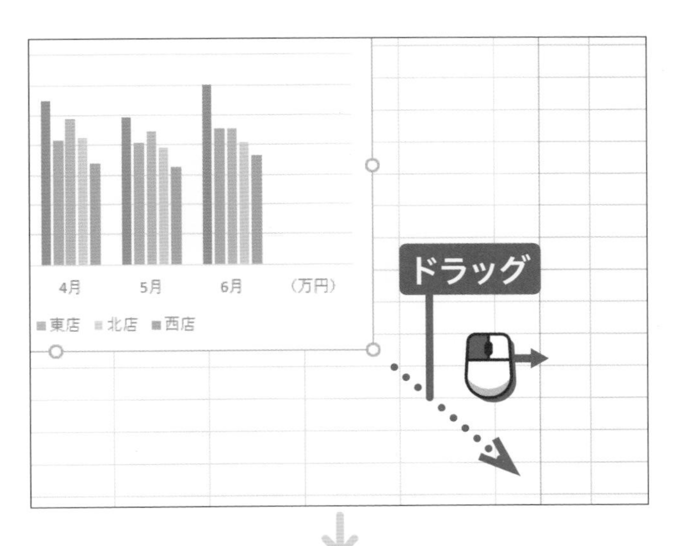

ちょうどよい
大きさになるまで
外側に向けて
ドラッグします。

●アドバイス●

キーボードのShiftを押しながらドラッグすると、縦横の比率を変えずにサイズ変更することができます。

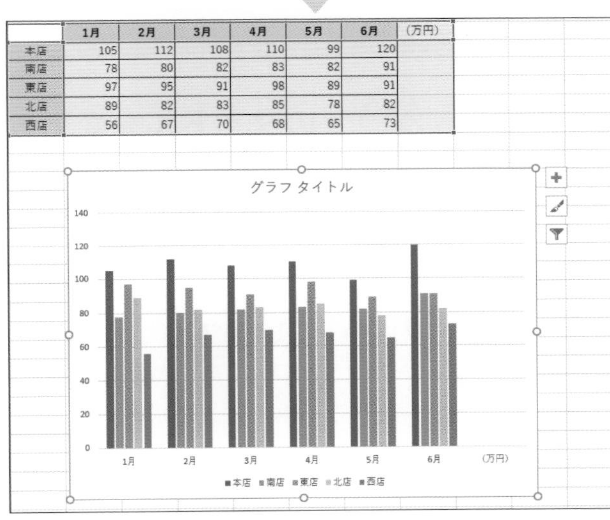

	1月	2月	3月	4月	5月	6月	（万円）
本店	105	112	108	110	99	120	
南店	78	80	82	83	82	91	
東店	97	95	91	98	89	91	
北店	89	82	83	85	78	82	
西店	56	67	70	68	65	73	

グラフの拡大が完了します。

●アドバイス●

内側に向けてドラッグすることで、グラフを縮小させることもできます。

ヒント 大きさを元に戻す

拡大・縮小したグラフの大きさを元に戻すのは、クイックアクセスツールバーのをクリックすることで行えます。また、やり直しの操作で行うこともできます。

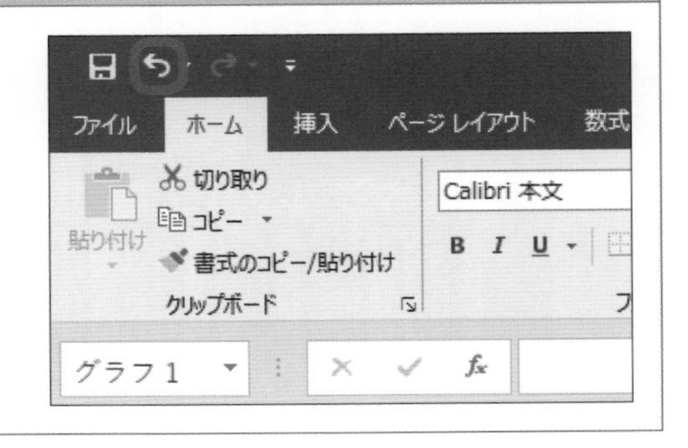

終わり

レッスン 35 グラフにタイトルを入力しましょう

グラフのタイトルを入力しましょう。入力した文字にはフォントなどの書式も設定できます。

クリック →P.14

ダブルクリック →P.14

入力 →P.16

1 グラフにタイトルを入力する

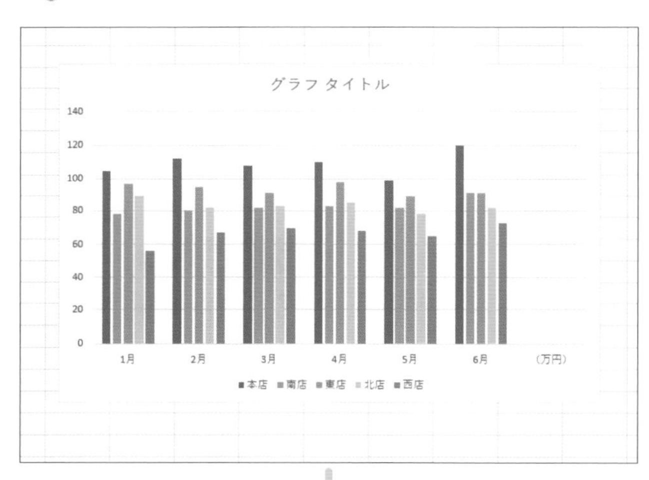

グラフのタイトルを変更します。
グラフを挿入した段階で、グラフ内には「グラフタイトル」というタイトルが入力されています。

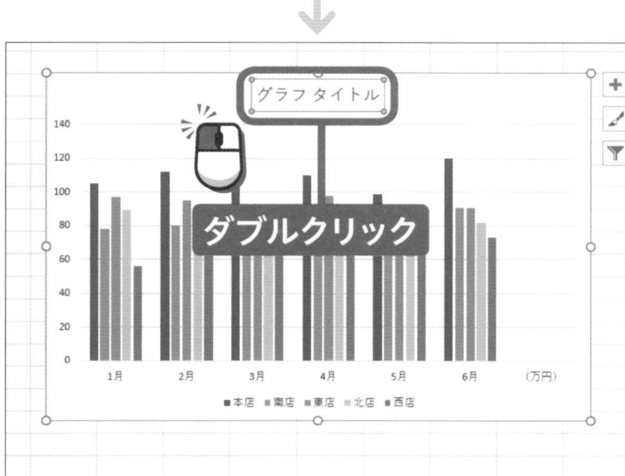

「グラフタイトル」と書かれた部分を **ダブルクリック** して、編集できる状態にします。

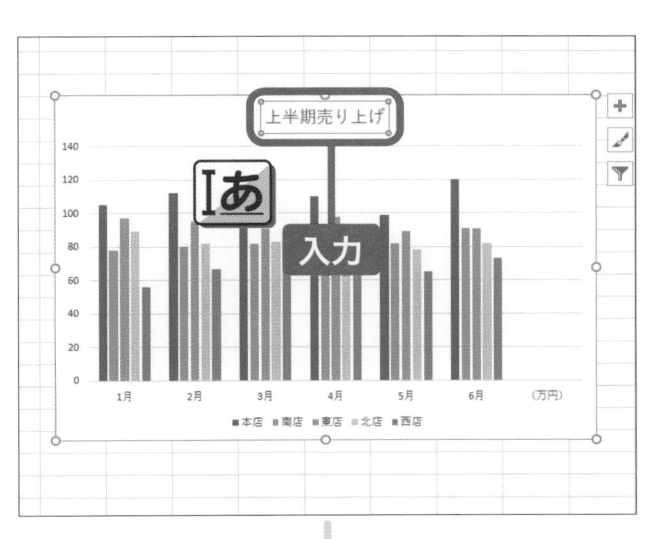

グラフのタイトル（ここでは「上半期売り上げ」）を Iあ 入力します。

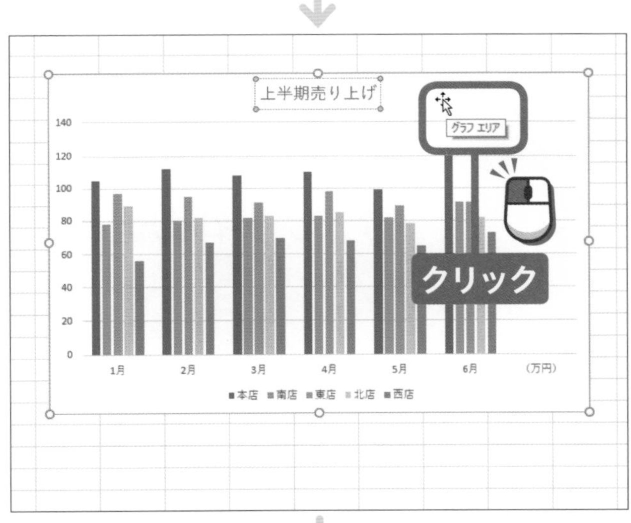

入力が完了したら、入力ボックス以外の部分を クリック すると、確定されます。

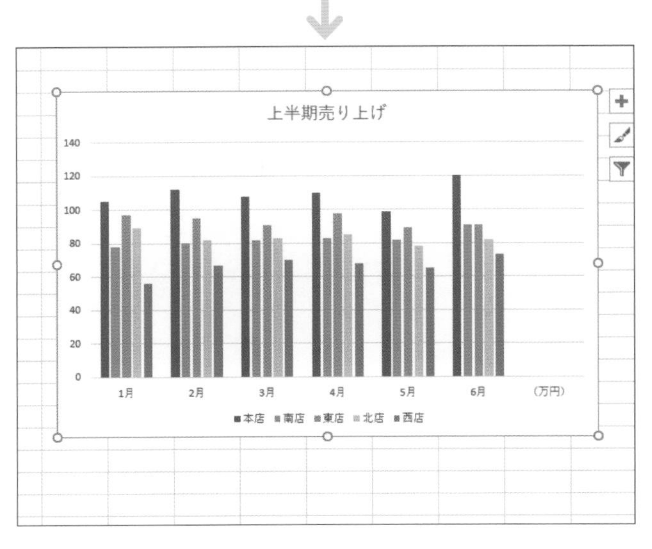

グラフのタイトルが入力されます。

次のページへ

2 グラフのタイトルの書式を変更する

グラフのタイトルの書式を変更します。ここでは「ワードアートのスタイル」を使って変更します。

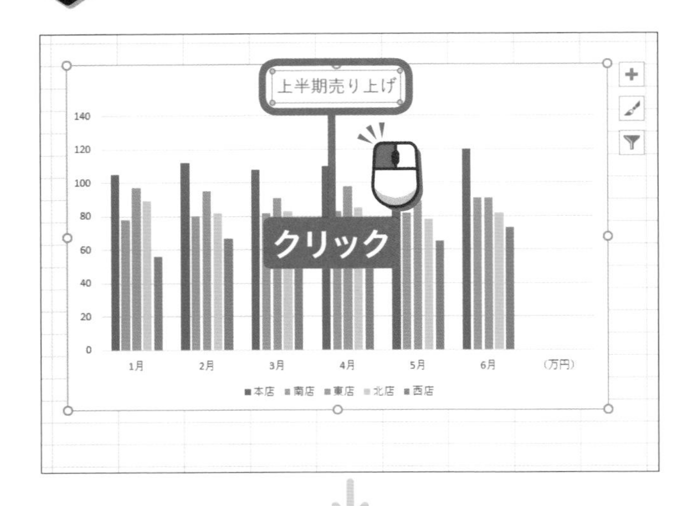

グラフのタイトル部分をクリックして選択します。

「書式」タブの「ワードアートのスタイル」グループから、スタイルの右のをクリックします。

アドバイス

ウィンドウの大きさによっては、「クイックスタイル」と表示されている場合があります。

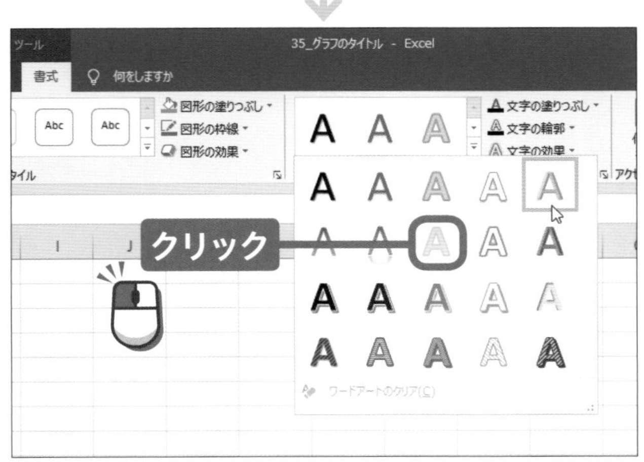

表示された一覧から任意のスタイル（ここでは）をクリックします。

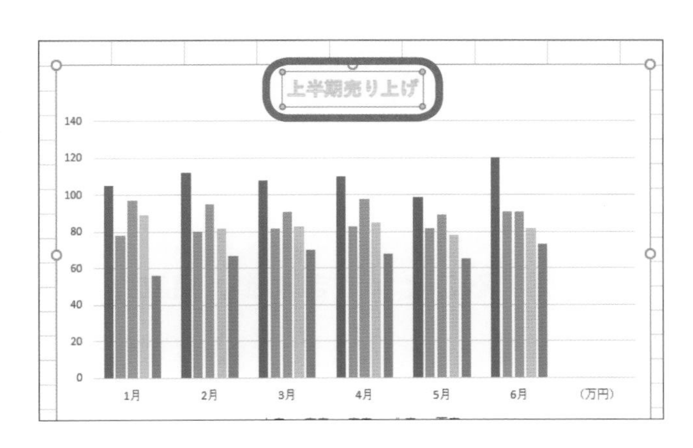

タイトルの書式が変更されます。

ヒント　グラフのタイトルを削除／追加する

グラフのタイトルが不要な場合は削除しておきましょう。削除するには、グラフタイトルをクリックして選択し、キーボードのDeleteを押します。
作成したグラフにタイトルがなく、タイトルを追加したい場合は、グラフをクリックし、右側に表示される+❶をクリックします。表示されたメニューから、「グラフタイトル」❷をクリックしてチェックを付けます。

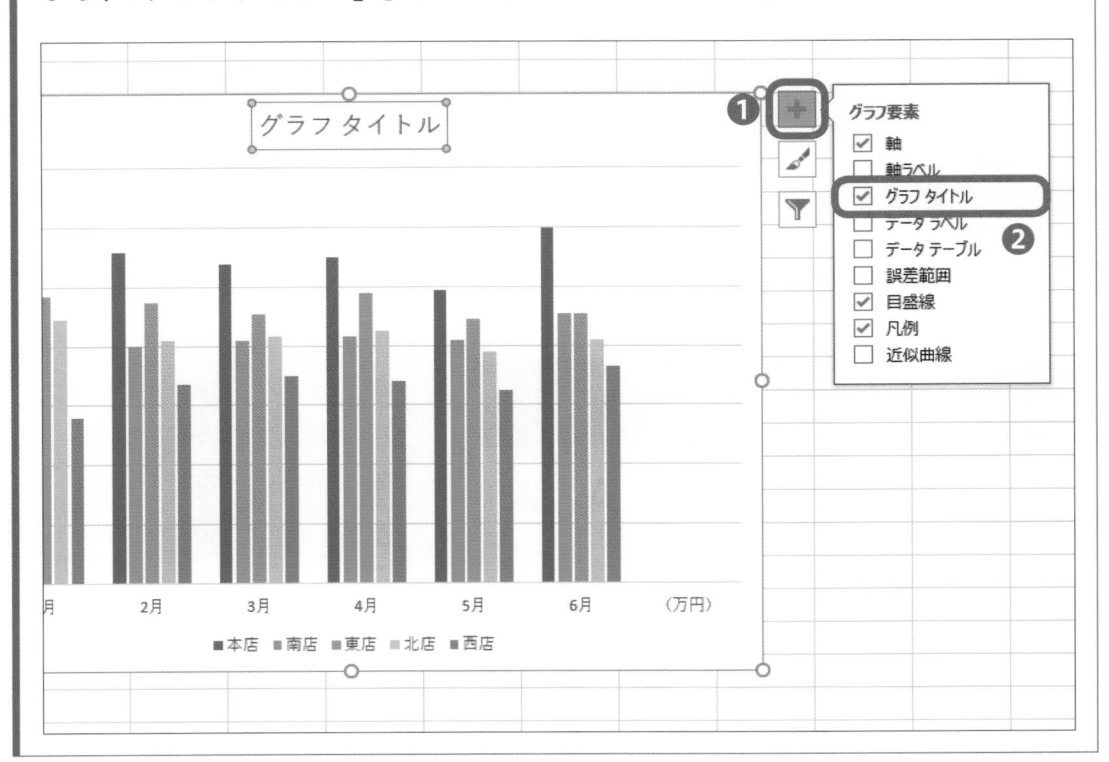

終わり

レッスン 36 グラフの色やスタイルを変更しましょう

グラフは色やスタイル（デザイン）を変更することができます。目立たせたい部分の色を変えるなどしてみましょう。

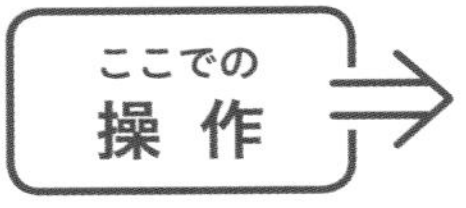

クリック

→P.14

1 グラフの色を変更する

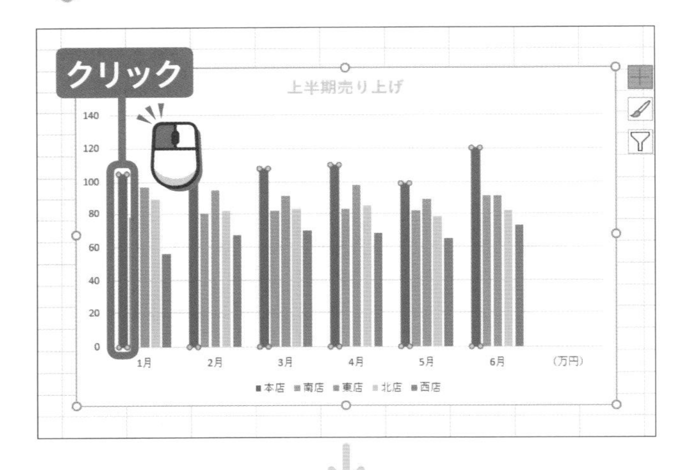

「本店」の要素の色を変更します。

色を変更したい要素を クリックします。

「書式」タブの「図形のスタイル」グループから、図形の塗りつぶし を クリックします。

アドバイス

をクリックすると、現在設定されている色で塗りつぶされます。

表示された一覧から任意の色（ここでは緑）をクリックします。

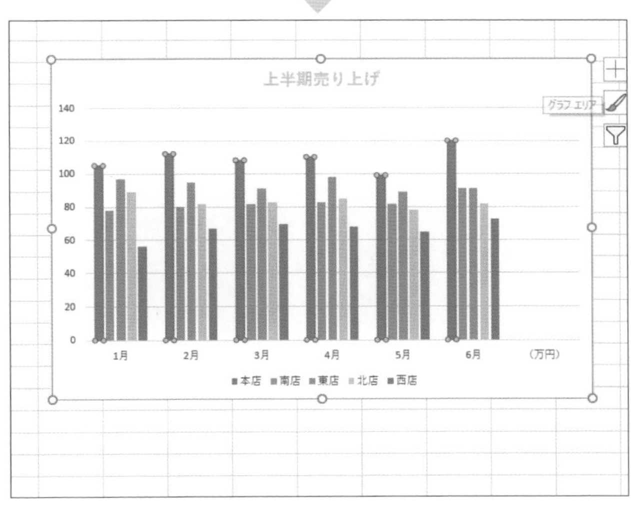

「本店」の要素の色が変更されます。

アドバイス

同じ要素の色が一斉に変更されます。

ヒント 右クリックから色を変更する

要素を右クリックして表示されるメニューからも色の塗りつぶしが行えます。メニューの上に表示された「塗りつぶし」をクリックして変更します。

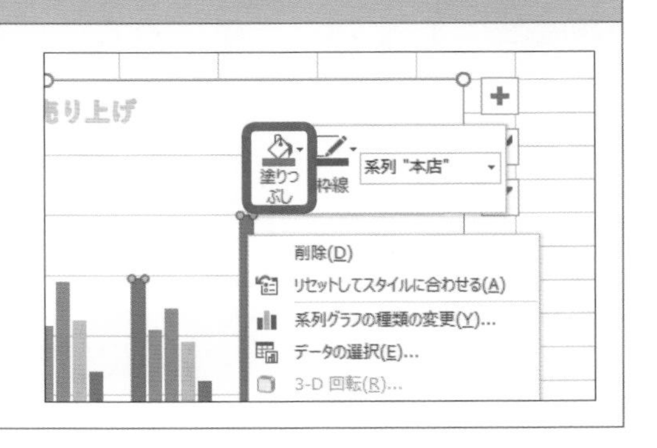

次のページへ

2 グラフのスタイルを変更する

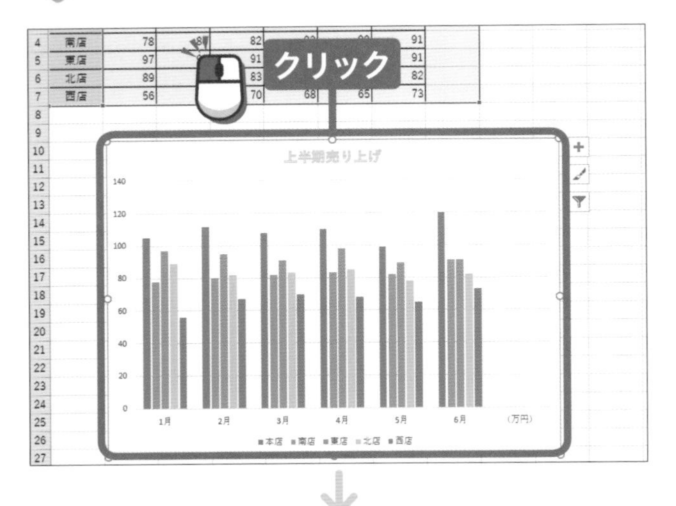

グラフ全体のスタイルを変更します。

グラフをクリックして、選択します。

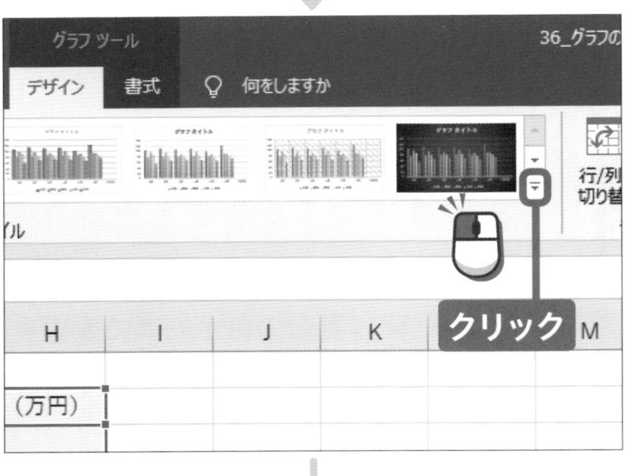

「デザイン」タブの「グラフスタイル」グループから、▼をクリックします。

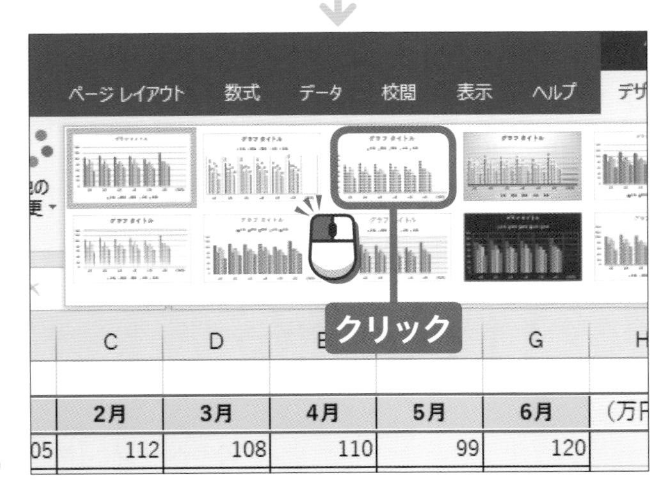

表示された一覧から任意のスタイルをクリックします。

ここでは「スタイル3」を選択します。

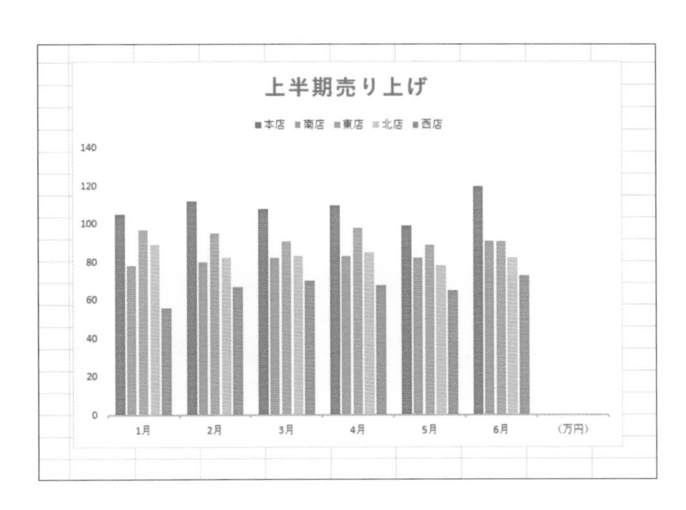

グラフのスタイルが変更されます。

ヒント テンプレートからグラフの色を変更する

「グラフデザイン」タブの「グラフスタイル」グループの「色の変更」をクリックすると、テンプレートからグラフの色を変更できます。1つひとつ色を変更するより簡単にグラフ全体の色を変更できます。

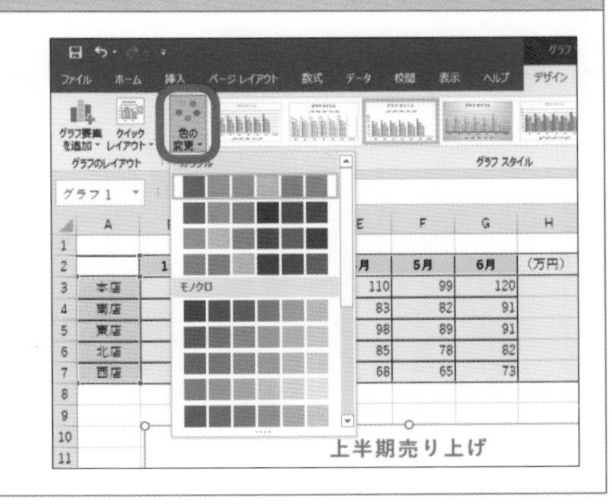

ヒント クイックレイアウト

グラフには「クイックレイアウト」という、テンプレートから簡単にグラフのレイアウトを選択して設定することができる便利な機能があります。
「デザイン」タブの「グラフのレイアウト」グループから「クイックレイアウト」をクリックして設定します。

終わり ✔

レッスン 37 グラフの種類を変更しましょう

グラフにはさまざまな種類があります。グラフの種類を変更して、さまざまなグラフを作成してみましょう。

1 グラフの種類を変更する

現在は「縦棒グラフ」が設定されています。これを「折れ線グラフ」に変更してみましょう。

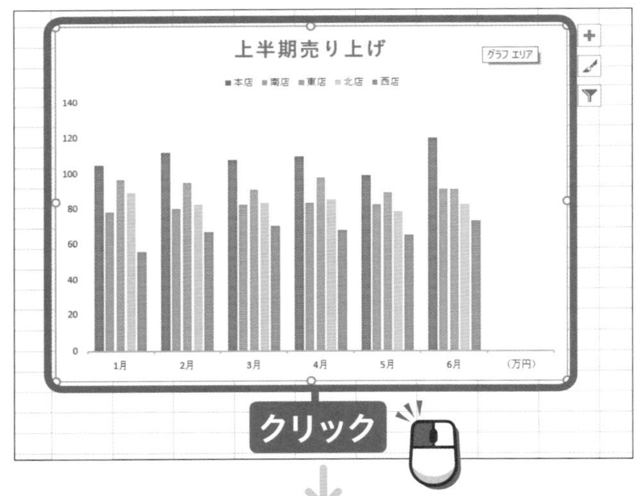

グラフを クリック して選択します。

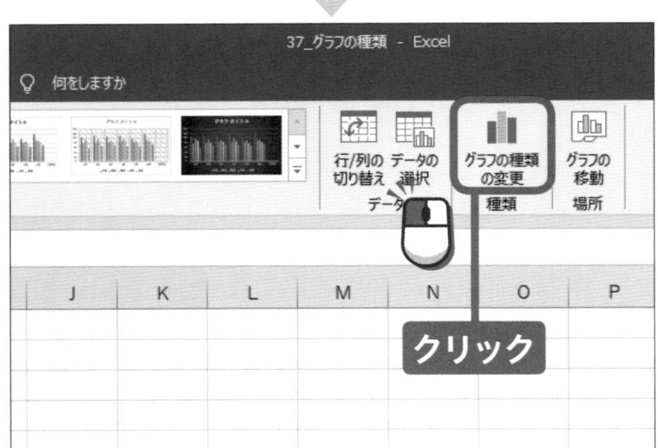

「デザイン」タブの「種類」グループから、[グラフの種類の変更]を クリック します。

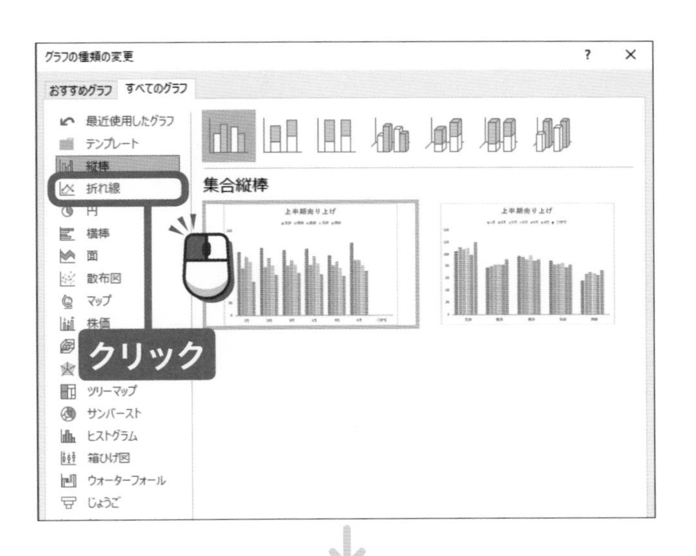

「グラフの種類の変更」ダイアログボックスが表示されます。

を
クリックします。

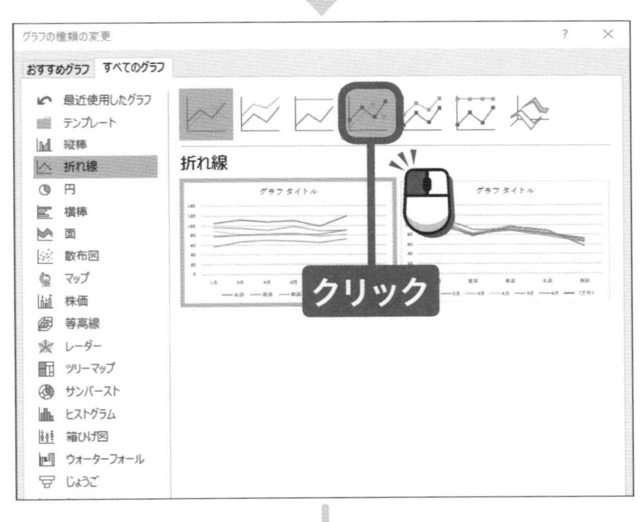

グラフの種類を
クリックして
選択します。

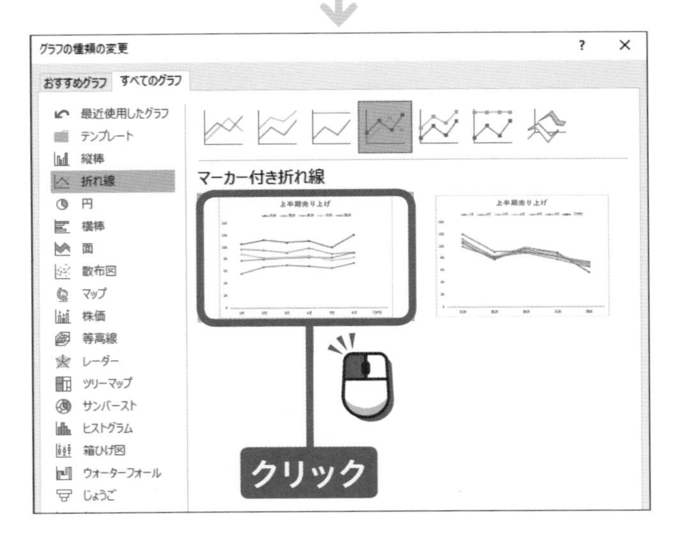

さらに細かい
グラフの種類を
クリックして
選択します。

次のページへ

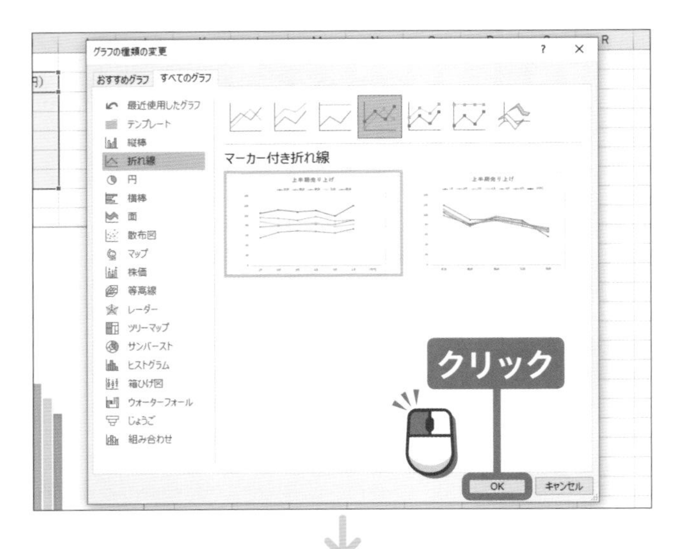

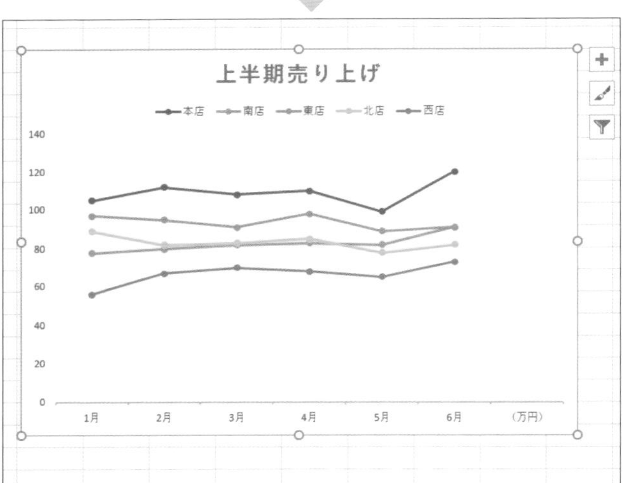

グラフの種類が変更されます。

ヒント おすすめグラフ

「グラフの種類の変更」ダイアログボックスの「おすすめグラフ」タブをクリックすると、現在の表に入力されているデータから最適なグラフの候補を自動でいくつか表示してくれます。そこからグラフを選択することもできます。

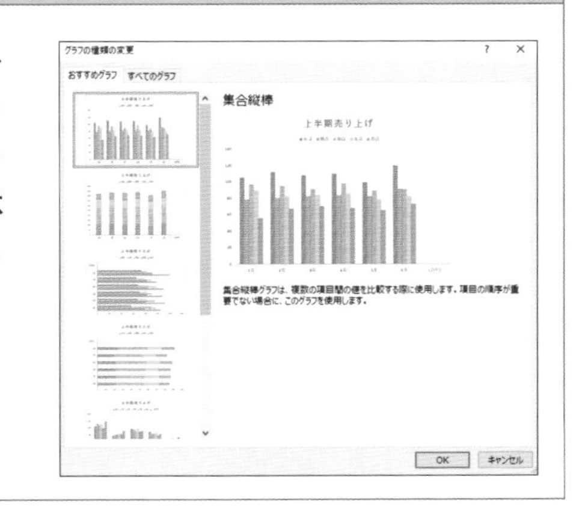

2 変更できるグラフの種類の例

積み上げ縦棒グラフ

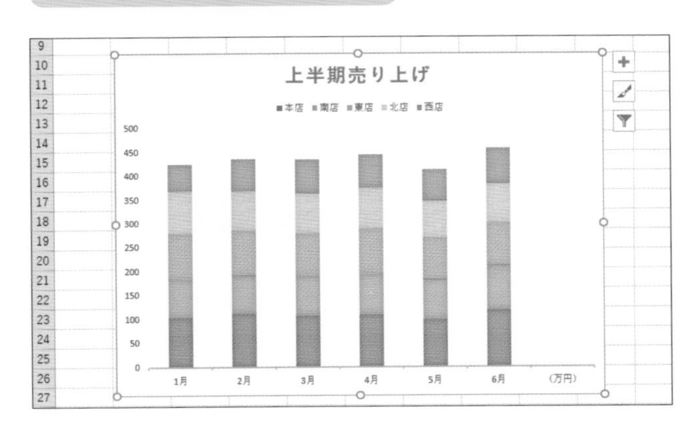

積み上げ縦棒グラフは売上データなど、複数のデータを並べて、最終的に総売上のデータも比較するのに適しています。

横棒グラフ

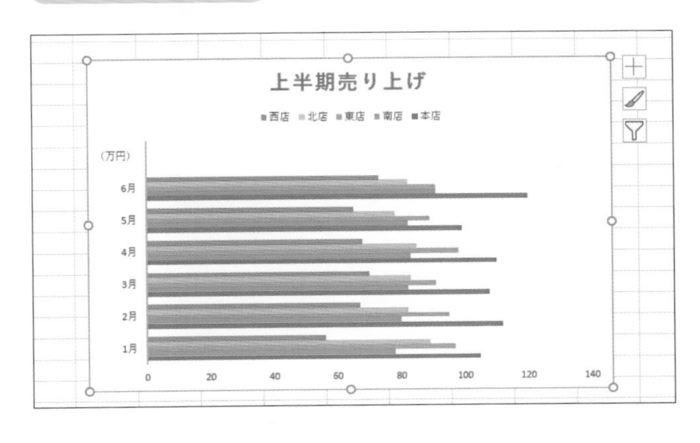

横棒グラフは縦棒グラフを横にした形になります。

円グラフ

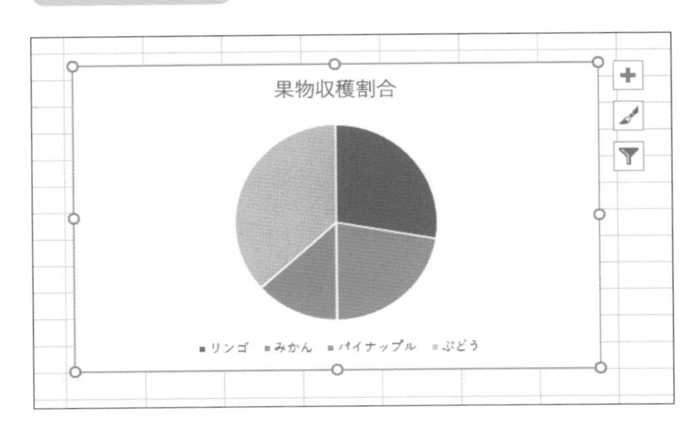

円グラフは全体を100％として、その中の項目ごとの割合を見ることができます。

終わり

ステップアップ

Q. グラフの行と列を入れ替えたい！

A. 「デザイン」タブから「行／列の切り替え」をクリックします。

グラフを作成すると、行が縦軸に、列が横軸になっているグラフが表示されます。縦軸と横軸を入れ替えたい場合は、行と列を入れ替えましょう。「デザイン」タブの「データ」グループの「行/列の切り替え」をクリックすることで、簡単に入れ替えることができます。

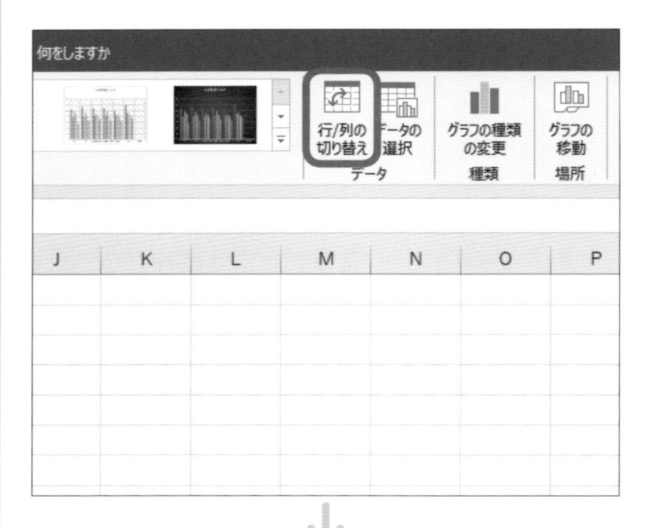

「デザイン」タブの「データ」グループから「行/列の切り替え」をクリックします。

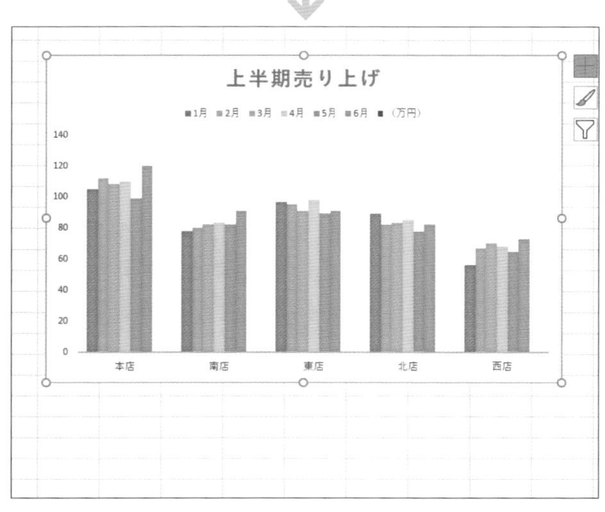

行と列が入れ替わったグラフに変更されます。

ステップアップ

Q. グラフの選択範囲を変更したい！

A. 「デザイン」タブから「データの選択」をクリックします。

グラフを作成する際は、表全体のデータから割り出されたグラフが作成されます。表の一部のデータのみのグラフを作成したい場合は、「デザイン」タブの「データ」グループの「データの選択」をクリックします。「データソースの選択」ダイアログボックスが表示されるので、そこからグラフから外したい項目のチェックを外して「OK」をクリックすると、チェックが付いたままの項目のみが残されたグラフになります。

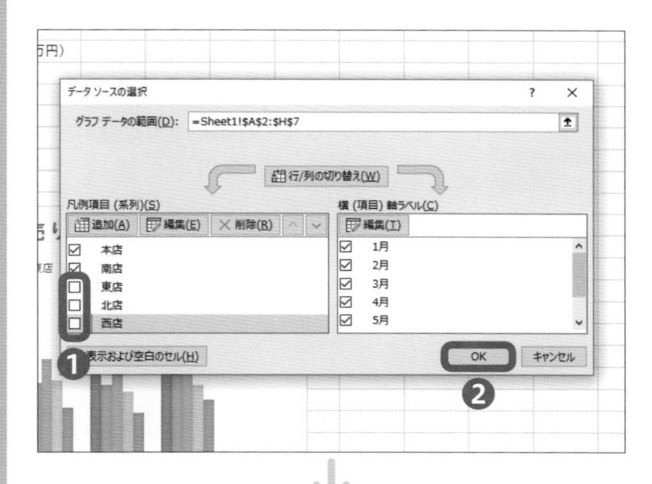

グラフから外したい項目のチェック❶を外して「OK」❷をクリックします。

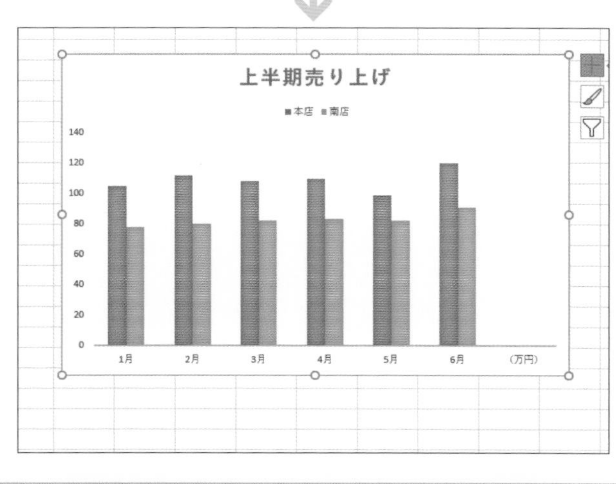

チェックが付いたままの項目のグラフが作成されます。

ステップアップ

Q. グラフに要素を追加したい！

A. 「デザイン」タブから「グラフ要素を追加」をクリックします。

グラフには、さまざまな要素を追加することができます。要素を追加することによって、グラフに数値を表示させたり、目盛線を追加させたりできます。要素を追加するには、「デザイン」タブの「グラフのレイアウト」グループの「グラフ要素を追加」をクリックします。ここから、追加したい要素を選択しましょう。

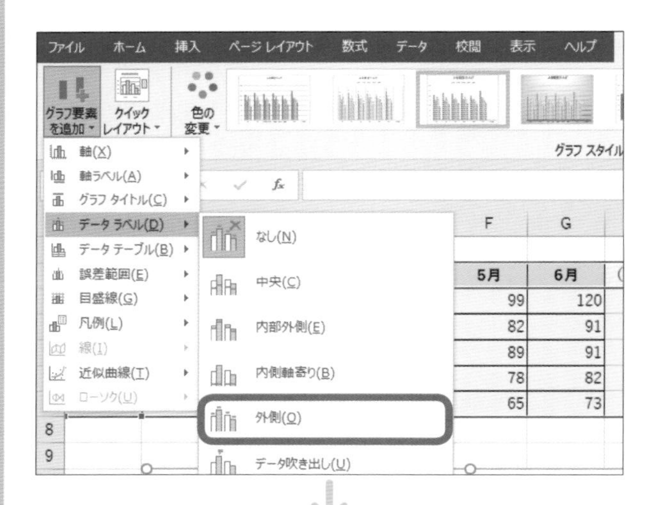

「データラベル」の「外側」をクリックします。なお、設定しているグラフの種類によって、表示される要素の項目は異なります。

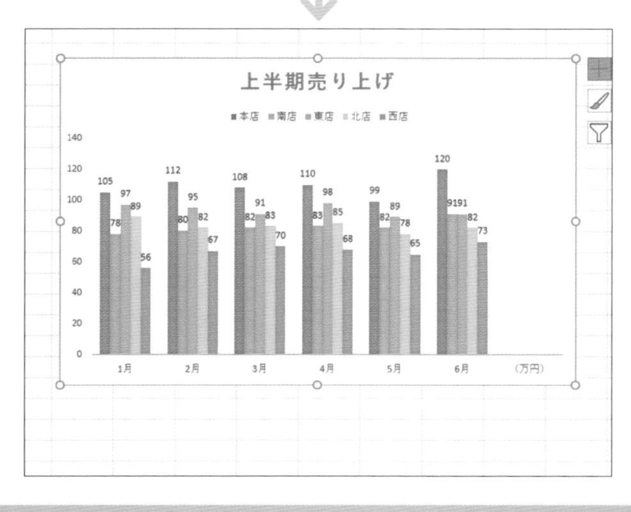

グラフの各棒の先にデータラベルが作成され、表に入力されている数値が表示されます。

7章

表やグラフの印刷と出力を行いましょう

レッスンをはじめる前に

作成したデータは印刷できます

エクセルで作成したデータは実際に紙に印刷することができます。書類として残しておくときに活用しましょう。また、印刷するだけではなく、PDFデータとして出力することもできます。テレワークなどで書類をほかの社員にメールで送付する必要がある場合は、PDFに出力するとよいでしょう。

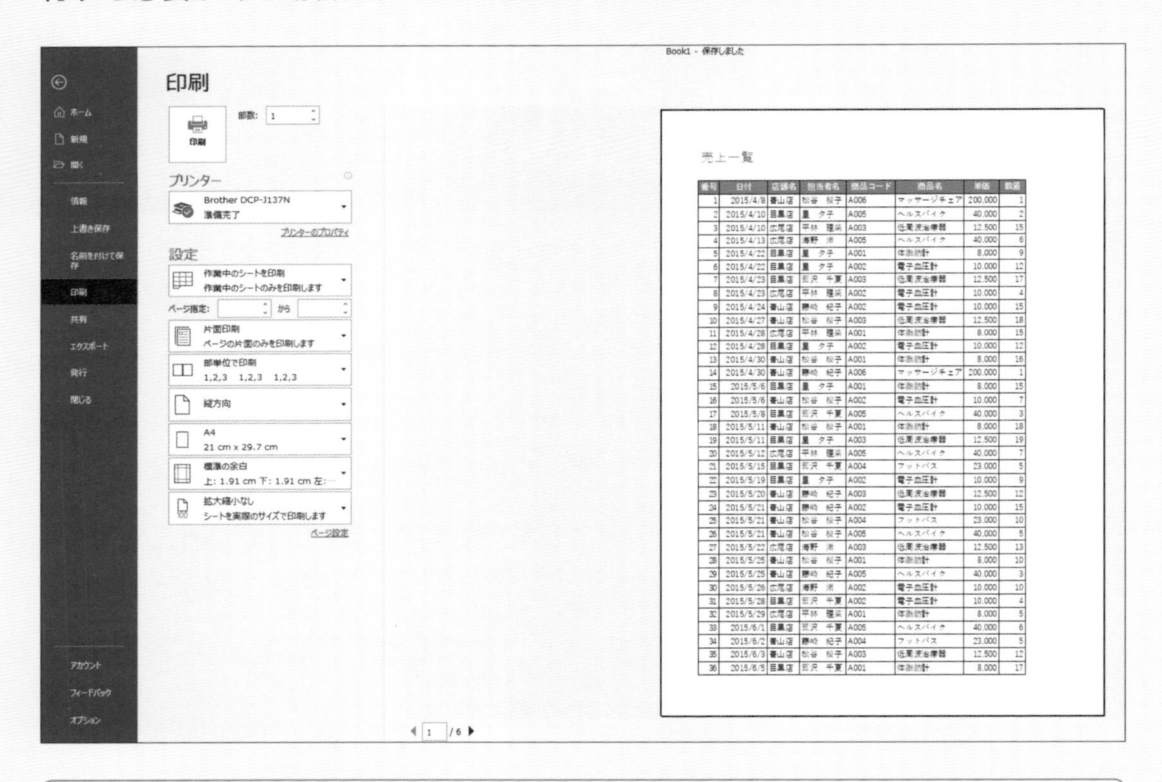

番号	日付	店舗名	担当者名	商品コード	商品名	単価	数量
1	2015/4/8	青山店	松谷 桜子	A006	マッサージチェア	200,000	1
2	2015/4/10	目黒店	星 夕子	A005	ヘルスバイク	40,000	2
3	2015/4/10	広尾店	平林 瑾菜	A003	低周波治療器	12,500	15
4	2015/4/13	広尾店	海野 渚	A005	ヘルスバイク	40,000	6
5	2015/4/22	目黒店	星 夕子	A001	体脂肪計	8,000	9
6	2015/4/22	目黒店	星 夕子	A002	電子血圧計	10,000	12
7	2015/4/23	目黒店	芦沢 千夏	A003	低周波治療器	12,500	17
8	2015/4/23	広尾店	平林 瑾菜	A002	電子血圧計	10,000	4
9	2015/4/24	青山店	藤崎 紀子	A002	電子血圧計	10,000	15
10	2015/4/27	青山店	松谷 桜子	A003	低周波治療器	12,500	18
11	2015/4/28	広尾店	平林 瑾菜	A001	体脂肪計	8,000	15
12	2015/4/28	目黒店	星 夕子	A002	電子血圧計	10,000	12
13	2015/4/30	青山店	松谷 桜子	A001	体脂肪計	8,000	16
14	2015/4/30	青山店	藤崎 紀子	A006	マッサージチェア	200,000	1
15	2015/5/6	目黒店	星 夕子	A001	体脂肪計	8,000	15
16	2015/5/6	青山店	松谷 桜子	A002	電子血圧計	10,000	7
17	2015/5/8	目黒店	芦沢 千夏	A005	ヘルスバイク	40,000	3
18	2015/5/11	青山店	松谷 桜子	A001	体脂肪計	8,000	18
19	2015/5/11	目黒店	星 夕子	A003	低周波治療器	12,500	19
20	2015/5/12	広尾店	平林 瑾菜	A005	ヘルスバイク	40,000	7
21	2015/5/15	目黒店	芦沢 千夏	A004	フットバス	23,000	5
22	2015/5/19	目黒店	星 夕子	A002	電子血圧計	10,000	9
23	2015/5/20	青山店	藤崎 紀子	A003	低周波治療器	12,500	12
24	2015/5/21	青山店	藤崎 紀子	A002	電子血圧計	10,000	15
25	2015/5/21	青山店	松谷 桜子	A004	フットバス	23,000	10
26	2015/5/21	青山店	松谷 桜子	A005	ヘルスバイク	40,000	5
27	2015/5/22	広尾店	海野 渚	A003	低周波治療器	12,500	13
28	2015/5/25	青山店	松谷 桜子	A001	体脂肪計	8,000	10
29	2015/5/25	青山店	藤崎 紀子	A005	ヘルスバイク	40,000	3
30	2015/5/26	広尾店	海野 渚	A002	電子血圧計	10,000	10
31	2015/5/28	目黒店	芦沢 千夏	A002	電子血圧計	10,000	4
32	2015/5/29	広尾店	平林 瑾菜	A001	体脂肪計	8,000	5
33	2015/6/1	目黒店	芦沢 千夏	A005	ヘルスバイク	40,000	6
34	2015/6/2	青山店	藤崎 紀子	A004	フットバス	23,000	5
35	2015/6/3	青山店	松谷 桜子	A003	低周波治療器	12,500	12
36	2015/6/5	目黒店	芦沢 千夏	A001	体脂肪計	8,000	17

印刷画面では、印刷範囲や枚数、紙の大きさ、印刷方向など、さまざまな設定を詳細に行うことができます。また、プレビュー画面を表示して、実際に印刷されるイメージを確認することができます。

印刷設定は変更できます

印刷時にヘッダーやフッターを追加したり、上下左右の余白を追加したり、印刷方向の向きを変えたりなど、設定を変更することができます。ヘッダーやフッターにページ番号やタイトルを入力すると、わかりやすい表やグラフとして提出することができます。

ヘッダーやフッターにはページ番号や、表やグラフのタイトルを挿入することができます。

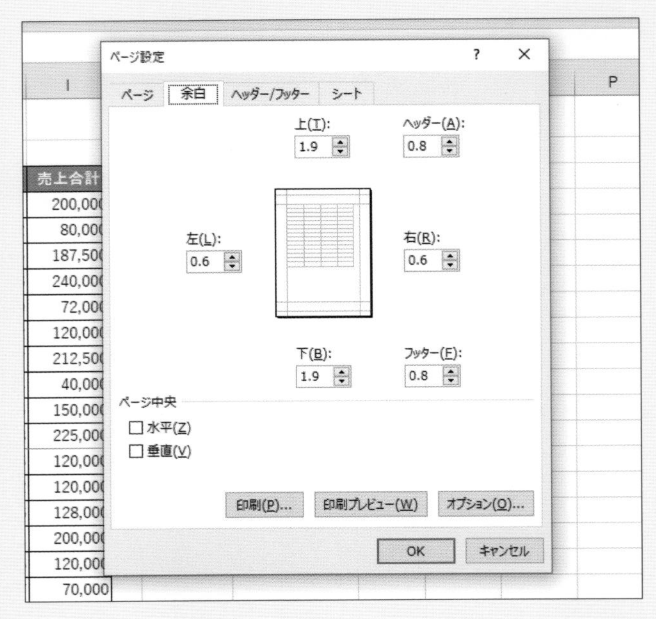

印刷時の上下左右の余白を設定することができます。余白は詰めすぎないで、多少余裕を持たせておくとよいでしょう。

レッスン 38 プレビューでデータを確認しましょう

完成した表やグラフを印刷しましょう。まずは印刷する前にプレビューでどのように印刷されるか確認します。

クリック

→P.14

1 印刷メニューを表示する

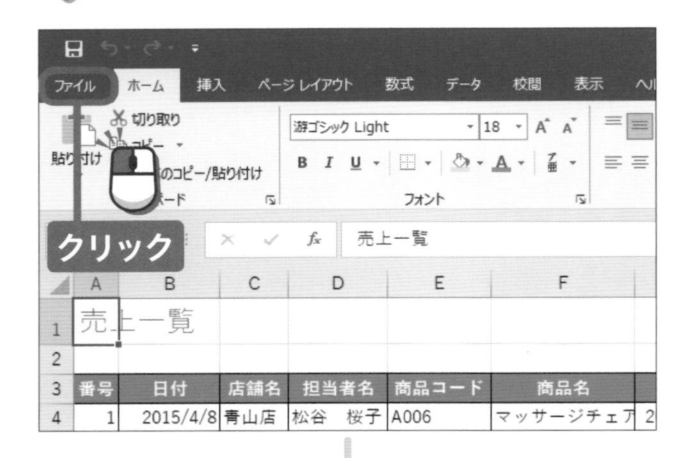

エクセルで作成したデータを印刷します。ここでは例として表を印刷します。

ファイルを

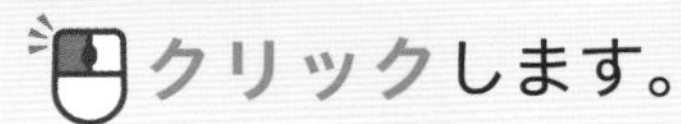

クリックします。

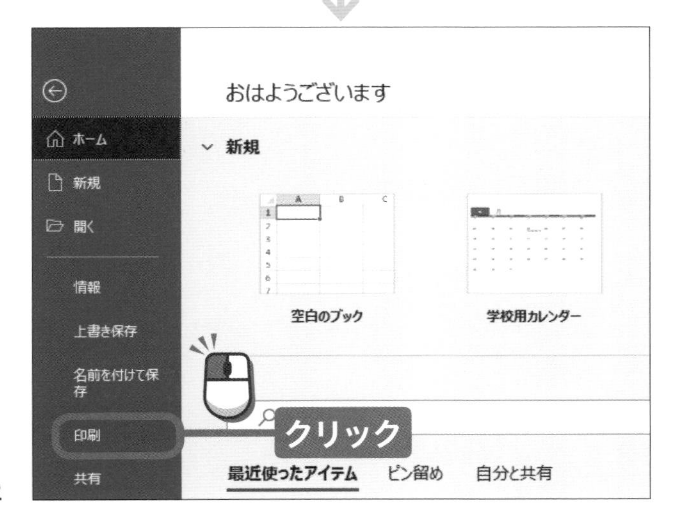

印刷を

クリックします。

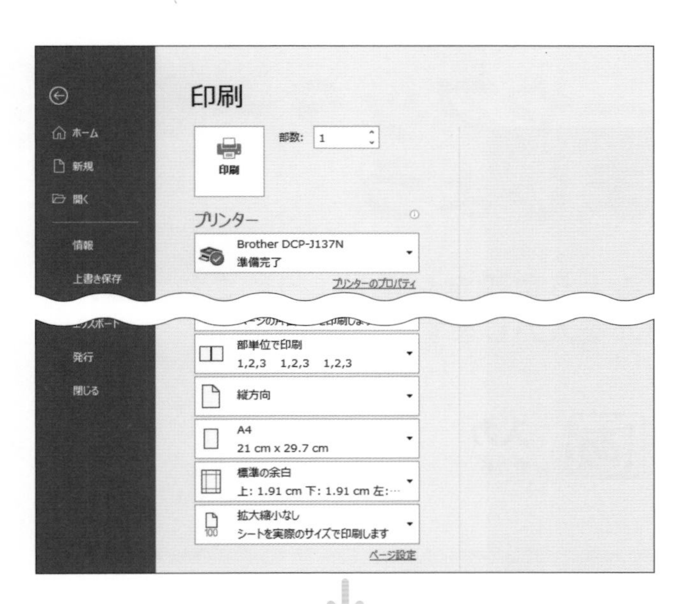

印刷メニューが表示されます。

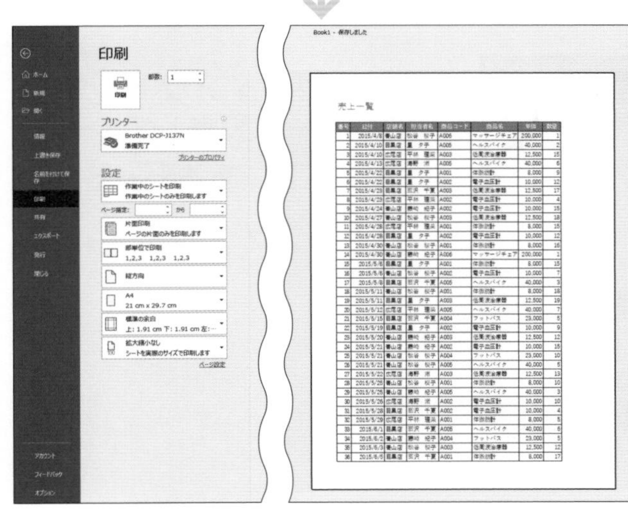

画面の右側に印刷プレビューが表示されています。

ヒント プレビューと印刷結果が異なることがある

プレビューに表示されている画面と印刷結果が必ずしも同じになるわけではありません。設定した用紙やプリンターの元々の設定などによって異なる場合があります。最初に1枚だけ試し刷りをするとよいでしょう。

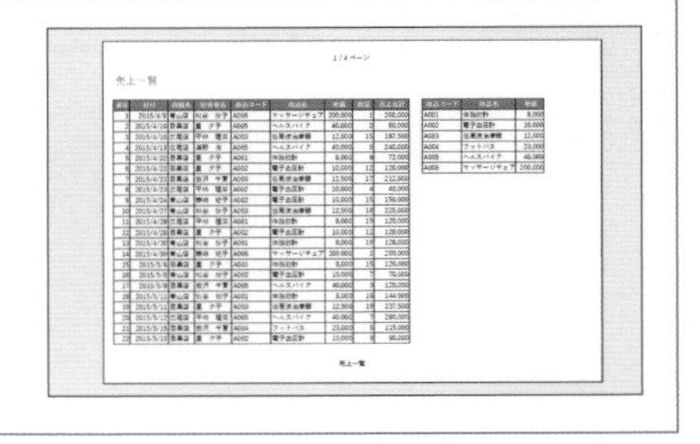

終わり

レッスン 39 ヘッダーやフッターを追加しましょう

ヘッダーやフッターが印刷されるように設定しましょう。ここではヘッダーにページ、フッターにタイトルを入力します。

クリック →P.14

入力 →P.16

1 ヘッダーを挿入する

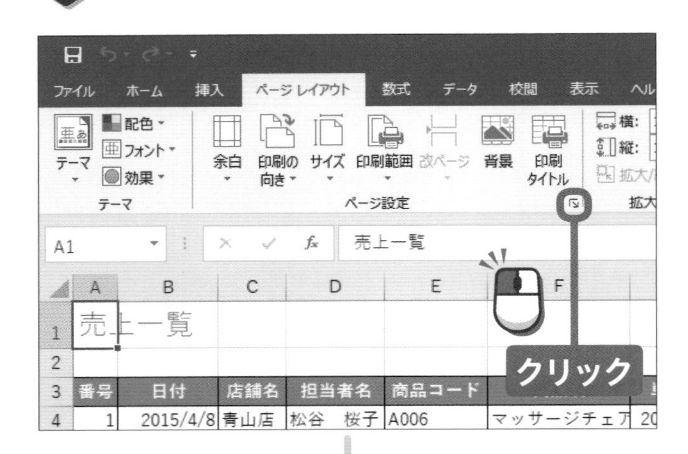

「ページレイアウト」タブの「ページ設定」グループから右下にある を クリックします。

「ページ設定」ダイアログボックスが表示されます。

ヘッダー/フッター を クリックします。

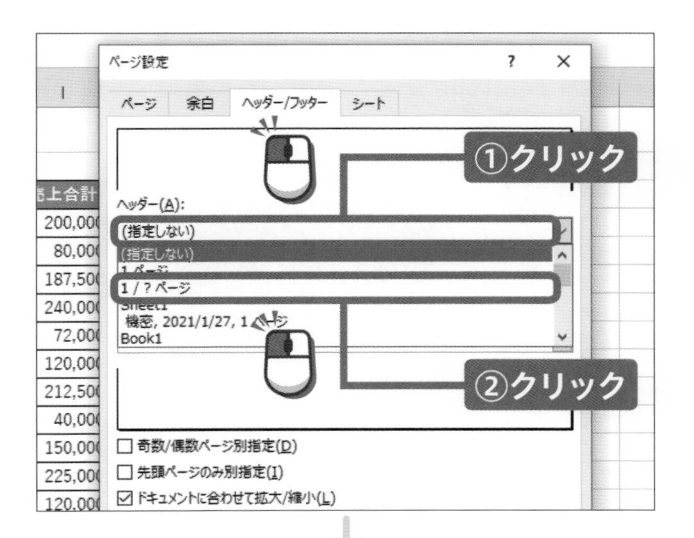

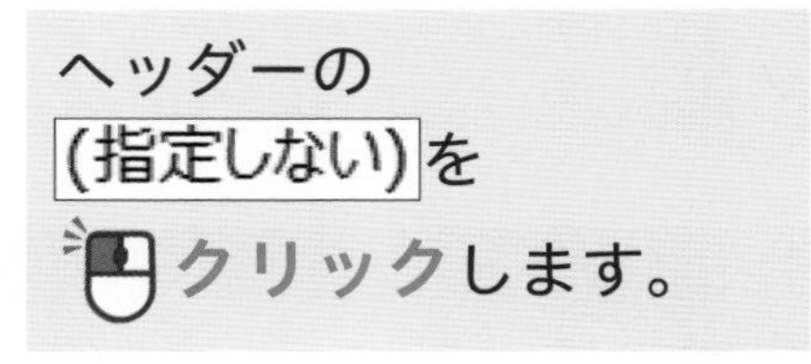

ヘッダーの (指定しない) を クリックします。

ここではページ数を表示したいので、1 / ? ページ を クリックします。

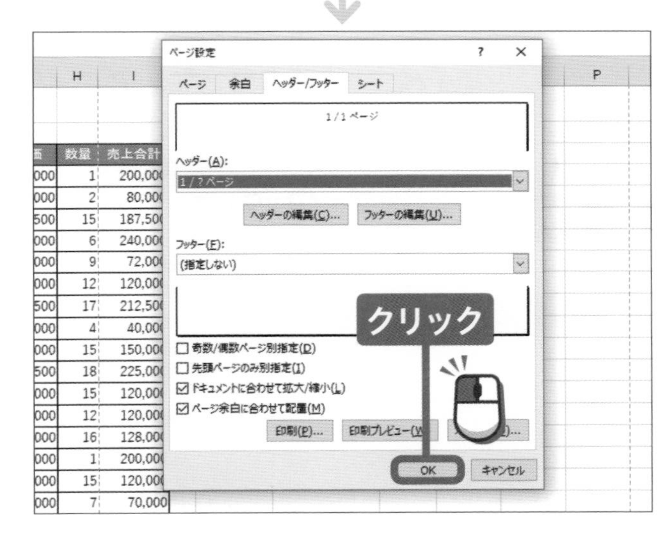

OK を クリックします。

アドバイス

ヘッダーはページ中央に設定されます。

ヒント ヘッダーの設定位置を変更する

ヘッダーの位置を中央から変更することができます。「ページ設定」ダイアログボックスの「ヘッダー／フッター」から「ヘッダーの編集」をクリックします。中央部にあるデータを左側または右側に移動させると、位置が変更されます。

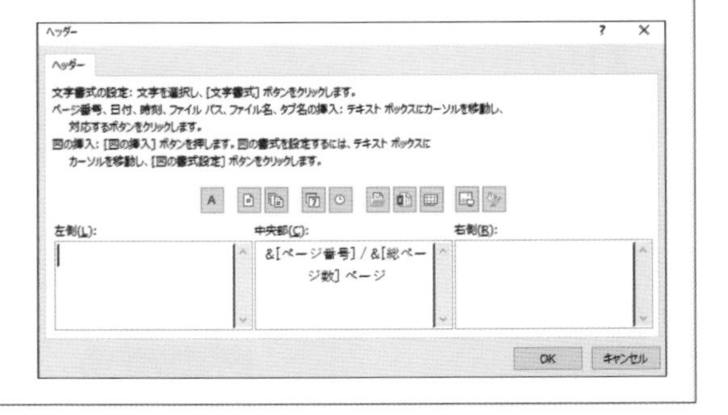

次のページへ

2 フッターを挿入する

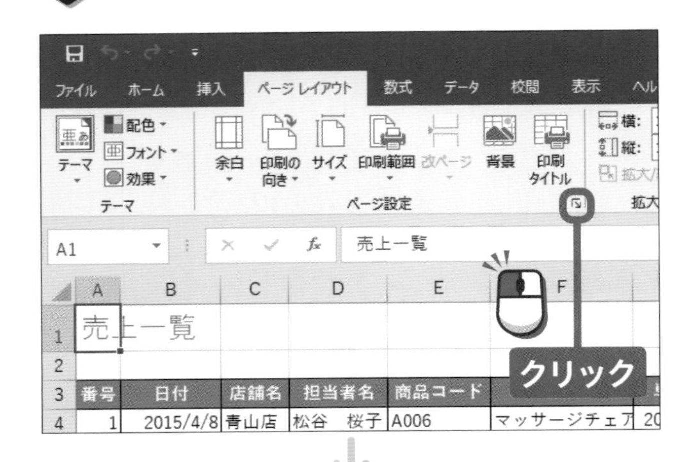

「ページレイアウト」タブの「ページ設定」グループから右下にある を

クリックします。

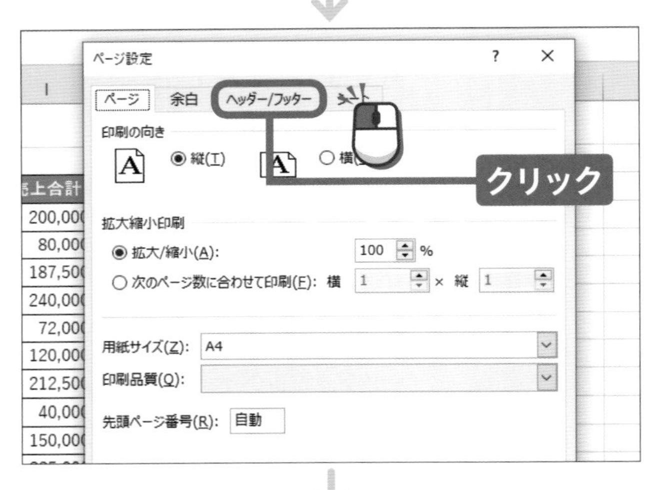

「ページ設定」ダイアログボックスが表示されます。

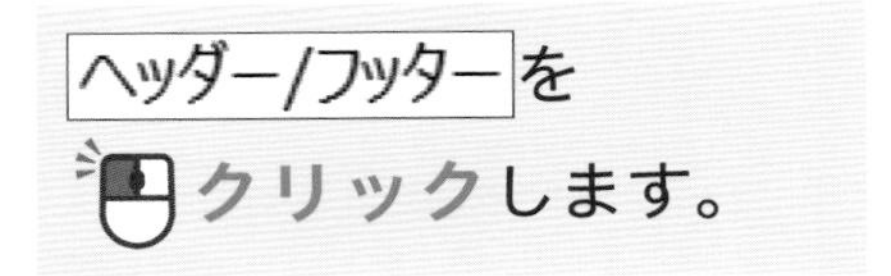

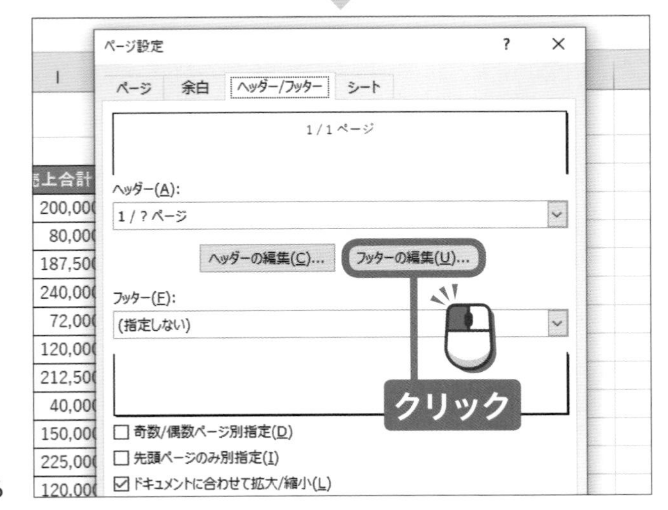

ここではフッターにタイトルを入力します。

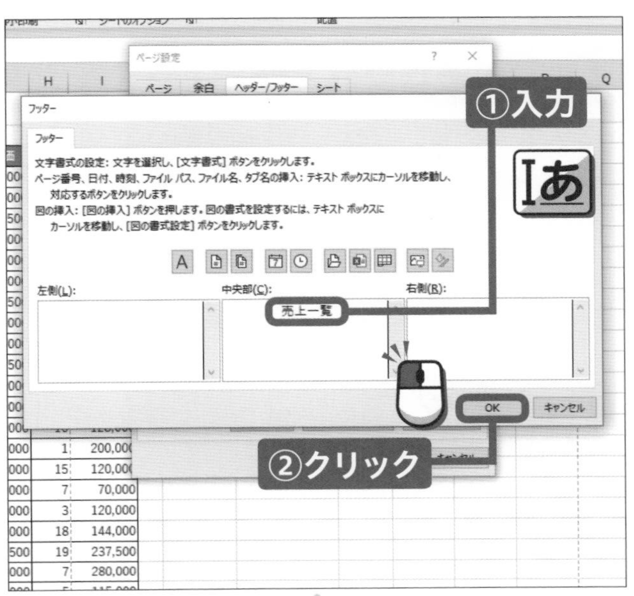

フッターの中央部にタイトル（ここでは「売上一覧」）を

入力します。

OKをクリックします。

●アドバイス●

左側と右側にも入力することができます。

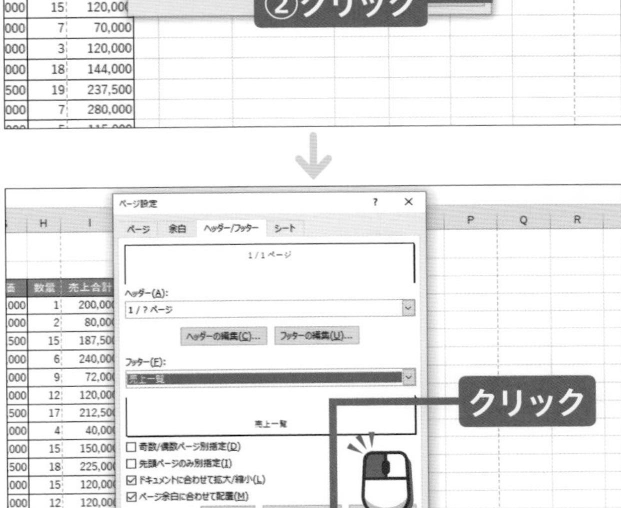

OKをクリックします。

ヒント ヘッダーとフッターに書式を設定する

ヘッダーとフッターにはそれぞれ書式を設定することができます。「ヘッダーの編集」または「フッターの編集」をクリックして、Aをクリックすると、「フォント」ダイアログボックスが表示されるので、フォントやスタイル、サイズ、色などを変更することができます。

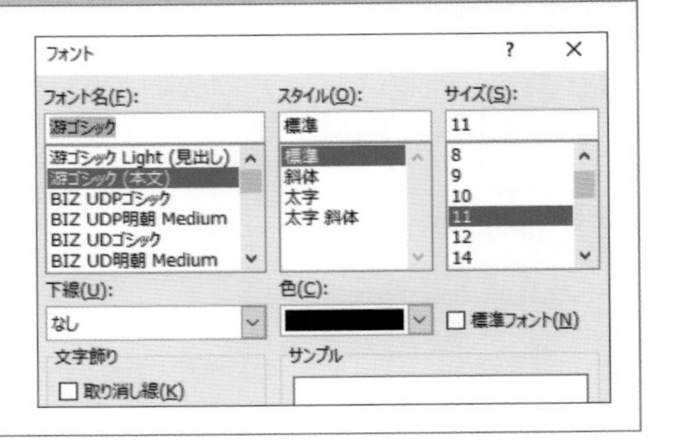

終わり

印刷される範囲を設定しましょう

印刷したい箇所が表の一部分だけの場合など、印刷範囲を設定してその部分のみ印刷されるように設定しましょう。

1 印刷される範囲を設定する

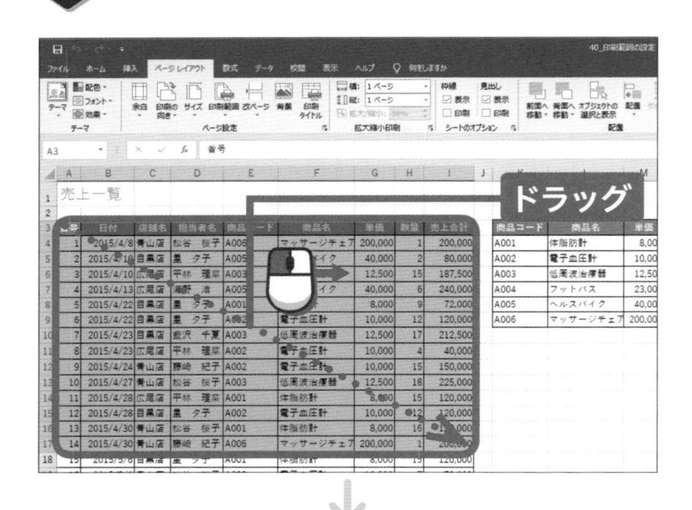

印刷したい範囲をドラッグして選択します。

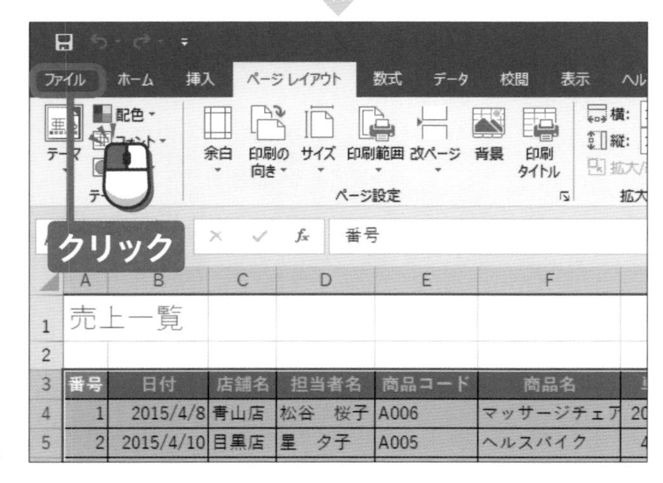

ファイルをクリックします。

おはようございます
ホーム
新規
開く
情報
上書き保存
名前を付けて保存
印刷
共有
エクスポート
発行
新規
空白のブック
学校用カレンダー
クリック
最近使ったアイテム
ピン留め
自分と共有
名前
Book1

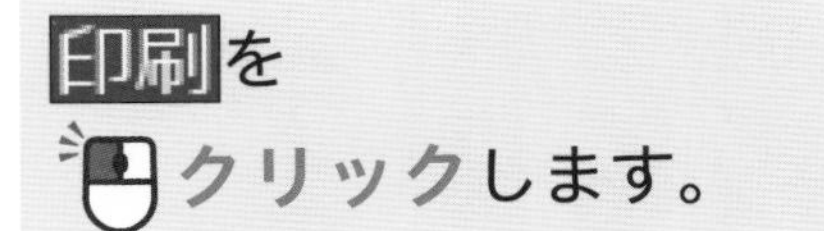
印刷を
クリックします。

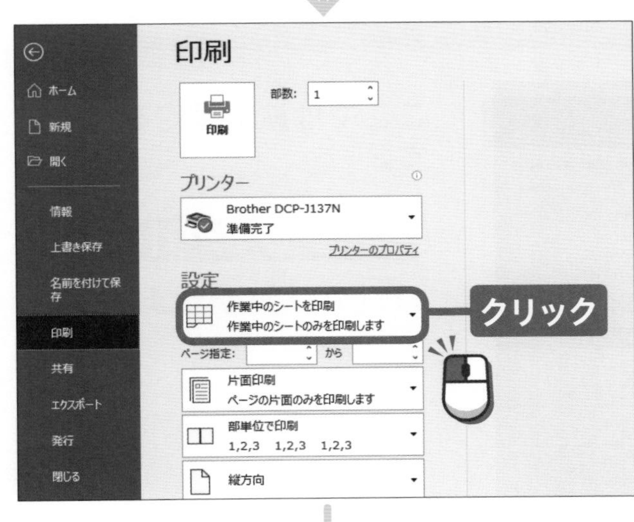
印刷
部数: 1
印刷
プリンター
Brother DCP-J137N
準備完了
プリンターのプロパティ
設定
作業中のシートを印刷
作業中のシートのみを印刷します
クリック
ページ指定:
から
片面印刷
ページの片面のみを印刷します
部単位で印刷
1,2,3 1,2,3 1,2,3
縦方向
ホーム
新規
開く
情報
上書き保存
名前を付けて保存
印刷
共有
エクスポート
発行
閉じる

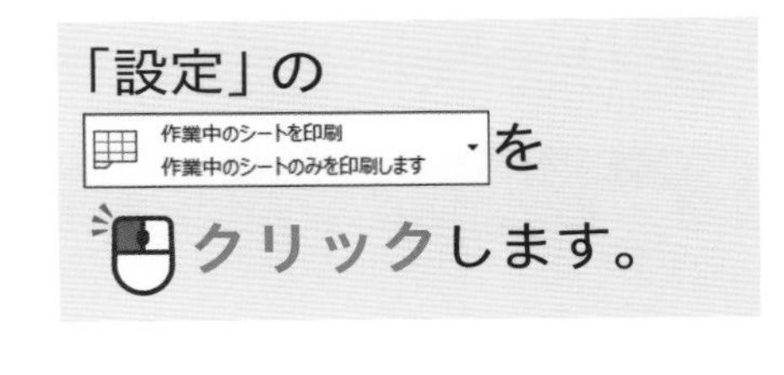
「設定」の
作業中のシートを印刷
作業中のシートのみを印刷します
を
クリックします。

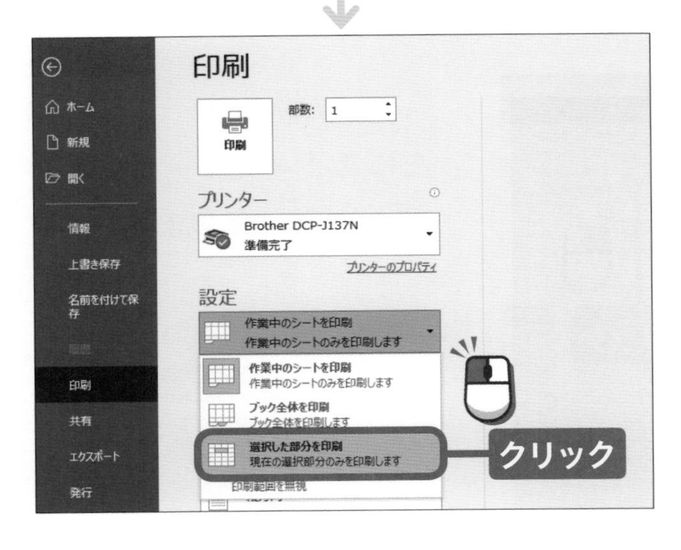
印刷
部数: 1
印刷
プリンター
Brother DCP-J137N
準備完了
プリンターのプロパティ
設定
作業中のシートを印刷
作業中のシートのみを印刷します
作業中のシートを印刷
作業中のシートのみを印刷します
ブック全体を印刷
ブック全体を印刷します
選択した部分を印刷
現在の選択部分のみを印刷します
クリック
印刷範囲を無視
ホーム
新規
開く
情報
上書き保存
名前を付けて保存
印刷
共有
エクスポート
発行

選択した部分を印刷
現在の選択部分のみを印刷します
を
クリックします。

終わり

データを拡大・縮小して印刷しましょう

表を拡大・縮小して印刷することもできます。拡大率を変更して設定してみましょう。

1 拡大・縮小する

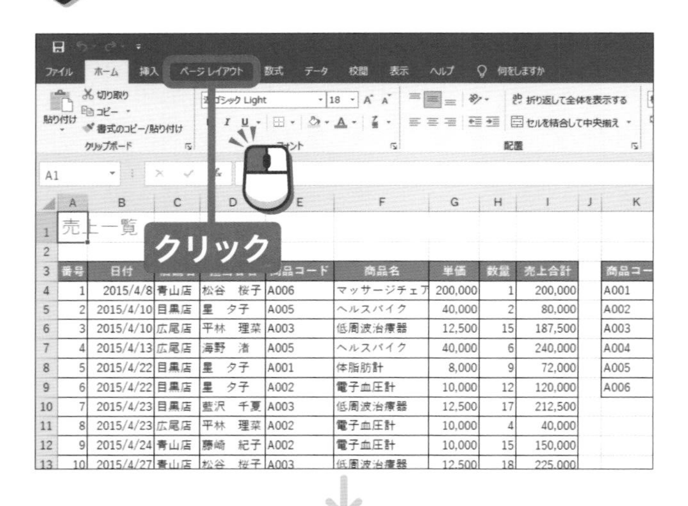

ここでは拡大設定を行います。

ページ レイアウトを
クリックします。

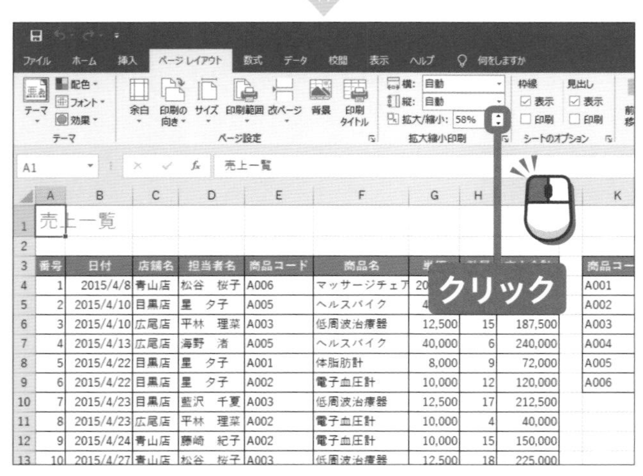

拡大/縮小:の
右にある▲を
クリックします。

●アドバイス●

▼をクリックすると縮小されます。

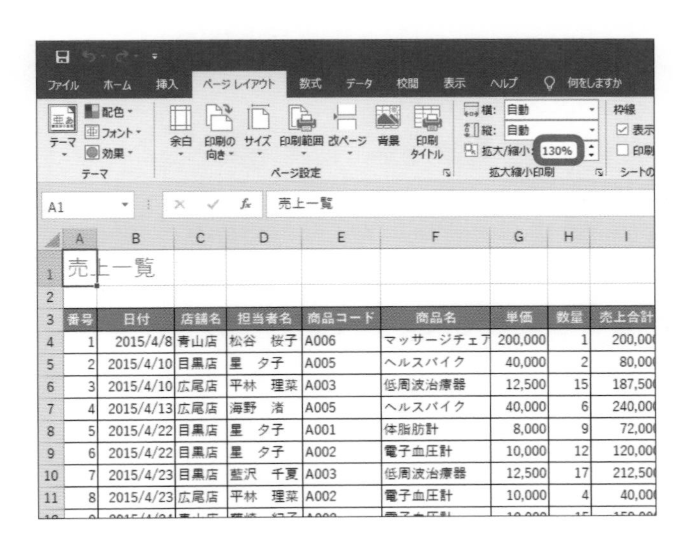

任意の拡大率になるように設定します。

●アドバイス●

クリックするたびに拡大率が5%ずつ変更されます。
拡大率は、数値を入力して指定することもできます。

ヒント 指定したページ数に合わせて自動で拡大・縮小する

「縦」と「横」の「自動」をクリックすると、ページ数が表示されます。これは、指定したページ数に合わせて、縦と横の幅を自動で調整してくれる機能です。「自動」の右にある▼❶をクリックして、表示されるメニュー❷からページ数を指定します。

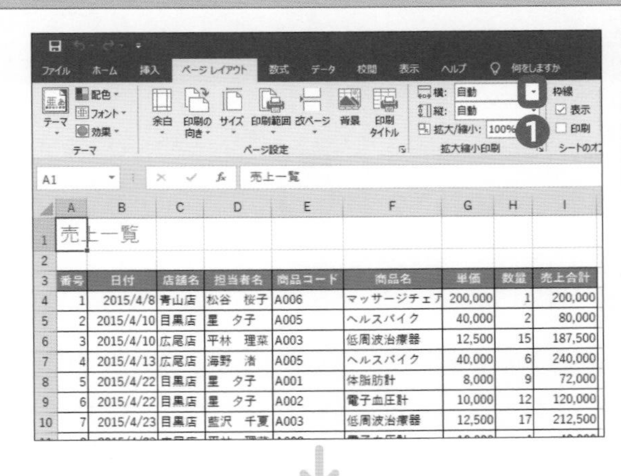

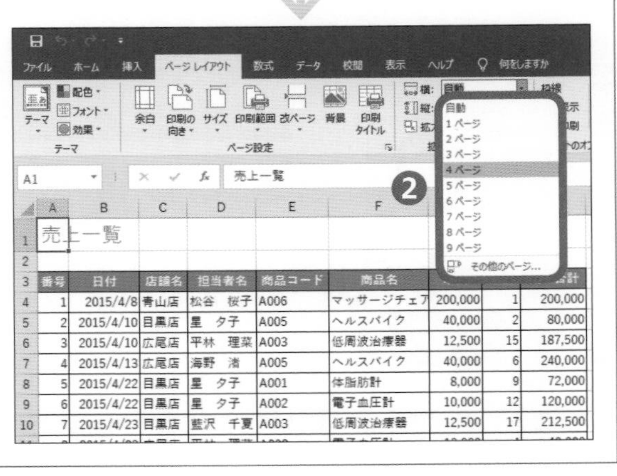

終わり

レッスン 42 余白を設定しましょう

印刷された際の、上下左右の余白の幅を設定することができます。また、上下左右の幅をそれぞれ自由に設定することもできます。

クリック
→P.14

1 余白を設定する

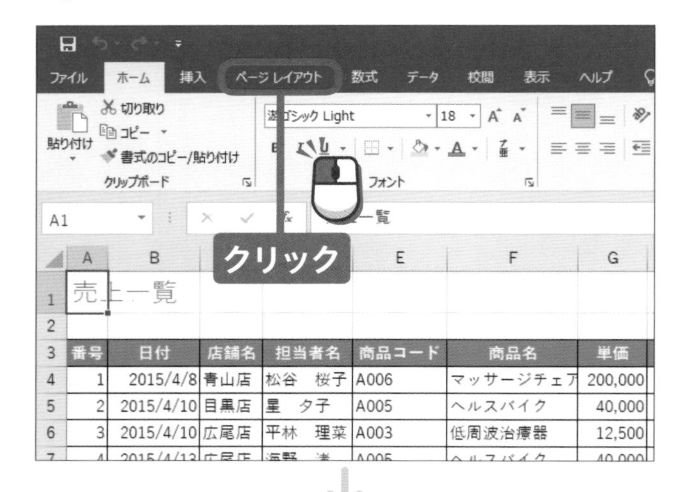

ページ レイアウトを クリックします。

「ページ設定」グループの 余白 を クリックします。

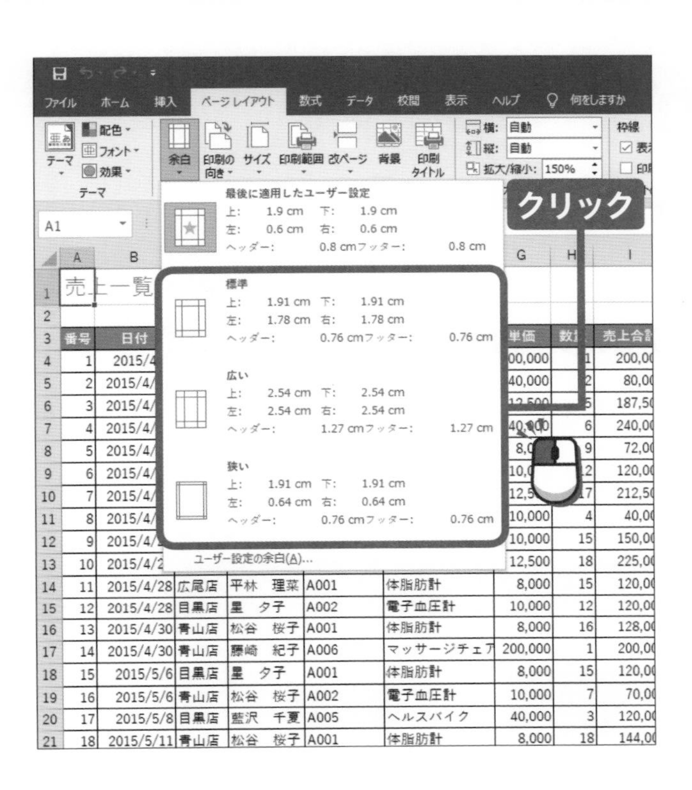

任意の余白の設定を
クリックします。

ヒント ユーザー設定の余白

上の画面で「ユーザー設定の余白」をクリックすると、自分で余白の幅❶を設定することができます。ここでは、上下左右の余白をそれぞれ違う幅に設定することも可能です。
「ユーザー設定」では、「ページ中央」という項目があります。ここでは「水平」と「垂直」❷にチェックを入れると、印刷範囲が水平に中央と垂直に中央に設定されます。また、水平と垂直は片方のみチェックを入れることも可能です。

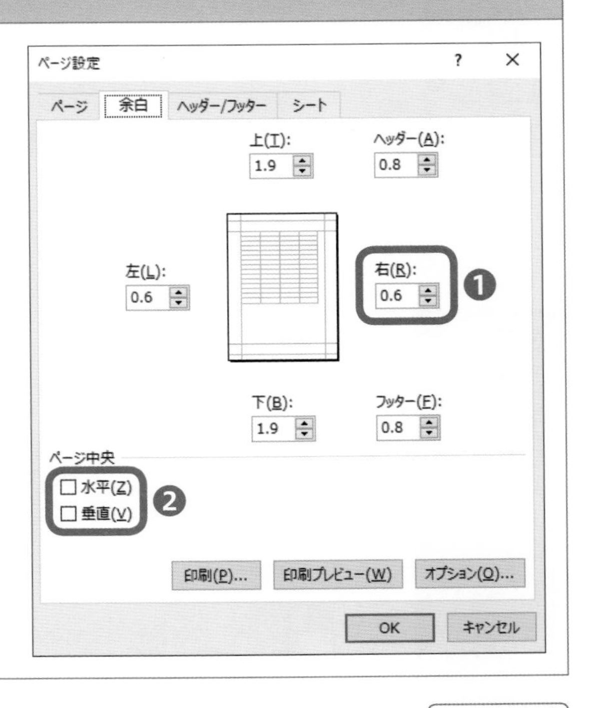

終わり

レッスン 43 印刷の用紙を設定しましょう

初期設定では、A4の用紙で印刷されるように設定されています。紙にはさまざまなサイズがあるので、印刷したい用紙の設定を行いましょう。

クリック
→P.14

1 印刷の用紙を変更する

ファイルを
クリックします。

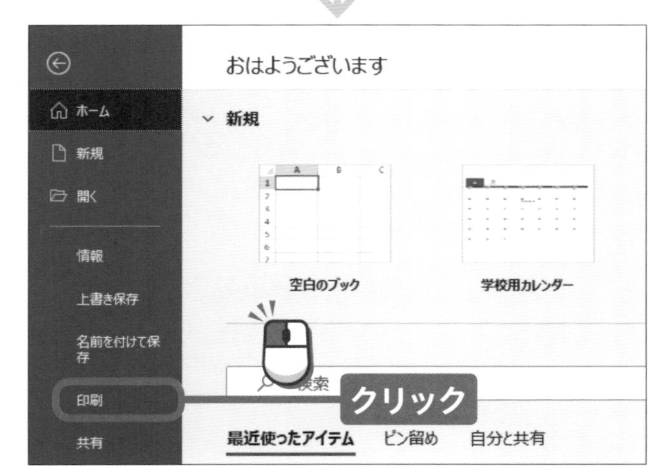

印刷を
クリックします。

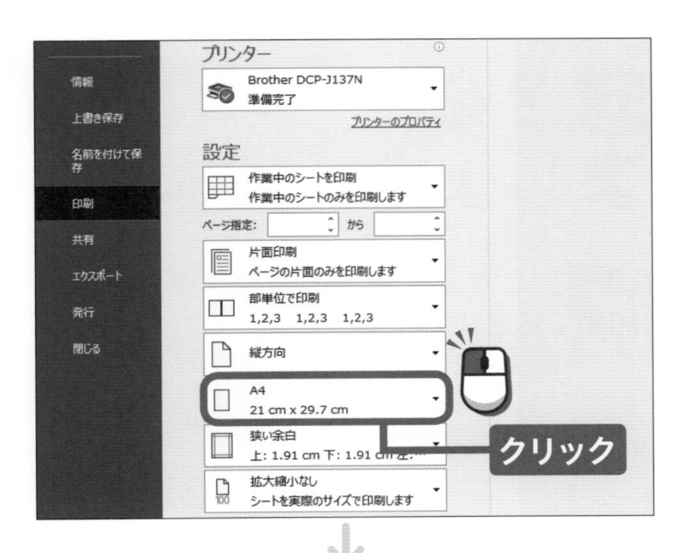

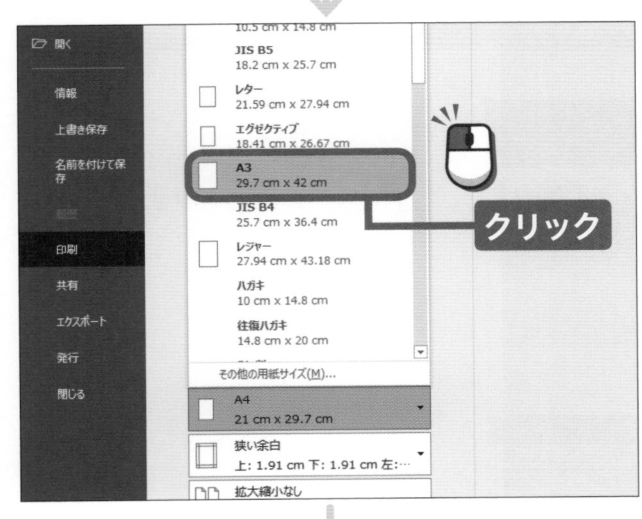

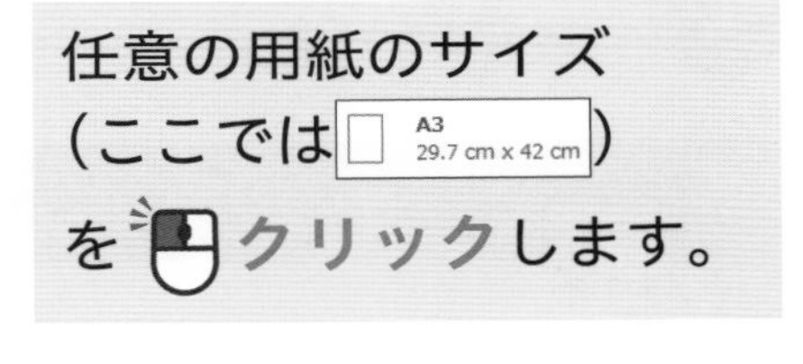

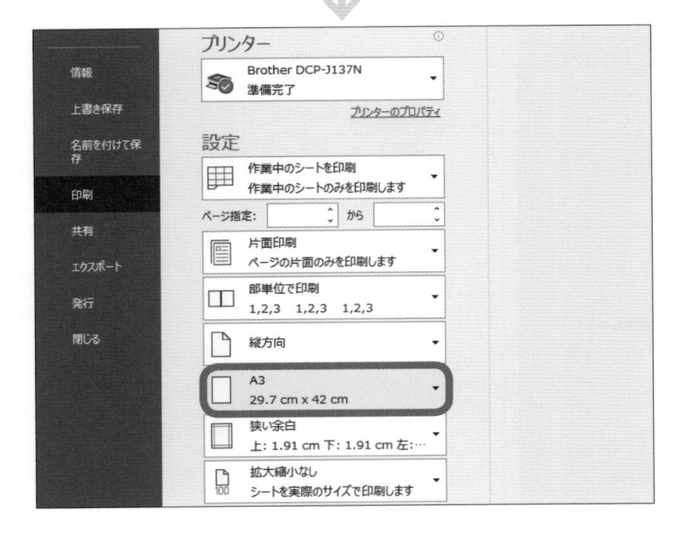

印刷の用紙が変更されます。

終わり

練習用ファイル ▸ 44_印刷の向き.xlsx

印刷の向きを設定しましょう

初期設定では、縦向きで印刷されます。しかし、横長の表やグラフを印刷したい場合は、横向きに設定して印刷するとよいでしょう。

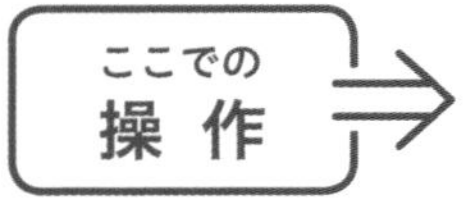

クリック
→P.14

1 印刷の向きを変更する

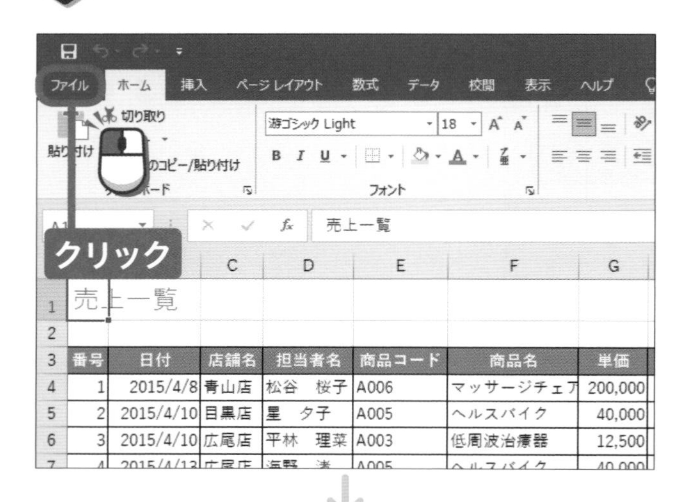

ファイルを
クリックします。

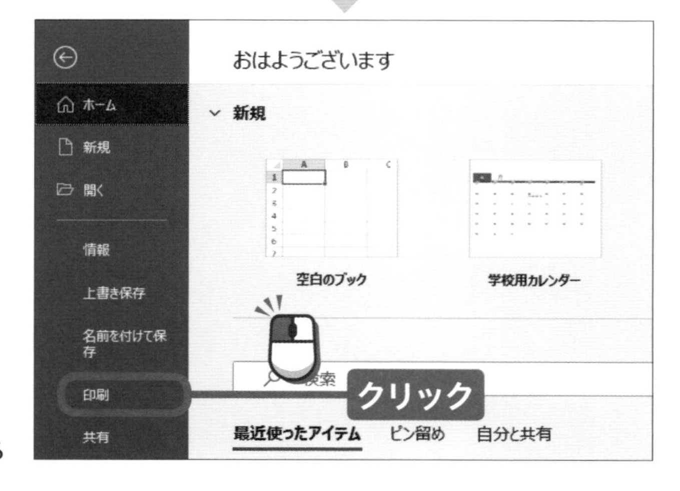

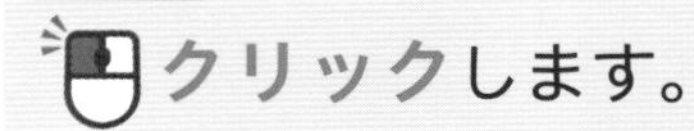
印刷を
クリックします。

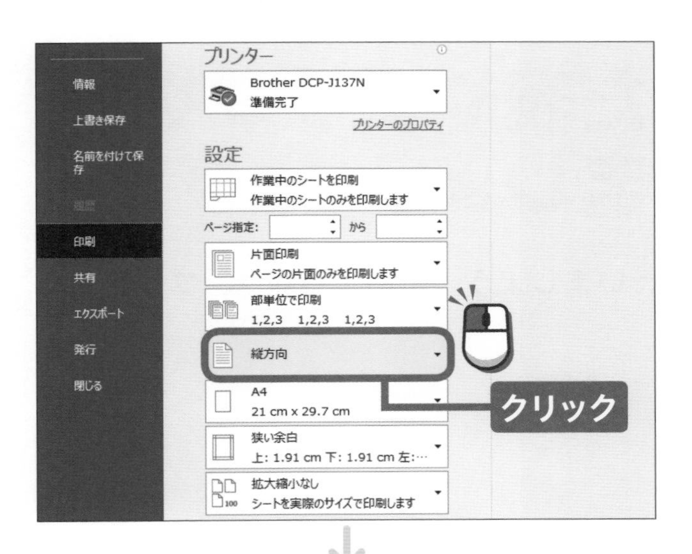

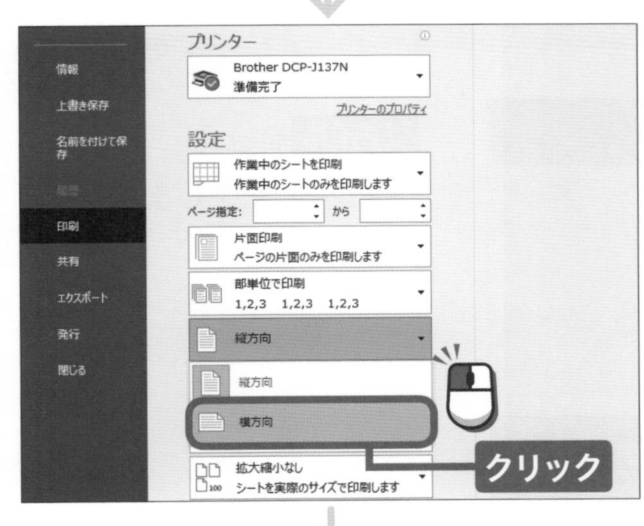

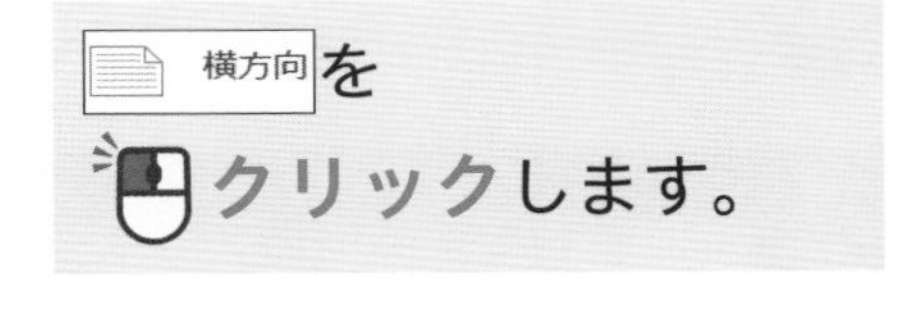

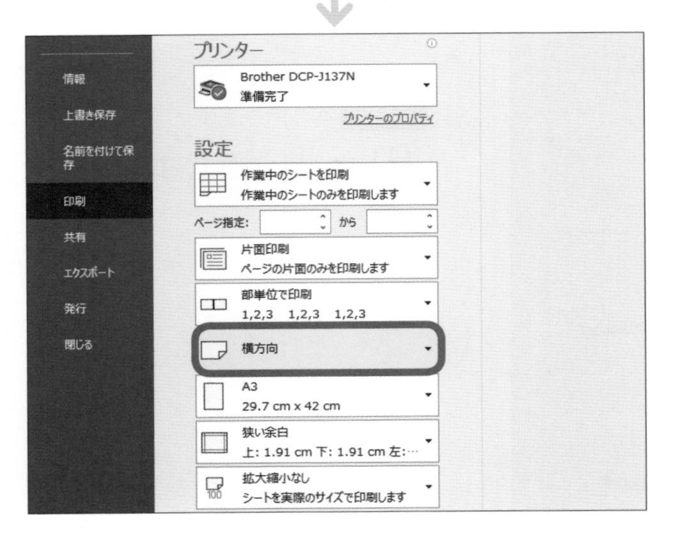

印刷の向きが横向きに設定されます。

終わり

レッスン45 完成した表やグラフを印刷しましょう

設定が完了したら実際に印刷を行いましょう。印刷する際は、プリンターの設定も忘れずに行いましょう。

クリック
→P.14

1 データを印刷する

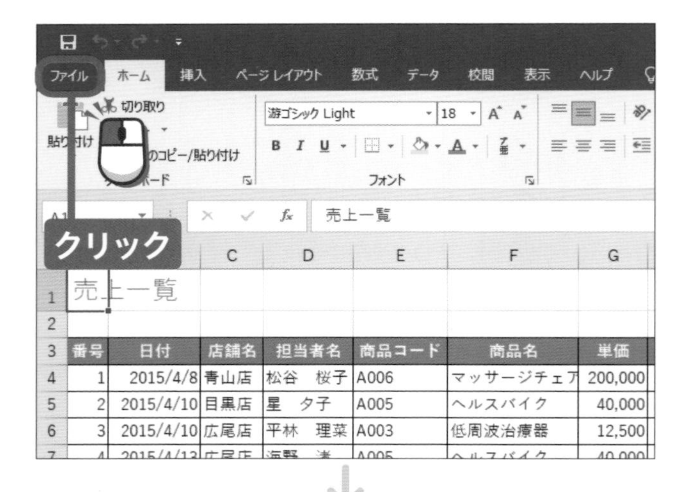

ファイルを クリックします。

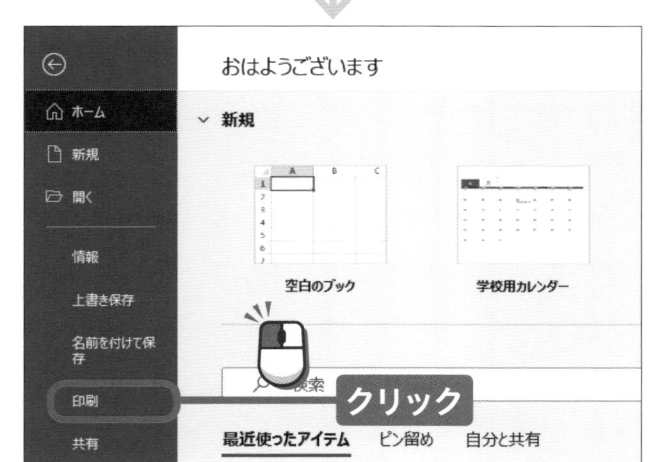

印刷を クリックします。

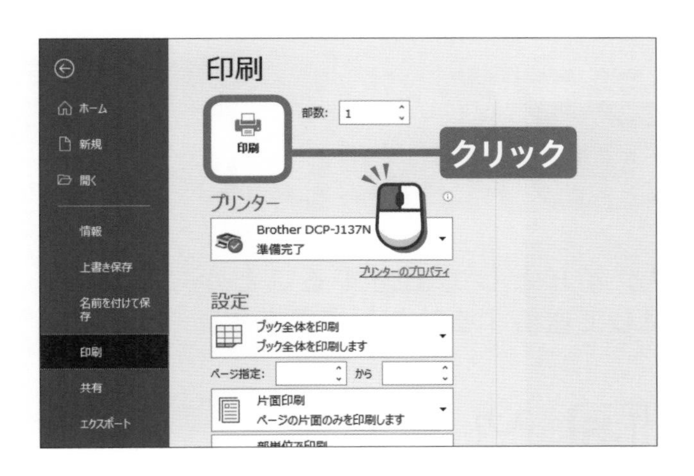

プリンターが起動して印刷が開始されます。

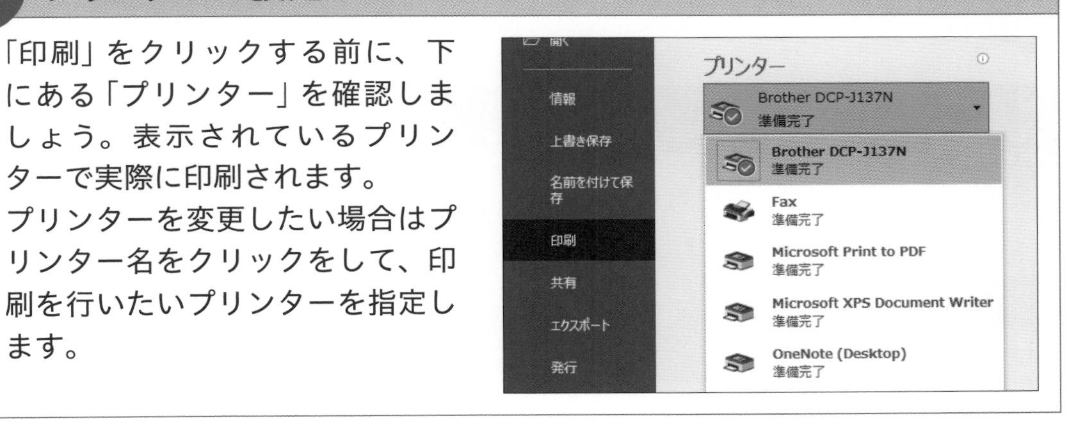

ヒント プリンターの設定

「印刷」をクリックする前に、下にある「プリンター」を確認しましょう。表示されているプリンターで実際に印刷されます。
プリンターを変更したい場合はプリンター名をクリックをして、印刷を行いたいプリンターを指定します。

ヒント 印刷枚数の設定

印刷枚数を設定すると、何回も印刷ボタンをクリックしなくても、指定した枚数分印刷されます。
「印刷」の右にある「部数」に印刷したい枚数を設定してから印刷しましょう。

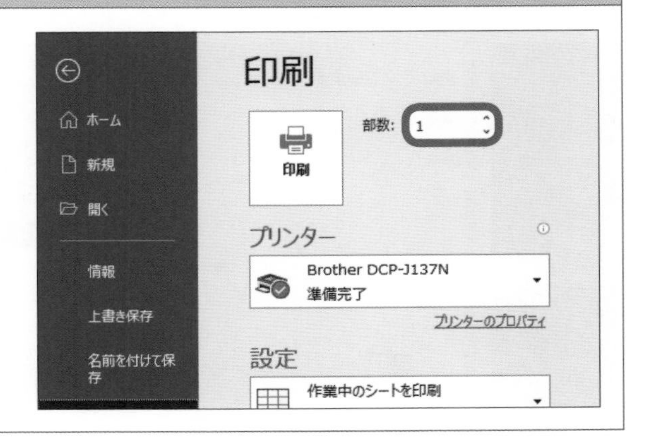

終わり

レッスン 46 表やグラフをPDFに出力しましょう

紙に印刷する以外にも、PDFファイルとして出力することができます。PDFファイルなら、メールに添付して送信することもできます。

 クリック →P.14

 入力 →P.16

1 PDFに出力する

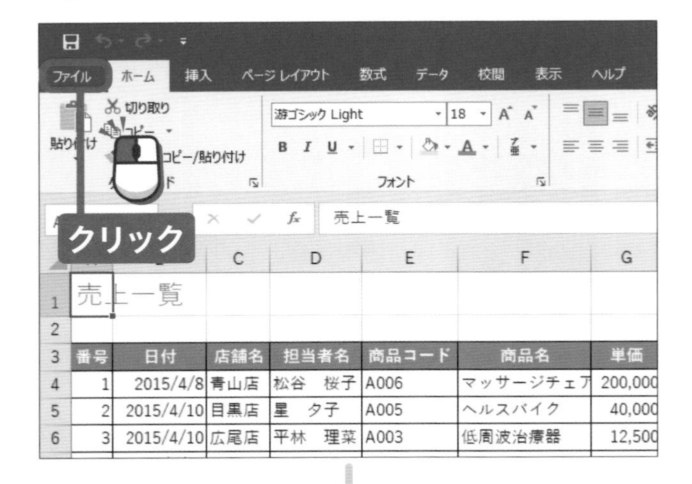

ファイルをクリックします。

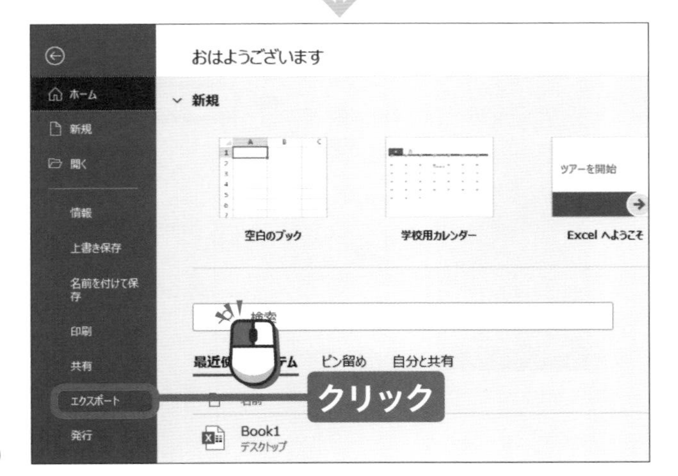

エクスポートをクリックします。

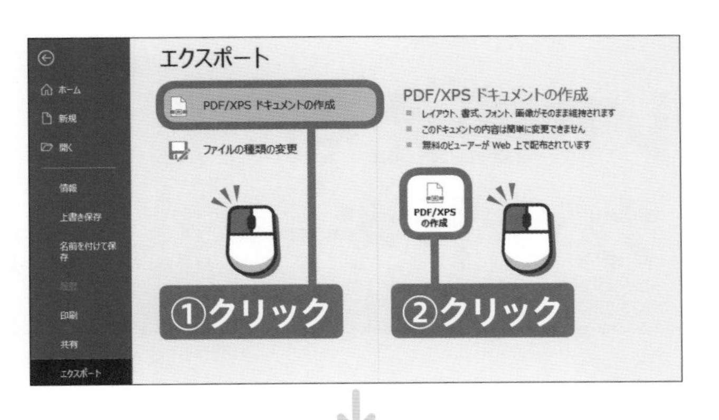

を クリックします。

を

クリックします。

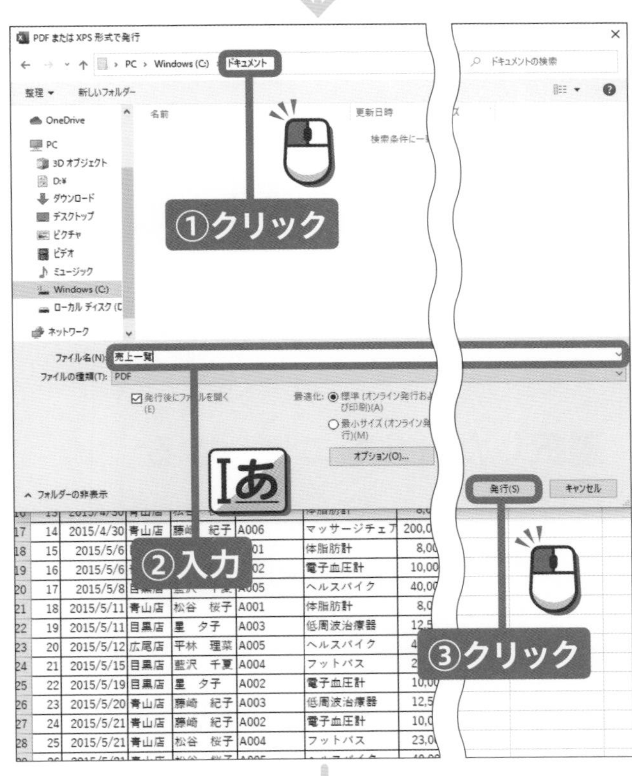

ここでは「ドキュメント」フォルダーに保存します。

保存先のフォルダーを
クリックして
指定します。

ファイル名を
入力します。

発行(S) を
クリックします。

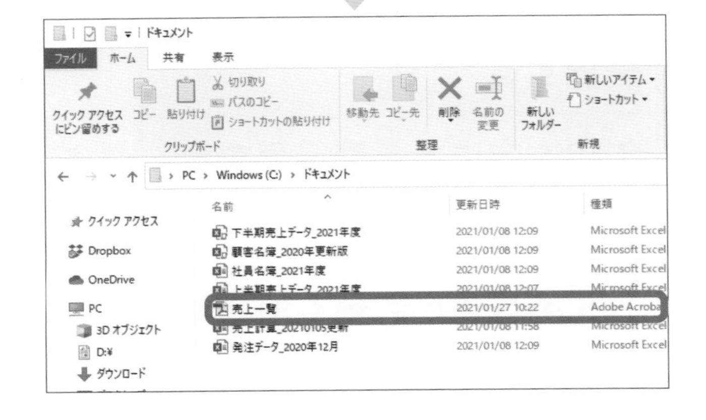

PDFファイルが保存されます。

アドバイス

発行が完了すると、自動的にPDFソフトが起動してファイルが開く場合があります。

終わり

エクセルで使える
ショートカットキー

Ctrl + S	ファイルを上書きで保存する
Ctrl + Z	直前の操作を元に戻す
Ctrl + Y	元に戻した操作をやり直す
Ctrl + C	選択したセルをコピーする
Ctrl + V	コピーした内容を貼り付ける
Ctrl + X	選択したセルを切り取る
Ctrl + →	矢印方向にある最後尾のデータを選択する
Ctrl + ⇧Shift + →	矢印方向にある最後尾のデータまでをまとめて選択する
Ctrl + ⇧Shift + 6	セルの外枠に罫線を引く

Ctrl + B	太字の書式設定
Ctrl + I	斜体の書式設定
Ctrl + U	下線の書式設定
Ctrl + 5	取り消し線の書式設定
Ctrl + N	新しいブックを作成する
Ctrl + W	選択しているブックを閉じる
Ctrl + Page Up	前のワークシートを表示する
Ctrl + Page Down	次のワークシートを表示する
⇧Shift + F11	新しいワークシートを挿入する
Alt + F1	現在の範囲からグラフを作成する
Alt + F4	エクセルを終了する
Alt + Enter	セル内で文字を改行する

索引

英字

あ行

か行

さ行

た行

な行

は行

ま行

や行

ら行

わ行

本書の注意事項

- 本書に掲載されている情報は、2021年3月現在のものです。本書の発行後にエクセルの機能や操作方法、画面が変更された場合は、本書の手順どおりに操作できなくなる可能性があります。
- 本書に掲載されている画面や手順は一例であり、すべての環境で同様に動作することを保証するものではありません。利用環境によって、紙面とは異なる画面、異なる手順となる場合があります。
- 読者固有の環境についてのお問い合わせ、本書の発行後に変更された項目についてのお問い合わせにはお答えできない場合があります。あらかじめご了承ください。
- 本書に掲載されている手順以外についてのご質問は受け付けておりません。
- 本書の内容に関するお問い合わせに際して、お電話によるお問い合わせはご遠慮ください。

著者紹介

早田 絵里（そうだ・えり）

東京都出身。大学卒業後、外資系企業の総務課でエクセルを使ったデータ入力業務を担当。大学在学時にはMOSのエキスパート資格取得。

現在では、学校で使うテキストの監修なども担当している。

・本書へのご意見・ご感想をお寄せください。

URL：https://isbn2.sbcr.jp/08965/

いちばんやさしいエクセル超入門

2021年 4月20日 初版第1刷発行

著者…………早田 絵里

発行者…………小川 淳

発行所…………SBクリエイティブ株式会社

〒106-0032 東京都港区六本木 2-4-5

https://www.sbcr.jp/

印刷・製本…………株式会社シナノ

カバーデザイン…………西垂水 敦・松山 千尋（krran）

カバーイラスト…………土居 香桜里

落丁本、乱丁本は小社営業部（03-5549-1201）にてお取り替えいたします。

Printed in Japan ISBN 978-4-8156-0896-5